EL CAMINO

Edited by

JOSÉ AMOR Y VÁZQUEZ & RUTH H. KOSSOFF

Brown University

Drawings by Miguel Delibes

HOLT, RINEHART AND WINSTON NEW YORK

MIGUEL DELIBES

EL CAMINO

Library of Congress Catalog Card Number: 60-6136

31805-0110

Printed in the United States of America

Preface

WHEN *El camino* was published in 1950, it was received with delight by the reading public and its qualities were immediately appreciated by the critics. Its reputation has continued to grow even though it did not stimulate a critical polemic nor inspire a new school of novelists. Seven years later, José María Caballero Bonald called it one of the three or four best novels of the past fifteen years in Spain.[1] A recent French translation is spreading its reputation abroad. It is quite evidently a book which is being reread and which is acquiring new readers every year.

The author of *El camino*, Miguel Delibes, was born in Valladolid, Spain, on October 17, 1920, and that city has remained the center of his activities.[2] He completed his *bachillerato* there at the Colegio de Lourdes and continued his studies in Valladolid, becoming successively *Perito Mercantil* (1938), *Licenciado en Derecho* (1941), *Profesor Mercantil* (1941), and *Intendente Mercantil* (1942) in Bilbao. In 1943, he received his Doctor of Laws degree in Madrid.

At present Delibes is professor of the Historia de la Cultura at the Escuela de Comercio in Valladolid and editor of the daily, *El Norte de Castilla*, as well as a novelist. He once worked as a journalist in Madrid, as a caricaturist for

El Norte de Castilla and as a bank employee. The caricatures in this book were drawn by the author himself.

According to Delibes' own testimony, the stimulus that initiated his career as a writer was a textbook of one of his professions: « Le parecerá sorprendente pero mi afición a escribir surgió de la lectura, mejor aún del estudio del *Curso de Derecho Mercantil* de Joaquín Garrigues. Aparte su rigor didáctico es éste un libro prodigiosamente escrito, sobrio, modelo del buen decir. »

When Delibes finished his studies and was well enough established in a career to find time to use as he wished, he knew he wanted to write a novel and the theme was there, waiting for expression. « Al ganar por oposición mi cátedra después de trabajar durante siete años diez y doce horas diarias me dí cuenta de que me sobraba mucho tiempo. Mi afición era dibujar pero un día, en 1946, me decidí a escribir una novela — *La sombra del ciprés es alargada* — sobre un tema que me había atormentado desde niño. La concesión del Premio Nadal a mi libro, aun siendo todavía balbuciente e inexperto me animó a continuar por ese camino. »

Delibes has continued to feel the challenge of his medium. His consciousness of the importance of the relation of the expression to the material has resulted in the development of a simple, direct manner, often laconic, frequently humorous, but also sensitive to sight and sound. He sometimes juggles word and phrase with awareness of their thematic force and an almost playful sense of the resulting extrinsic aesthetic effect. But there is always a sense of responsibility in the handling of material. « El escritor debe ser un hombre prevenido contra la oscura e irreparable rebelión de las palabras. Nada hay tan inquietante, inestable y escurrido como una palabra. La palabra es algo así como el jabón en la bañera. La rebelión de las palabras acecha al escritor cuando quiere aparentar que vió más de lo que vió o pretende dar un petulante cauce metafísico a la minucia cotidiana. La verdad se defiende con las uñas como gato panza arriba. »[3]

The initial impulse to produce a novel may have come from fascination with the creative possibilities of words and the compulsion to write out a problem of living that had long preoccupied him, but he has gone on to experiment continually and cautiously with techniques, with form and style, a novelist with true professional spirit.

More than one critic who has admired the integrity, judiciousness and taste of Delibes has indicated that he would like to see more radical experimentation by the novelist. It is true that it is easy to put traditional descriptive labels on the earlier novels of Delibes, but not the same label on any two novels. And one can no longer say that he is writing a thesis novel with a realistic setting or a psychological novel in a naturalistic setting. However, there is a constant basic concern with man's adjustment to the problems of his nature and existence. This preoccupation shows a fundamentally constructive attitude toward life, a conviction that the average man can find reason for and satisfaction in his life when he assumes the responsibilities that are his lot. This is implicit even when the main characters which the author portrays can never reach social maturity because of their inability to remedy their faults. Examples of this are Cecilio Rubes in *Mi idolatrado hijo Sisí*, ethically and morally bankrupt, and the mentally incompetent mongolian idiot in *Los nogales*.

Miguel Delibes is not impatient or bitter enough about what he finds around him to have a violent desire to reject and destroy forms as they are and then move on to bold experimentation. He advances by testing and trying. There seems to be a trend away from introspective analysis, toward apparent objectivity. It is interesting to contrast the amateur psychologist who serves as the protagonist of the first novel, *La sombra del ciprés es alargada* with the hunter of *Diario de un cazador* who, though he is not an insensitive man, does not try to understand nor analyze himself nor others.

In *La sombra del ciprés es alargada*, his first novel, which won the Premio Nadal in 1947, the author wrote about a theme which had long preoccupied him. The protagonist tries not to experience the pains and griefs of life by avoiding love and friendship. He chooses a career in the merchant marine which will protect him from maintaining intimate relations with family and friends. But he does not succeed in avoiding love. Perhaps the novel is weakened by the desire to say too many things at once, but it is nonetheless a rewarding book, the product of an honest concern with problems of living. In spite of its being a first novel, *La sombra* is unusual in its skillful handling of atmosphere and episode, particularly of the boyhood years of the protagonist in Avila.

The same basic problem of the direction a man should give to his life and the individual's responsibility to his fellow men is the theme of *Aun es de día* (1949). This takes place in a different world; the fight is a positive one to establish a position in society. The novel offers a background of physical circumstances, characters and marginal existence belonging to the literature of naturalism. The protagonist is Sebastián, the deformed son of a grasping, slovenly, periodically drunken ex-housemaid and of a hunchbacked chiropodist driven to poverty and death by his cruelly contemptuous wife. The boy struggles against this background to realize himself as an individual and as a useful member of society. He searches for love, beauty and truth despite great odds. The world Sebastián lives in, quite familiar in contemporary novels, should induce despair and lead to apathy or violence and it has this effect on some of the secondary characters. However, Delibes has created a hero who, though he seems the man least likely to influence anybody, continues to feel a moral responsibility toward his fellow men and women, however worthless they are and however cruelly and callously they treat him.

In his third novel, *El Camino* (1950), Delibes seems to

relax. This is symptomatic of a new degree of control, of which he himself is aware. He says that he is relatively satisfied with his work since *El camino* and that no writer who makes demands on himself can ever be more than relatively satisfied with his work. In *El camino* he looks at the microcosm of a village through the eyes of a boy who lies awake the night before his departure for school in the world outside his valley. Its human comedies, tragedies, absurdities, dignities and trivia are revealed. The language is simple, gently humorous in dealing with the inexplicable behavior of men and women perhaps, more particularly, women. The descriptions are sparse in detail and often poetic in their connotations.

In *Mi idolatrado hijo Sisí* (1953) Delibes presents another problem of moral responsibility, another full-length portrait but, this time, of a man who is a spectacular failure as a human being. Cecilio is a self-centered, self-indulgent and wealthy man whose only accomplishments are the invention of a bathtub no one buys and the raising of a son to an existence as idle, egotistical and empty as his own. The essential problem is universal but the specific setting is a large Spanish industrial city in the first third of the twentieth century and its changing fashions and modes of life. Again Delibes creates, with significant detail, the activities, interests and associations of his characters. A chronology of the times is provided by periodic summaries of the contents of current newspapers, a technique reminiscent of Dos Passos. The seemingly objective collection of events serves a double purpose. The Rubes family follows the changing modes which the newspaper accounts recall, but their only reaction to the serious issues of European and Spanish politics during those critical years is to take steps to keep their comfortable way of life intact.

El Premio Nacional de Literatura was awarded to Delibes' next book, *Diario de un cazador* (1955). Reviewing this, José

Luis Cano finds that for him the interior and exterior life of a *bedel* in the business college of a small provincial capital is not very interesting, but the manner of the novel, which makes use of the tone and language of a sharp and clever *sainete*, is perfectly contrived and the characterization of the types equally perfect.[4] One of the joys of the book is the very simplicity and directness of observations and reaction to human contacts without self-conscious analyses of souls and psyches. The omniscient, penetrating eye and ear of the novelist might be only meagerly replaced by the subjective reactions of this diarist but perspectives on his world are multiplied when he reports what others are saying and thinking. Then a chronicle of a neighborhood develops quite naturally from a sportsman's desire to keep a record of his hunting season by season.

Un novelista descubre América (1956) is the summary of impressions of Argentina and Chile, the result of a trip made in 1955. The same expedition furnished material for a continuation of the *Diario de un cazador* in the *Diario de un emigrante* (1958), as the hunter tries to solve his economic problems by emigrating to Chile.

A collection of short stories, *Siestas con viento sur* (1957) contains *El loco*, a tale of mystery and suspense in which the lines between reality and dream, sanity and madness often blur. *Los nogales* is the grotesque account of an old man with an idiot son for an heir and six walnut trees as a legacy. *La mortaja* projects the reader briefly into the life of a country boy when his father dies suddenly and he finds himself supplying the courage and initiative lacking in the adults who should help him. *Los railes (Apunte para una novela)* presents parallel biographies of a grandfather and grandson who spend their lives preparing for careers which they are perhaps afraid of achieving.

The latest prize-winning novel of Delibes is *La hoja roja* (1959; Premio « Juan March », 1958) which presents another collection of interesting people grouped around an old man who has just retired. The monotony of his days, his loneliness and his search for companionship and understanding take on metaphysical dimensions without diminishing the reality of the characters and their activities.

Only a tentative characterization of Delibes as a novelist could be made at this point in his career, but his own description of his novel and the mission of the novelist written to the present editors must be a part of that definition. « Para mí lo esencial de la novela son los personajes. De que estos estén vivos o sean de cartón depende la calidad de la obra. Un personaje bien trazado hace convincente el más absurdo de los relatos. En puridad, el novelista no debe caminar con un lastre sobre los hombros. Solamente admito las novelas de tesis cuando ésta se desprende espontáneamente de sus incidencias, sin necesidad de pontificar. »

[1] « La integridad narrativa de Miguel Delibes » in *Papeles de Son Armadans*, año II, tomo vi, núm. xvii (agosto), 1957, p. 211.

[2] The biographical material as well as the comments on writing were furnished to the editors by Miguel Delibes in a letter.

[3] Delibes, Miguel, *Un novelista descubre América*, Madrid, 1956, pp. 9-10.

[4] Cano, José Luis, Review of *Diario de un cazador* in *Ínsula*, no. 114 (15 de junio, 1955), p. 6.

Bibliography

One does not expect to find major critical studies of a writer so early in his career; nevertheless, Delibes' growing reputation is reflected not only in reviews of his books but in general studies of contemporary Spanish writing. *El camino* is frequently singled out for special praise with words that show particular affection for it.

The following list is, of course, not complete but it contains some interesting critical material.

Alborg, Juan Luis, *Hora actual de la novela española*, Madrid, 1958, pp. 153-165

Baquero Goyanes, Mariano, « La novela española de 1939 a 1953, » *Cuadernos hispanoamericanos*, núm. 67 (jul., 1955), pp. 81-95

Caballero Bonald, José Manuel, « La integridad narrativa de Miguel Delibes, » *Papeles de Son Armadans*, Año II, tomo vi, núm. xvii (agosto, 1957), pp. 209-211

Cano, José Luis, Rev. of *El camino*, *Ínsula*, núm. 63 (15 de marzo, 1951), p. 6

Rev. of *Mi idolatrado hjo Sisi*, *Ínsula*, núm. 97 (15 de enero, 1954), p. 6

Rev. of *Diario de un cazador*, *Ínsula*, núm. 114 (15 de junio, 1955), p. 6

Castellet, José María, *Notas sobre literatura española contemporánea*, Barcelona, 1955

Di Filippo, Luigi, « Il romanzo spagnolo contemporaneo, » *Nuova Antologia* (nov., 1953), pp. 327-342

Ferrer, Olga P., « La literatura española tremendista y su nexo en el existencialismo,» *Revista hispánica moderna*, XXII (jul.-oct., 1956), pp. 297-303

García, Manuel Alonso, « Sobre la última novela de Delibes, » *Cuadernos hispanoamericanos*, núm. 57 (sept., 1954), pp. 392-395

Gullón, Ricardo, « Carta de España: Dos novelas recientes, » *Realidad* (Chile), núm. 41 (jul.-dic., 1948), pp. 75-80

Hoyos, Antonio de, *Ocho escritores actuales*, Murcia, 1954, pp. 191-226

Marra-López, José R., Rev. of *Diario de un emigrante*, *Ínsula*, núm. 149 (15 de abril, 1959), p. 6

Orstein, Jacob and Causey, James, « Una década de la novela española contemporánea », *Revista hispánica moderna*, XVII (en.-dic., 1951), pp. 128-135

Ponce de León, Luis, Rev. of *Siestas con viento sur*, *Cuadernos hispanoamericanos*, núm. 94 (oct., 1957), pp. 115-116

Sainz de Robles, Federico Carlos, *La novela española en el siglo XX*, Madrid, 1957, pp. 242-244

Torrente Ballester, Gonzalo, *Panorama de la literatura española contemporánea*, Madrid, 1956, pp. 454-455

Vivanco, José Manuel, « El premio Nadal, 1947 » in *Cuadernos hispanoamericanos*, VII (en.-feb., 1949), pp. 223-224

Published works of Miguel Delibes

LA SOMBRA DEL CIPRES ES ALARGADA — 1948 (Premio « Eugenio Nadal », 1947)
AUN ES DE DIA — 1949
EL CAMINO — 1950
MI IDOLATRADO HIJO SISI — 1953
LA PARTIDA (relatos cortos) — 1954
DIARIO DE UN CAZADOR — 1955 (Premio Nacional de Literatura, 1955)
UN NOVELISTA DESCUBRE AMERICA (CHILE EN EL OJO AJENO) — 1956
SIESTAS CON VIENTO SUR — 1957
DIARIO DE UN EMIGRANTE — 1958
LA HOJA ROJA — 1959 (Premio « Juan March », 1958)

EL CAMINO

I

Las cosas podían haber sucedido de cualquier otra manera y, sin embargo, sucedieron así. Daniel, el Mochuelo, desde el fondo de sus once años, lamentaba el curso de los acontecimientos, aunque lo acatara como una realidad inevitable y fatal. Después de todo, que su padre aspirara a hacer de él algo más que un quesero era un hecho que honraba a su padre. Pero por lo que a él afectaba...

Su padre entendía que esto era progresar; Daniel, el Mochuelo, no lo sabía exactamente. El que él estudiase el Bachillerato en la ciudad podía ser, a la larga, efectivamente, un progreso. Ramón, el hijo del boticario, estudiaba ya para abogado en la ciudad, y cuando les visitaba, durante las vacaciones, venía empingorotado como un pavo real y les miraba a todos por encima del hombro; incluso al salir de misa los domingos y fiestas de guardar, se permitía corregir las palabras que don José, el cura, que era un gran santo, pronunciara desde el púlpito. Si esto era progresar, el marcharse a la ciudad a iniciar el Bachillerato, constituía, sin duda, la base de ese progreso.

Pero a Daniel, el Mochuelo, le bullían muchas dudas en la cabeza a este respecto. Él creía saber cuanto puede saber un hombre. Leía de corrido, escribía para entenderse y conocía y sabía aplicar las cuatro reglas.[1] Bien mirado, pocas cosas más cabían en un cerebro normalmente desarrollado. No obstante, en la ciudad, los estudios de Bachillerato constaban, según decían, de siete años y, después, los estudios superiores, en la Universidad, de otros tantos años, por lo menos. ¿Podía existir algo en el mundo cuyo conocimiento exigiera catorce años de esfuerzo, tres más de los que ahora contaba Daniel? Seguramente, en la ciudad se pierde mucho el tiempo — pensaba el Mochuelo — y, a fin de cuentas, habrá quien, al cabo de catorce años de estudio, no acierte a distinguir un rendajo de un jilguero o una boñiga de un cagajón. La vida era así de rara, absurda y caprichosa. El caso era trabajar y afanarse en las cosas inútiles o poco prácticas.

Daniel, el Mochuelo, se revolvió en el lecho y los muelles de su camastro de hierro chirriaron desagradablemente. Que él recordase, era esta la primera vez que no se dormía tan pronto caía en la cama. Pero esta noche tenía muchas cosas en que pensar. Mañana, tal vez, no fuese ya tiempo. Por la mañana, a las nueve en punto, tomaría el rápido ascendente y se despediría del pueblo hasta las Navidades. Tres meses encerrado en un colegio. A Daniel, el Mochuelo, le pareció que le faltaba aire y respiró con ansia dos o tres veces. Presintió la escena de la partida y pensó que no sabría contener las lágrimas, por más que su amigo Roque, el Moñigo, le dijese que un hombre bien hombre no debe llorar aunque se le muera el padre. Y el Moñigo tampoco era cualquier cosa, aunque contase dos años más que él y aún no hubiera empezado el Bachillerato. Ni lo empezaría nunca, tampoco. Paco, el herrero, no aspiraba a que su hijo progresase; se conformaba con que fuera herrero como él y tuviese suficiente habilidad para someter el hierro a su capricho. ¡Ese sí que era un oficio

[1] i.e. sumar, restar, multiplicar, dividir.

bonito! Y para ser herrero no hacía falta estudiar catorce años, ni trece, ni doce, ni diez, ni nueve, ni ninguno. Y se podía ser un hombre membrudo y gigantesco, como lo era el padre del Moñigo.

Daniel, el Mochuelo, no se cansaba nunca de ver a Paco, el herrero, dominando el hierro en la fragua. Le embelesaban aquellos antebrazos gruesos como troncos de árboles, cubiertos de un vello espeso y rojizo, erizados de músculos y de nervios. Seguramente Paco, el herrero, levantaría la cómoda de su habitación con uno solo de sus imponentes brazos y sin resentirse. Y de su tórax, ¿qué? Con frecuencia el herrero trabajaba en camiseta y su pecho hercúleo subía y bajaba, al respirar, como si fuera el de un elefante herido. Esto era un hombre. Y no Ramón, el hijo del boticario, emperejilado y tieso y pálido como una muchacha mórbida y presumida. Si esto era progreso, él, decididamente, no quería progresar. Por su parte, se conformaba con tener una pareja de vacas, una pequeña quesería y el insignificante huerto de la trasera de su casa. No pedía más. Los días laborables fabricaría quesos, como su padre, y los domingos se entretendría con la escopeta, o se iría al río a pescar truchas o a echar una partida al corro de bolos.

La idea de la marcha desazonaba a Daniel, el Mochuelo. Por la grieta del suelo se filtraba la luz de la planta baja y el haz luminoso se posaba en el techo con una fijeza obsesiva. Habrían de pasar tres meses sin ver aquel hilo fosforescente y sin oír los movimientos quedos de su madre en las faenas domésticas; o los gruñidos ásperos y secos de su padre, siempre malhumorado; o sin respirar aquella atmósfera densa, que se adentraba ahora por la ventana abierta, hecha de aromas de heno recién segado y de resecas boñigas. ¡Dios mío, qué largos eran tres meses!

Pudo haberse rebelado contra la idea de la marcha, pero ahora era ya tarde. Su madre lloriqueaba unas horas antes al hacer, junto a él, el inventario de sus ropas.

— Mira, Danielín, hijo, éstas son las sábanas tuyas. Van marcadas con tus iniciales. Y éstas tus camisetas. Y éstos tus calzoncillos. Y tus calcetines. Todo va marcado con tus letras. En el colegio seréis muchos chicos y de otro modo es posible que se extraviaran.

Daniel, el Mochuelo, notaba en la garganta un volumen inusitado, como si se tratara de un cuerpo extraño a él. Su madre se pasó el envés de la mano por la punta de la nariz remangada y sorbió una moquita. « El momento debe de ser muy especial cuando la madre hace eso que otras veces me prohibe hacer a mí », pensó el Mochuelo. Y sintió unos sinceros y apremiantes deseos de llorar.

La madre prosiguió:

— Cuídate y cuida la ropa, hijo. Bien sabes lo que a tu padre le ha costado todo esto. Somos pobres. Pero tu padre quiere que seas algo en la vida. No quiere que trabajes y padezcas como él. Tú — le miró un momento como enajenada — puedes ser algo grande, algo muy grande en la vida, Danielín; tu padre y yo hemos querido que por nosotros no quede.[2]

Volvió a sorber la moquita y quedó en silencio. El Mochuelo se repitió: « Algo muy grande en la vida, Danielín », y movió convulsivamente la cabeza. No acertaba a comprender cómo podría llegar a ser algo muy grande en la vida. Y se esforzaba, tesonudamente, en comprenderlo. Para él, algo muy grande era Paco, el herrero, con su tórax inabarcable, sus espaldas macizas y su pelo híspido y rojo; con su aspecto

[2] por nosotros no quede = por la parte de nosotros no quede sin hacer.

salvaje y duro de dios primitivo. Y algo grande era también su padre, que tres veranos atrás abatió un milano de dos metros de envergadura... Pero su madre no se refería a esta clase de grandeza cuando le hablaba. Quizá su madre deseaba 5 una grandeza al estilo de la de don Moisés, el maestro, o, tal vez, como la de don Ramón, el boticario, a quien hacía unos meses habían hecho alcalde. Seguramente a algo de esto aspiraban sus padres para él. Mas, a Daniel, el Mochuelo, no le fascinaban estas grandezas. En todo caso, prefería no ser 10 grande, ni progresar.

Dió vuelta en el lecho y se colocó boca abajo, tratando de amortiguar la sensación de ansiedad que desde hacía un rato le mordía en el estómago. Así se hallaba mejor; dominaba, en cierto modo, su desazón. De todas formas, boca arriba o 15 boca abajo, resultaba inevitable que a las nueve de la mañana tomase el rápido para la ciudad. Y adiós todo, entonces. Si es caso... Pero ya era tarde. Hacía muchos años que su padre acariciaba aquel proyecto y él no podía arriesgarse a destruirlo todo en un momento, de un caprichoso papirotazo. Lo que 20 su padre no logró haber sido, quería ahora serlo en él. Cuestión de capricho. Los mayores tenían, a veces, caprichos más tozudos y absurdos que los de los niños. Ocurría que a Daniel, el Mochuelo, le había agradado, meses atrás, la idea de cambiar de vida. Y sin embargo, ahora, esta idea le atormentaba.

25 Hacía casi seis años que conoció las aspiraciones de su padre respecto a él. Don José, el cura, que era un gran santo, decía, a menudo, que era un pecado sorprender las conversaciones de los demás. No obstante, Daniel, el Mochuelo, escuchaba con frecuencia las conversaciones de sus padres en 30 la planta baja, durante la noche, cuando él se acostaba. Por la grieta del entarimado divisaba el hogar, la mesa de pino, las banquetas, el entremijo y todos los útiles de la quesería.

Daniel, el Mochuelo, agazapado contra el suelo, espiaba las conversaciones desde allí. Era en él una costumbre. Con el murmullo de las conversaciones, ascendía del piso bajo el agrio olor de la cuajada y las esterillas sucias. Le placía aquel olor a leche fermentada, punzante y casi humano.

Su padre se recostaba en el entremijo aquella noche, mientras su madre recogía los restos de la cena. Hacía ya casi seis años que Daniel, el Mochuelo, sorprendiera esta escena, pero estaba tan sólidamente vinculada a su vida que la recordaba ahora con todos los pormenores.

— No, el chico será otra cosa. No lo dudes — decía su padre —. No pasará la vida amarrado a este banco como un esclavo. Bueno, como un esclavo y como yo.

Y, al decir esto, soltó una palabrota y golpeó en el entremijo con el puño crispado. Aparentaba estar enfadado con alguien, aunque Daniel, el Mochuelo, no acertaba a discernir con quién. Entonces Daniel no sabía que los hombres se enfurecen a veces con la vida y contra un orden de cosas que consideran irritante y desigual. A Daniel, el Mochuelo, le gustaba ver airado a su padre porque sus ojos echaban chiribitas y los músculos del rostro se le endurecían y, entonces, detentaba una cierta similitud con Paco, el herrero.

— Pero no podemos separarnos de él — dijo la madre —. Es nuestro único hijo. Si siquiera tuviéramos una niña. Pero no es posible, tú lo sabes. No podremos tener una hija ya. Don Ricardo dijo, la última vez, que he quedado estéril después del malparto.

Su padre juró otra vez, entre dientes. Luego, sin moverse de su postura, añadió:

— Déjalo; eso ya no tiene remedio. No escarbes en las cosas que ya no tienen remedio.

La madre gimoteó, mientras recogía en un bote oxidado

las migas de pan abandonadas encima de la mesa. Aún insistió débilmente:

— A lo mejor el chico no vale para estudiar. Todo esto es prematuro. Y un chico en la ciudad es muy costoso. Eso 5 puede hacerlo Ramón, el boticario, o el señor juez. Nosotros no podemos hacerlo. No tenemos dinero.

Su padre empezó a dar vueltas nerviosas a una adobadera entre las manos. Daniel, el Mochuelo, comprendió que su padre se dominaba para no exacerbar el dolor de su mujer. 10 Al cabo de un rato añadió:

— Eso quédalo de mi cuenta.[3] En cuanto a si el chico vale o no vale para estudiar depende de si tiene cuartos o si no los tiene. Tú me comprendes.

Se puso en pie y con el gancho de la lumbre desparramó 15 las ascuas que aún relucían en el hogar. Su madre se había sentado, con las bastas manos desmayadas en el regazo. Repentinamente se sentía extenuada y nula, absurdamente vacua e indefensa. El padre se dirigía de nuevo a ella:

— Es cosa decidida. No me hagas hablar más de esto. 20 En cuanto el chico cumpla once años marchará a la ciudad a empezar el grado.

La madre suspiró, rendida. No dijo nada. Daniel, el Mochuelo, se acostó y se durmió haciendo conjeturas sobre lo que querría decir su madre, con aquello de que se había 25 quedado estéril después del malparto.

[3] = déjalo de mi cuenta.

Delilge

II

AHORA, Daniel, el Mochuelo, ya sabía lo que era quedarse estéril y lo que era un malparto. Pensó en Roque, el Moñigo. Quizá si no hubiera conocido a Roque, el Moñigo, seguiría, a estas alturas, sin saber lo que era quedarse estéril y lo que era un malparto. Pero Roque, el Moñigo, sabía mucho de todo « eso ». Su madre le decía que no se juntase con Roque, porque el Moñigo se había criado sin madre y sabía muchas perrerías. También las Guindillas le decían a menudo que por juntarse al Moñigo ya era lo mismo que él, un golfo y un zascandil.

Daniel, el Mochuelo, siempre salía en defensa de Roque, el Moñigo. La gente del pueblo no le comprendía o no quería comprenderlo. Que Roque supiera mucho de « eso » no significaba que fuera un golfo y un zascandil. El que fuese fuerte como un toro y como su padre, el herrero, no quería decir que fuera un malvado. El que su padre, el herrero, tuviese siempre junto a la fragua una bota de vino y la levantase de cuando en cuando no equivalía a ser un borracho empedernido, ni podía afirmarse, en buena ley, que Roque, el Moñigo, era un golfante como su padre, porque ya se sabía que de tal palo tal astilla. Todo esto constituía una sarta de infamias, y Daniel, el Mochuelo, lo sabía de sobra porque conocía como nadie al Moñigo y a su padre.

De que la mujer de Paco, el herrero, falleciera al dar a luz al Moñigo, nadie tenía la culpa. Ni tampoco tenía la culpa nadie de la falta de capacidad educadora de su hermana Sara, demasiado brusca y rectilínea para ser mujer.

La Sara[1] llevó el peso de la casa desde la muerte de su madre. Tenía el pelo rojo e híspido y era corpulenta y maciza como el padre y el hermano. A veces, Daniel, el Mochuelo, imaginaba que el fin de la madre de Roque, el Moñigo, sobrevino por no tener aquélla el pelo rojo. El pelo rojo podía ser, en efecto, un motivo de longevidad o, por lo menos, una especie de amuleto protector. Fuera por una causa o por otra, lo cierto es que la madre del Moñigo falleció al nacer él y que su hermana Sara, trece años mayor, le trató desde entonces como si fuera un asesino sin enmienda. Claro que la Sara tenía poca paciencia y un carácter regañón y puntilloso. Daniel, el Mochuelo, la había conocido corriendo tras de su hermano escalera abajo, desmelenada y torva, gritando desaforadamente:

— ¡Animal, más que animal, que ya antes de nacer eras un animal!

Luego la oyó repetir este estribillo centenares y hasta millares de veces; pero a Roque, el Moñigo, le traía aquello sin cuidado. Seguramente lo que más exacerbó y agrió el carácter de la Sara fué el rotundo fracaso de su sistema educativo. Desde muy niño, el Moñigo fué refractario al Coco, al Hombre del Saco y al Tío Camuñas. Sin duda fué su solidez física la que le inspiró este olímpico desprecio hacia todo lo que no fueran hombres reales, con huesos, músculos y sangre

[1] *In Spanish the article is often used colloquially with proper names. Do not translate.*

bajo la piel. Lo cierto es que cuando la Sara amenazaba a su hermano, diciéndole: « Que viene el Coco, Roque, no hagas tal cosa », el Moñigo sonreía maliciosamente, como desafiándole: « Ale, que venga, le aguardo ». Entonces el Moñigo apenas tenía tres años y aún no hablaba nada. A la Sara la llevaban los demonios al constatar el choque inútil de su amenaza con la indiferencia burlona del pequeñuelo.

Poco a poco, el Moñigo fué creciendo y su hermana Sara apeló a otros procedimientos. Solía encerrar a Roque en el pajar si cometía una travesura, y luego le leía, desde fuera, lentamente y con voz sombría y cavernosa las recomendaciones del alma.

Daniel, el Mochuelo, aún recordaba una de las primeras visitas a casa de su amigo. La puerta de la calle estaba entreabierta y, en el interior, no se veía a nadie, ni se oía nada, como si la casa estuviera deshabitada. La escalera que conducía al piso alto se alzaba incitante ante él, pero él la miró, tocó el pasamano, pero no se atrevió a subir. Conocía ya a la Sara de referencias y aquel increíble silencio le inspiraba un vago temor. Se entretuvo un rato atrapando una lagartija que intentaba escabullirse por entre las losas del zaguán. De improviso oyó una retahila de furiosos improperios, en lo alto, seguidos de un estruendoso portazo. Se decidió a llamar, un poco cohibido:

— ¡Moñigo! ¡Moñigo!

Al instante se derramó sobre él un diluvio de frases agresivas. Daniel se encogió sobre sí mismo.

— ¿Quién es el bruto que llama así? ¡Aquí no hay ningún Moñigo! Todos en esta casa llevamos nombre de santo. ¡Ale, largo!

Daniel, el Mochuelo, nunca supo por qué en aquella ocasión se quedó, a pesar de todo, clavado al suelo como si fuera una estatua. El caso es que se quedó quieto y mudo, casi sin respirar. Entonces oyó hablar arriba a la Sara y prestó atención. Por el hueco de la escalera se desgranaban sus frases engoladas como una lluvia lúgubre y sombría:

— Cuando mis pies, perdiendo su movimiento, me adviertan que mi carrera en este mundo está próxima a su fin...

Y, detrás, sonaba la voz del Moñigo, opaca y sorda, como si partiera de lo hondo de un pozo:

— Jesús misericordioso, tened compasión de mí.

De nuevo las inflexiones de Sara, cada vez más huecas y extremosas:

— Cuando mis ojos, vidriados y desencajados por el horror de la inminente muerte, fijen en Vos sus miradas lánguidas y moribundas...

— Jesús misericordioso, tened compasión de mí.

Se iba adueñando de Daniel, el Mochuelo, un pavor helado e impalpable. Aquella tétrica letanía le hacía cosquillas en la medula de los huesos. Sin embargo, no se movió del sitio. Le acuciaba una difusa e impersonal curiosidad.

— Cuando perdido el uso de los sentidos — continuaba, monótona, la Sara — el mundo todo desaparezca de mi vista y gima yo entre las angustias de la última agonía y los afanes de la muerte...

Otra vez la voz amodorrada y sorda y tranquila del Moñigo, desde el pajar:

— Jésus misericordioso, tened compasión de mí.

Al concluir Sara su correctivo verbal, se hizo impaciente la voz de Roque:

— ¿Has terminado?

— Sí — dijo la Sara.

— Ale, abre.

La interrogación siguiente de la Sara envolvía un despecho mal reprimido:

— ¿Escarmentaste?

— ¡No!

— Entonces no abro.

— Abre o echo la puerta abajo. El castigo ya se terminó.

Y Sara le abrió a su pesar. El Moñigo le dijo al pasar a su lado:

— Me metiste menos miedo que otros días, Sara.

La hermana perdía los estribos, furiosa:

— ¡Calla, cerdo! Un día... un día te voy a partir los hocicos o yo no sé lo que te voy a hacer.

— Eso no; no me toques, Sara. Aún no ha nacido quien me ponga la mano encima, ya lo sabes — dijo el Moñigo.

Daniel, el Mochuelo, esperó oír el estampido del sopapo, pero la Sara debió pensarlo mejor y el estampido previsto no se produjo. Oyó Daniel, en cambio, las pisadas firmes de su amigo al descender los peldaños, y acuciado por un pudoroso instinto de discreción, salió por la puerta entornada y le esperó en la calle. Ya a su lado, el Moñigo dijo:

— ¿Oíste a la Sara?

Daniel, el Mochuelo, no se atrevió a mentir:

— La oí — dijo.

— Te habrás fijado que es una maldita pamplinera.

— A mí me metió miedo, la verdad — confesó, aturdido, el Mochuelo.

— ¡Bah!, no hagas caso. Todo eso de los ojos vidriados y los pies que no se mueven son pamplinas. Mi padre dice que cuando la diñas no te enteras de nada.

Movió el Mochuelo, dubitativo, la cabeza:

— ¿Cómo lo sabe tu padre? — dijo.

A Roque, el Moñigo, no se le había ocurrido pensar en eso. Vaciló un momento, pero en seguida aclaró:

— ¡Qué sé yo! Se lo diría mi madre al morirse. Yo no me puedo acordar de eso.

Desde aquel día, Daniel, el Mochuelo, situó mentalmente al Moñigo en un altar de admiración. El Moñigo no era listo, pero, ¡ahí era nada mantenérselas tiesas con los mayores! Roque, a ratos, parecía un hombre por su aplomo y gravedad. No admitía imposiciones ni tampoco una justicia cambiante y caprichosa. Una justicia doméstica, se sobreentiende. Por su parte, la hermana le respetaba. La voluntad del Moñigo no era un cero a la izquierda como la suya; valía por la voluntad de un hombre; se la tenía en cuenta en su casa y en la calle. El Moñigo poseía personalidad.

Y, a medida que transcurría el tiempo, fué aumentando la admiración de Daniel por el Moñigo. Éste se peleaba con frecuencia con los rapaces del valle y siempre salía victorioso y sin un rasguño. Una tarde, en una romería, Daniel vió al Moñigo apalear hasta hartarse al que tocaba el tamboril. Cuando se sació de golpearle le metió el tambor por la cabeza como si fuera un sombrero. La gente se reía mucho. El músico era un hombre ya de casi veinte años y el Moñigo sólo tenía once. Para entonces, el Mochuelo había comprendido que Roque era un buen árbol donde arrimarse y se hicieron inseparables, por más que la amistad del Moñigo le forzaba, a veces, a extremar su osadía e implicaba algún que otro regletazo de don Moisés, el maestro. Pero, en compensación, el Moñigo le había servido en más de una ocasión de escudo y paragolpes.

A pesar de todo esto, la madre de Daniel, don José el cura, don Moisés el maestro, la Guindilla mayor y las Lepóridas, no tenían motivos para afirmar que Roque, el Moñigo, fuese un golfante y un zascandil. Si el Moñigo entablaba pelea era siempre por una causa justa o porque procuraba la consecución de algún fin utilitario y práctico. Jamás lo hizo a humo de pajas o por el placer de golpear.

5 Y otro tanto ocurría con su padre, el herrero. Paco, el herrero, trabajaba como el que más y ganaba bastante dinero. Claro que para la Guindilla mayor y las Lepóridas no existían más que dos extremos en el pueblo: los que ganaban poco dinero y de éstos decían que eran unos vagos y unos hol-
10 gazanes, y los que ganaban mucho dinero, de los cuales afirmaban que si trabajaban era sólo para gastarse el dinero en vino. Las Lepóridas y la Guindilla mayor exigían un punto de equilibrio muy raro y difícil de conseguir. Pero la verdad es que Paco, el herrero, bebía por necesidad. Daniel, el
15 Mochuelo, lo sabía de fundamento, porque conocía a Paco mejor que nadie. Y si no bebía, la fragua no carburaba. Paco, el herrero, lo decía muchas veces: « Tampoco los autos andan sin gasolina. » Y se echaba un trago al coleto. Después del trago trabajaba con mayor ahinco y tesón. Esto, pues, a fin
20 de cuentas, redundaba en beneficio del pueblo. Mas el pueblo no se lo agradecía y lo llamaba sinvergüenza y borracho. Menos mal que el herrero tenía correa, como su hijo, y aquellos insultos no le lastimaban. Daniel, el Mochuelo, pensaba que el día que Paco, el herrero, se irritase no quedaría en el pueblo
25 piedra sobre piedra; lo arrasaría todo como un ciclón.

No era tampoco cosa de echar en cara al herrero el que piropease a las mozas que cruzaban ante la fragua y las invitase a sentarse un rato con él a charlar y a echar un trago. En realidad era viudo y estaba aún en edad de merecer.
30 Además, su exuberancia física era un buen incentivo para las mujeres. A fin de cuentas, don Antonino, el marqués, se había casado tres veces y no por ello la gente dejaba de llamarle don

Antonino y seguía quitándose la boina al cruzarse con él, para saludarle. Y continuaba siendo el marqués. Después de todo, si Paco, el herrero, no se casaba lo hacía por no dar madrastra a sus hijos y no por tener más dinero disponible para vino como malévolamente insinuaban la Guindilla mayor y las Lepóridas.

Los domingos y días festivos, Paco, el herrero, se emborrachaba en casa del Chano hasta la incoherencia. Al menos eso decían la Guindilla mayor y las Lepóridas. Mas si lo hacía así, sus razones tendría el herrero, y una de ellas, y no desdeñable, era la de olvidarse de los últimos seis días de trabajo y de la inminencia de otros seis en los que tampoco descansaría. La vida era así de exigente y despiadada con los hombres.

A veces, Paco, cuyo temperamento se exaltaba con el alcohol, armaba en la taberna del Chano trifulcas considerables. Eso sí, jamás tiraba de navaja aunque sus adversarios lo hicieran. A pesar de ello, las Lepóridas y la Guindilla mayor decían de él — de él, que peleaba siempre a pecho descubierto y con la mayor nobleza concebible — que era un asqueroso matón. En realidad, lo que mortificaba a la Guindilla mayor, a las Lepóridas, al maestro, al ama de don Antonino, a la madre de Daniel, el Mochuelo, y a don José, el cura, eran los músculos abultados del herrero; su personalidad irreductible; su hegemonía física. Si Paco y su hijo hubieran sido unos fifiriches al pueblo no le importaría que fuesen borrachos o camorristas; en cualquier momento podrían tumbarles de un sopapo. Ante aquella inaudita corpulencia, la cosa cambiaba; habían de conformarse con ponerles verdes por la espalda. Bien decía Andrés, el zapatero: « Cuando a las gentes les faltan músculos en los brazos, les sobran en la lengua. »

Don José, el cura, que era un gran santo, a pesar de

censurar abiertamente a Paco, el herrero, sus excesos, sentía hacia él una secreta simpatía. Por mucho que tronase no podría olvidar nunca el día de la Virgen, aquel año en que Tomás se puso muy enfermo y no pudo llevar las andas de la imagen. 5 Julián, otro de los habituales portadores de las andas, tuvo que salir del lugar en viaje urgente. La cosa se ponía fea. No surgían sustitutos. Don José, el cura, pensó, incluso, en suspender la procesión. Fué entonces cuando se presentó, humildemente, en la iglesia, Paco, el herrero.

10 — Señor cura, si usted quiere, yo puedo pasear la Virgen por el pueblo. Pero ha de ser a condición de que me dejen a mí solo — dijo.

Don José sonrió maliciosamente al herrero.

— Hijo, agradezco tu voluntad y no dudo de tus fuerzas. 15 Pero la imagen pesa más de doscientos kilos — dijo.

Paco, el herrero, bajó los ojos, un poco avergonzado de su enorme fortaleza.

— Podría llevar encima cien kilos más, señor cura. No sería la primera vez... — insistió.

20 Y la Virgen recorrió el pueblo sobre los fornidos hombros de Paco, el herrero, a paso lento y haciendo cuatro paradas: en la plaza, ante el Ayuntamiento, frente a Teléfonos y, de regreso, en el atrio de la iglesia, donde se entonó, como era costumbre, una Salve popular. Al concluir la procesión, los 25 chiquillos rodeaban admirados a Paco, el herrero. Y éste, esbozando una sonrisa pueril, les obligaba a palparle la camisa en el pecho, en la espalda, en los sobacos:

— Tentad, tentad — les decía —; no estoy sudado; no he sudado ni tampoco una gota.

30 La Guindilla mayor y las Lepóridas censuraron a don José, el cura, que hubiese autorizado a poner la imagen de la Virgen sobre los hombros más pecadores del pueblo. Y

juzgaron el acto meritorio de Paco, el herrero, como una ostentación evidentemente pecaminosa. Pero Daniel, el Mochuelo, estaba en lo cierto: lo que no podía perdonársele a Paco, el herrero, era su complexión y el ser el hombre más vigoroso del valle, de todo el valle. 5

III

EL valle... Aquel valle significaba mucho para Daniel, el Mochuelo. Bien mirado, significaba todo para él. En el valle había nacido y, en once años, jamás franqueó la cadena de altas montañas que lo circuían. Ni experimentó la
5 necesidad de hacerlo siquiera.

A veces, Daniel, el Mochuelo, pensaba que su padre, y el cura, y el maestro, tenían razón, que su valle era como una gran olla independiente, absolutamente aislada del exterior. Y, sin embargo, no era así; el valle tenía su cordón umbilical,
10 un doble cordón umbilical, mejor dicho, que le vitalizaba al mismo tiempo que le maleaba: la vía férrea y la carretera. Ambas vías atravesaban el valle de sur a norte, provenían de la parda y reseca llanura de Castilla y buscaban la llanura azul del mar. Constituían, pues, el enlace de dos inmensos
15 mundos contrapuestos.

En su trayecto por el valle, la vía, la carretera y el río — que se unía a ellas después de lanzarse en un frenesí de rápidos y torrentes desde lo alto del Pico Rando — se entrecruzaban una y mil veces, creando una inquieta topografía
20 de puentes, túneles, pasos a nivel y viaductos.

En primavera y verano, Roque, el Moñigo, y Daniel, el Mochuelo, solían sentarse, al caer la tarde, en cualquier leve prominencia y desde allí contemplaban, agobiados por una unción casi religiosa, la lánguida e ininterrumpida vitalidad del valle. La vía del tren y la carretera dibujaban, en la hondonada, violentos y frecuentes zigzags; a veces se buscaban, otras se repelían, pero siempre, en la perspectiva, eran como dos blancas estelas abiertas entre el verdor compacto de los prados y los maizales. Los trenes, los automóviles y los blancos caseríos tomaban proporciones de diminutas figuras de « nacimiento » increíblemente lejanas y, al propio tiempo, incomprensiblemente próximas y manejables. En ocasiones se divisaban dos y tres trenes simultáneamente, cada cual con su negro penacho de humo colgado de la atmósfera, quebrando la hiriente uniformidad vegetal de la pradera. ¡Era gozoso ver surgir las locomotoras de las bocas de los túneles! Surgían como los grillos cuando el Moñigo o él los forzaban a salir de las huras del campo anegándolas. Locomotora y grillo evidenciaban, al salir de sus agujeros, una misma expresión de jadeo, amedrentamiento y ahogo.

Le gustaba al Mochuelo sentir sobre sí la quietud serena y reposada del valle, contemplar el conglomerado de prados, divididos en parcelas, y salpicados de caseríos dispersos. Y, de vez en cuando, las manchas obscuras y espesas de los bosques de castaños o la tonalidad clara y mate de las aglomeraciones de eucaliptos. A lo lejos, por todas partes, las montañas, que según la estación y el clima alteraban su contextura, pasando de una extraña ingravidez vegetal a una solidez densa, mineral y plomiza en los días obscuros.

Al Mochuelo le agradaba aquello más que nada, quizá, también, porque no conocía otra cosa. Le agradaba constatar el paralizado estupor de los campos y el verdor frenético del valle y las rachas de ruido y velocidad que la civilización enviaba de cuando en cuando, con una exactitud casi cronométrica.

Muchas tardes, ante la inmovilidad y el silencio de la Naturaleza, perdían el sentido del tiempo y la noche se les
5 echaba encima. La bóveda del firmamento iba poblándose de estrellas y Roque, el Moñigo, se sobrecogía bajo una especie de pánico astral. Era en estos casos, de noche y lejos del mundo, cuando a Roque, el Moñigo, se le ocurrían ideas inverosímiles, pensamientos que normalmente no le inquieta-
10 ban.

Dijo una vez:

— Mochuelo, ¿es posible que si cae una estrella de ésas no llegue nunca al fondo?

Daniel, el Mochuelo, miró a su amigo, sin comprenderle.

15 — No sé lo que me quieres decir — respondió.

El Moñigo luchaba con su deficiencia de expresión. Accionó repetidamente con las manos y, al fin, dijo:

— Las estrellas están en el aire, ¿no es eso?

— Eso.

20 — Y la Tierra está en el aire también como otra estrella, ¿verdad? — añadió.

— Sí; al menos eso dice el maestro.

— Bueno, pues es lo que te digo. Si una estrella se cae y no choca con la Tierra ni con otra estrella, ¿no llega nunca
25 al fondo? ¿Es que ese aire que las rodea no se acaba nunca?

Daniel, el Mochuelo, se quedó pensativo un instante. Empezaba a dominarle también a él un indefinible desasosiego cósmico. La voz surgió de su garganta indecisa y aguda como un lamento.

30 — Moñigo.

— ¿Qué?

— No me hagas esas preguntas; me mareo.

— ¿Te mareas o te asustas?

— Puede que las dos cosas — admitió.

Rió, entrecortadamente, el Moñigo.

— Voy a decirte una cosa — dijo luego.

— ¿Qué? 5

— También a mí me dan miedo las estrellas y todas esas cosas que no se abarcan o no se acaban nunca. Pero no lo digas a nadie, ¿oyes? Por nada del mundo querría que se enterase de ello mi hermana Sara.

El Moñigo escogía siempre estos momentos de reposo 10 solitario para sus confidencias. Las ingentes montañas, con sus recias crestas recortadas sobre el horizonte, imbuían al Moñigo una irritante impresión de insignificancia. Si la Sara, pensaba Daniel, el Mochuelo, conociera el flaco del Moñigo, podría, fácilmente, meterlo en un puño. Pero, naturalmente, 15 por su parte, no lo sabría nunca. Sara era una muchacha antipática y cruel y Roque su mejor amigo. ¡Que adivinase ella el terror indefinible que al Moñigo le inspiraban las estrellas!

Al regresar, ya de noche, al pueblo, se hacía más notoria 20 y perceptible la vibración vital del valle. Los trenes pitaban en las estaciones diseminadas y sus silbidos rasgaban la atmósfera como cuchilladas. La tierra exhalaba un agradable vaho a humedad y a excremento de vaca. También olía, con más o menos fuerza, la hierba según el estado del cielo o la 25 frecuencia de las lluvias.

A Daniel, el Mochuelo, le placían estos olores, como le placía oír en la quietud de la noche el mugido soñoliento de una vaca o el lamento chirriante e iterativo de una carreta de bueyes avanzando a trompicones por una cambera. 30

En verano, con el cambio de hora, regresaban al pueblo de día. Solían hacerlo por encima del túnel, escogiendo la hora del paso del tranvía provincial. Tumbados sobre el montículo, asomando la nariz al precipicio, los dos rapaces aguardaban impacientes la llegada del tren. La hueca resonancia del valle aportaba a sus oídos, con tiempo suficiente, la proximidad del convoy. Y, cuando el tren surgía del túnel, envuelto en una nube densa de humo, les hacía estornudar y reír con espasmódicas carcajadas. Y el tren se deslizaba bajo sus ojos, lento y traqueteante, monótono, casi, casi al alcance de la mano.

Desde allí, por un senderillo de cabras, descendían a la carretera. El río cruzaba bajo el puente, con una sonoridad adusta de catarata. Era una corriente de montaña que discurría con fuerza entre grandes piedras reacias a la erosión. El murmullo obscuro de las aguas se remansaba, veinte metros más abajo, en la Poza del Inglés, donde ellos se bañaban en las tardes calurosas del estío.

En la confluencia del río y la carretera, a un kilómetro largo del pueblo, estaba la taberna de Quino, el Manco. Daniel, el Mochuelo, recordaba los buenos tiempos, los tiempos de las transacciones fáciles y baratas. En ellos, el Manco, por una perra chica les servía un gran vaso de sidra de barril y, encima, les daba conversación. Pero los tiempos habían cambiado últimamente y, ahora, Quino, el Manco, por cinco céntimos, no les daba más que conversación.

La tasca de Quino, el Manco, se hallaba casi siempre vacía. El Manco era generoso hasta la prodigalidad y en los tiempos que corrían resultaba arriesgado ser generoso. En la taberna del Quino, por unas causas o por otras, sólo se despachaba ya un pésimo vino tinto con el que mataban la sed los obreros y empleados de la fábrica de clavos, ubicada quinientos metros río abajo.

Más allá de la taberna, a la izquierda, doblando la última

curva se hallaba la quesería del padre del Mochuelo. Frente por frente, un poco internada en los prados, la estación y, junto a ella, la casita alegre, blanca y roja del Cuco, el factor. Luego, en plena varga ya, empezaba el pueblo propiamente dicho. 5

Era, el suyo, un pueblecito pequeño y retraído y vulgar. Las casas eran de piedra, con galerías abiertas y colgantes de madera, generalmente pintadas de azul. Esta tonalidad contrastaba, en primavera y verano, con el verde y rojo de los geranios que infestaban galerías y balcones. 10

La primera casa, a mano izquierda, era la botica. Anexas estaban las cuadras, las magníficas cuadras de don Ramón, el boticario-alcalde, llenas de orondas, pacientes y saludables vacas. A la puerta de la farmacia existía una campanilla, cuyo repiqueteo distraía a don Ramón de sus afanes municipales 15 para reintegrarle, durante unos minutos, a su profesión.

Siguiendo varga arriba, se topaba uno con el palacio de don Antonino, el marqués, preservado por una alta tapia de piedra, lisa e inexpugnable; el tallercito del zapatero; el Ayuntamiento, con un arcaico escudo en el frontis; la tienda 20 de las Guindillas y su escaparate recompuesto y variado; la fonda, cuya famosa galería de cristales flanqueaba dos de las bandas del edificio; a la derecha de ésta, la plaza cubierta de boñigas y guijos y con una fuente pública, de dos caños, en el centro; cerrando la plaza, por el otro lado, estaba el edificio 25 del Banco y, después, tres casas de vecinos con sendos jardincillos delante.

Por la derecha, frente a la botica, se hallaba la finca de Gerardo, el Indiano, cuyos árboles producían los mejores frutos de la comarca; la cuadra de Pancho, el Sindiós, donde 30 circunstancialmente estuvo instalado el cine; la taberna del Chano; la fragua de Paco, el herrero; las oficinas de Teléfonos, que regentaban las Lepóridas; el bazar de Antonio, el Buche, y la casa de don José, el cura, que tenía la rectoría en la planta baja.

Trescientos metros más allá, varga abajo, estaba la iglesia, de piedra también, sin un estilo definido, y con un campanario 5 erguido y esbelto. Frente a ella, los nuevos edificios de las escuelas, encalados y con las ventanas pintadas de verde, y la vivienda de don Moisés, el maestro.

Visto así, a la ligera, el pueblo no se diferenciaba de tantos otros. Pero para Daniel, el Mochuelo, todo lo de su pueblo 10 era muy distinto a lo de los demás. Los problemas no eran vulgares, su régimen de vida revelaba talento y de casi todos sus actos emanaba une positiva trascendencia. Otra cosa es que los demás no quisieran reconocerlo.

Con frecuencia, Daniel, el Mochuelo, se detenía a con- 15 templar las sinuosas callejas, la plaza llena de boñigas y guijarros, los penosos edificios, concebidos tan sólo bajo un sentido utilitario. Pero esto no le entristecía en absoluto. Las calles, la plaza y los edificios no hacían un pueblo, ni tan siquiera le daban fisonomía. A un pueblo lo hacían sus hombres 20 y su historia. Y Daniel, el Mochuelo, sabía que por aquellas calles cubiertas de pastosas boñigas y por las casas que las flanqueaban, pasaron hombres honorables, que hoy eran sombras, pero que dieron al pueblo y al valle un sentido, una armonía, unas costumbres, un ritmo, un modo propio y 25 peculiar de vivir.

¿Que el pueblo era ferozmente individualista y que una corporación pública tuviera poco que hacer en él, como decía don Ramón, el alcalde? Bien. El Mochuelo no entendía de individualismo, ni de corporaciones públicas y no poseía 30 razones para negarlo. Pero, si era así, los males consiguientes no rebasaban el pueblo y, después de todo, ellos mismos pagaban sus propios pecados.

¿Que preferían no asfaltar la plaza antes de que les aumentasen los impuestos? Bien. Por eso la sangre no iba a llegar al río. « La cosa pública es un desastre », voceaba, a la menor oportunidad, don Ramón. « Cada uno mira demasiado lo propio[1] y olvida que hay cosas que son de todos y que hay que cuidar », añadía. Y no había quien le metiera en la cabeza que ese egoísmo era flor o espina, o vicio o virtud de toda una raza.

Pero, ni por esto, ni por nada, podían regateársele al pueblo[2] sus cualidades de eficiencia, seriedad y discreción. Cada uno en lo suyo, desde luego, pero los vagos no son vagos porque no quieran trabajar en las cosas de los demás. El pueblo, sin duda, era de una eficacia sobria y de una discreción edificante.

¿Que la Guindilla mayor y el Cuco, el factor, no eran discretos? Bien. En ningún cuerpo falta un lunar. Y, en cuanto al individualismo del pueblo, ¿se bastaban por sí solos los mozos y las mozas los sábados por la tarde y los domingos? Don José, el cura, que era un gran santo, solía manifestar, contristado: « Es lástima que vivamos uno a uno para todas las cosas y necesitemos emparejarnos para ofender al Señor. »

Pero tampoco don José, el cura, quería entender que esa sensualidad era flor o espina, o vicio o pecado de toda una raza.

[1] = mira demasiado por lo propio.
[2] = negársele al pueblo.

IV

Las cosas pasaron en su momento y, ahora, Daniel, el Mochuelo, las recordaba con fruición. Su padre, el quesero, pensó un nombre antes de tener un hijo; tenía un nombre y le arropaba y le mimaba y era ya, casi, como tener un hijo. Luego, más tarde, nació Daniel.

Daniel, el Mochuelo, evocaba sus primeros pasos por la vida. Su padre emanaba un penetrante olor, era como un gigantesco queso, blando, blanco, pesadote. Pero, Daniel, el Mochuelo, se gozaba en aquel olor que impregnaba a su padre y que le inundaba a él, cuando, en las noches de invierno, frente a la chimenea, acariciándole, le contaba la historia de su nombre.

El quesero había querido un hijo antes que nada para poder llamarle Daniel. Y se lo decía a él, al Mochuelo, cuando apenas contaba tres años y manosear su cuerpecillo carnoso y rechoncho equivalía a prolongar la cotidiana faena en el entremijo.

Pudo bautizarle con mil nombres diferentes, pero el quesero prefirió Daniel.

— ¿Sabes que Daniel era un profeta que fué encerrado en una jaula con diez leones y los leones no se atrevieron a hacerle daño? — le decía, estrujándole amorosamente.

El poder de un hombre cuyos ojos bastaban para mantener a raya a una jauría de leones, era un poder superior al poder de todos los hombres; era un acontecimiento insólito y portentoso que desde niño había fascinado al quesero.

— Padre, ¿qué hacen los leones? 5

— Morder y arañar.

— ¿Son peores que los lobos?

— Más feroces.

— ¿Queeeé?

El quesero facilitaba la comprensión del Mochuelo como 10 una madre que mastica el alimento antes de darlo a su hijito.

— Hacen más daño que los lobos, ¿entiendes? — decía.

Daniel, el Mochuelo, no se saciaba:

— ¿Verdad que los leones son más grandes que los perros? 15

— Más grandes.

— ¿Y por qué a Daniel no le hacían nada?

Al quesero le complacía desmenuzar aquella historia:

— Les vencía sólo con los ojos; sólo con mirarles; tenía en los ojos el poder de Dios. 20

— ¿Queeeé?

Apretaba al hijo contra sí:

— Daniel era un santo de Dios.

— ¿Qué es eso?

La madre intervenía, precavida: 25

— Deja al chico ya; le enseñas demasiadas cosas para la edad que tiene.[1]

Se lo quitaba al padre y le acostaba. También su madre hedía a boruga y a cuajada. Todo, en su casa, olía a cuajada y a requesón. Ellos mismos eran un puro y decantado olor. 30 Su padre llevaba aquel tufo hasta en el negro de las uñas de

[1] i.e. para su edad.

las manos. A veces, Daniel, el Mochuelo, no se explicaba por qué su padre tenía las uñas negras trabajando con leche o por qué los quesos salían blancos siendo elaborados con aquellas uñas tan negras.

5 Pero luego, su padre se distanció de él; ya no le hacía arrumacos ni carantoñas. Y eso fué desde que su padre se dió cuenta de que el chico ya podía aprender las cosas por sí. Fué entonces cuando comenzó a ir a la escuela y cuando se arrimó al Moñigo en busca de amparo. A pesar de todo, su 10 padre, su madre y la casa entera, seguían oliendo a boruga y a requesón. Y a él seguía gustándole aquel olor, aunque Roque, el Moñigo, dijese que a él no le gustaba, porque olía lo mismo que los pies.

Su padre se distanció de él como de una cosa hecha, que 15 ya no necesita de cuidados. Le daba desilusión a su padre verle valerse por sí, sin precisar de su patrocinio. Pero, además, el quesero se tornó taciturno y de mal humor. Hasta entonces, como decía su mujer, había sido como una perita en dulce. Y fué el cochino afán del ahorro lo que agrió su carácter. El 20 ahorro, cuando se hace a costa de una necesidad insatisfecha, ocasiona en los hombres acritud y encono. Así le sucedió al quesero. Cualquier gasto menudo o el menor desemboslo superfluo le producían un disgusto exagerado. Quería ahorrar, tenía que ahorrar por encima de todo, para que Daniel, el 25 Mochuelo, se hiciera un hombre en la ciudad, para que progresase y no fuera como él, un pobre quesero.

Lo peor es que de esto nadie sacaba provecho. Daniel, el Mochuelo, jamás lo comprendería. Su padre sufriendo, su madre sufriendo y él sufriendo, cuando el quitarle el sufri- 30 miento a él significaría el fin del sufrimiento de todos los demás. Pero esto hubiera sido truncar el camino, resignarse a que Daniel, el Mochuelo, desertase de progresar. Y esto no lo haría el quesero; Daniel progresaría aunque fuese a costa del sacrificio de toda la familia, empezando por él mismo.

No. Daniel, el Mochuelo, no entendería nunca estas cosas, estas tozudeces de los hombres y que se justificaban como un anhelo lógico de « liberarse ». Liberarse, ¿de qué? ¿Sería él más libre en el colegio, o en la Universidad, que cuando el Moñigo y él se peleaban a boñigazo limpio en los prados del valle? Bueno, quizá sí; pero él nunca lo entendería.

Su padre, por otra parte, no supo lo que hizo cuando le puso el nombre de Daniel. Casi todos los padres de todos los chicos ignoraban lo que hacían al bautizarles. Y también lo ignoró el padre del maestro y el padre de Quino, el Manco, y el padre de Antonio, el Buche, el del bazar. Ninguno sabía lo que hacía cuando don José, el cura, que era un gran santo, volcaba la concha llena de agua bendita sobre la cabeza del recién nacido. O si sabían lo que hacían, ¿por qué lo hacían así, a conciencia de que era inútil?

A Daniel, el Mochuelo, le duró el nombre lo que la primera infancia.[2] Ya en la escuela dejó de llamarse Daniel, como don Moisés, el maestro, dejó de llamarse Moisés a poco de llegar al pueblo.

Don Moisés, el maestro, era un hombre alto, desmedrado y nervioso. Algo así como un esqueleto recubierto de piel. Habitualmente torcía media boca como si intentase morderse el lóbulo de la oreja. La molicie o el contento le hacían acentuar la mueca de tal manera que la boca se le rasgaba hasta la patilla, que se afeitaba muy abajo. Era una cosa rara aquel hombre, y a Daniel, el Mochuelo, le asustó y le interesó desde el primer día de conocerle. Le llamaba Peón, como oía que le llamaban los demás chicos, sin saber por qué. El día

[2] i.e. lo que duró la primera infancia.

que le explicaron que le bautizó el juez así en atención a que don Moisés « avanzaba de frente y comía de lado »,[3] Daniel, el Mochuelo, se dijo que « bueno », pero continuó sin entenderlo y llamándole Peón un poco a tontas y a locas.

Por lo que a Daniel, el Mochuelo, concernía, es verdad que era curioso y todo cuanto le rodeaba lo encontraba nuevo y digno de consideración. La escuela, como es natural, le llamó la atención más que otras cosas, y más que la escuela en sí, el Peón, el maestro, y su boca inquieta e incansable y sus negras y espesas patillas de bandolero.

Germán, el hijo del zapatero, fué quien primero reparó en su modo de mirar las cosas. Un modo de mirar las cosas atento, concienzudo e insaciable.

— Fijaos — dijo —; lo mira todo como si le asustase.

Y todos le miraron con mortificante detenimiento.

— Y tiene los ojos verdes y redondos como los gatos — añadió un sobrino lejano de don Antonino, el marqués.

Otro precisó aún más y fué el que dió en el clavo:

— Mira lo mismo que un mochuelo.

Y con Mochuelo se quedó, pese a su padre y pese al profeta Daniel y pese a los diez leones encerrados con él en una jaula y pese al poder hipnótico de los ojos del profeta. La mirada de Daniel, el Mochuelo, por encima de los deseos de su padre, el quesero, no servía siquiera para apaciguar a una jauría de chiquillos. Daniel se quedó para usos domésticos. Fuera de casa sólo se le llamaba Mochuelo.

Su padre luchó un poco por conservar su antiguo nombre y hasta un día se peleó con la mujeruca que traía el fresco en el mixto; pero fué en balde. Tratar de impedir aquello era lo mismo que tratar de contener la impetuosa corriente del río en primavera. Una cosa vana. Y él sería, en lo sucesivo,

[3] *The moves permitted a pawn in chess.*

Mochuelo, como don Moisés era el Peón; Roque, el Moñigo; Antonio, el Buche; doña Lola, la tendera, la Guindilla mayor, y las de Teléfonos, las Cacas y las Lepóridas.

Aquel pueblo administraba el sacramento del bautismo con una pródiga y mordaz desconsideración. 5

V

Es verdad que la Guindilla mayor se tenía bien ganado su apodo por su carita redonda y coloradita y su carácter picante y agrio como el aguardiente. Por añadidura era una cotilla. Y a las cotillas no las[1] viene mal todo lo que
5 les caiga encima. No tenía ningún derecho, por otra parte, a tratar de dominar al pueblo. El pueblo quería ser libre e independiente y a ella ni le iba ni le venía, a fin de cuentas, si Pancho creía o no creía en Dios, si Paco, el herrero, era abstemio o bebía vino, o si el padre de Daniel, el Mochuelo,
10 fabricaba el queso con las manos limpias o con las uñas sucias. Si esto le repugnaba, que no comiera queso y asunto concluído.

Daniel, el Mochuelo, no creía que hacer lo que la Guindilla mayor hacía fuese ser buena. Los buenos eran los
15 demás que le admitían sus impertinencias e, incluso, la nombraban presidenta de varias asociaciones piadosas. La Guindilla mayor era un esperpento y una víbora. A Antonio, el Buche, le asistía la razón al decir esto, aunque el Buche pensase más, al fallar así, en la competencia comercial que
20 le hacía la Guindilla, que en sus defectos físicos y morales.

[1] = les.

La Guindilla mayor, no obstante el tono rojizo de su piel, era alta y seca como una cucaña, aunque ni siquiera tenía, como ésta, un premio en la punta. Total, que la Guindilla no tenía nada, aparte unas narices muy desarrolladas, un afán inmoderado de meterse en vidas ajenas y un vario y siempre renovado repertorio de escrúpulos de conciencia.

A don José, el cura, que era un gran santo, lo traía de cabeza:

— Mire usted, don José — le decía, cualquier día, un minuto antes de empezar la misa —, anoche no pude dormir pensando que si Cristo en el Monte de los Olivos se quedó solo y los apóstoles se durmieron, ¿quién pudo ver que el Redentor sudase sangre?

Don José entornaba los ojillos, penetrantes como puntas de alfileres:

— Tranquiliza tu conciencia, hija; esas cosas las conocemos por revelación.

La Guindilla mayor lloriqueaba desazonada y hacía cuatro pucheros. Decía:

— ¿Cree usted, don José, que podré comulgar tranquila habiendo pensado esas cosas?

Don José, el cura, había de usar de la paciencia de Job para soportarla:

— Si no tienes otras faltas puedes hacerlo.

Y así un día y otro día.

— Don José, anoche no pegué un ojo dando vueltas al asunto del Pancho. ¿Cómo puede recibir este hombre el sacramento del matrimonio si no cree en Dios?

Y unas horas después:

— Don José, no sé si me podrá absolver usted. Ayer domingo leí un libro pecaminoso que hablaba de las religiones en Inglaterra. Los protestantes están allí en franca mayoría.

¿Cree usted, don José, que si yo hubiera nacido en Inglaterra, hubiera sido protestante?

Don José, el cura, tragaba saliva:

— No sería difícil, hija.

— Entonces me acuso, padre, de que podría ser protestante de haber nacido[2] en Inglaterra.

Doña Lola, la Guindilla mayor, tenía treinta y nueve años cuando Daniel, el Mochuelo, nació. Tres años después, el Señor la castigó en lo que más podía dolerle. Pero no es menos cierto que la Guindilla mayor se impuso a su dolor con la rigidez y destemplanza con que solía imponerse a sus convecinos.

El hecho de que a doña Lola se la conociera por la Guindilla mayor ya hace presumir[3] que hubiese otras Guindillas menores. Y así era; las Guindillas habían sido tres, aunque ahora solamente restasen dos: la mayor y la menor; las dos Guindillas. Eran hijas de un guardia civil, durante muchos años jefe de puesto en el pueblo. Al morir el guardia, que, según las malas lenguas, que nunca faltan, falleció de pena por no tener un hijo varón, dejó unos ahorros con los que sus hijas establecieron una tienda. Naturalmente que el sargento murió en unos tiempos en que un suboficial de la Guardia civil podía, con su sueldo, vivir discretamente y aun ahorrar un poco. Desde la muerte del guardia — su mujer había muerto años antes —, Lola, la Guindilla mayor, se hizo cargo de las riendas del hogar. Se impuso a sus hermanas por edad y por estatura.

Daniel, el Mochuelo, no conoció más que a dos Guindillas, pero según había oído decir en el pueblo, la tercera fué tan seca y huesuda como ellas y, en su época, resultó

[2] = si hubiera nacido.
[3] i.e. le hace presumir a uno.

problema difícil diferenciarlas sin efectuar, previamente, un prolijo y minucioso análisis.

Nada de esto desmiente que las dos Guindillas menores hicieran pasar, en vida,[4] a su hermana mayor un verdadero purgatorio. La del medio era dejada y perezosa y su carácter y manera de ser trascendía al pueblo que por los gritos y estridentes reconvenciones que a toda hora salían de la trastienda y la casa de las Guindillas, seguía la mala, y aun peor, situación de las relaciones fraternas. Eso sí, decían en el pueblo y debía ser verdad porque lo decían todos, que jamás mientras las tres Guindillas vivieron juntas se las vió faltar un día a la misa de ocho que don José, el cura, que era un gran santo, decía en la parroquia, ante el altar de san Roque. Allí caminaban, tiesas y erguidas, las tres, hiciera frío, lloviera o tronase.[5] Además marchaban regularmente, marcando el paso, porque su padre, aparte de los ahorros, dejó a sus hijas en herencia un muy despierto y preciso sentido del ritmo militar y de otras virtudes castrenses. Un-dos, un-dos, un-dos; allá avanzaban las tres Guindillas, con sus bustos secos, sus caderas escurridas y su soberbia estatura, camino de la iglesia, con los velos anudados a la barbilla y el breviario debajo del brazo.

Un invierno, la del medio, Elena, murió. Se apagó una mañana fosca y lluviosa de diciembre. Cuando la gente acudió a dar el pésame a las dos hermanas supervivientes, la Guindilla mayor se santiguaba y repetía:

— Dios es sabio y justo en sus decisiones; se ha llevado a lo más inútil de la familia. Démosle gracias.

Ya en el pequeño cementerio, rayano a la iglesia, cuando cubrían con tierra el cuerpo descarnado de Elena — la

[4] i.e. durante su vida.
[5] i.e. siempre. *Compare with English* "rain or shine".

Guindilla del medio —, varias plañideras comenzaron a gimotear. La Guindilla mayor se encaró con ellas, áspera y digna y destemplada:

— No la lloréis — dijo —; ha muerto de desidia.

Y, desde entonces, el trío se convirtió en dúo y en la misa de ocho que don José, el cura, que era un gran santo, rezaba ante el altar de san Roque, se echaba de menos el afilado y breve volumen de la Guindilla difunta.

Pero fué aún peor lo que ocurrió con la Guindilla menor. A fin de cuentas lo de la del medio fué designio de Dios, mientras lo de la otra fué una flaqueza de la carne y por lo tanto debido a su libre y despreocupado albedrío.

Por aquel entonces se estableció en el pueblo la pequeña sucursal del Banco que ahora remataba uno de los costados de la plaza. Con el director arribó un oficialito apuesto y bien vestido al que sólo por verle la cara de cerca, a través de la ventanilla, le llevaban sus ahorros las vecinas del valle. Fué un buen cebo el que utilizó el Banco para atrapar clientela. Un procedimiento que cualquier financiero de talla hubiera recusado, pero que en el pueblo rindió unos resultados formidables. Tanto fué así que Ramón, el hijo del boticario, que empezaba entonces sus estudios jurídicos, lamentó no estar en condiciones todavía de elaborar su tesis doctoral que hubiera hecho muy a gusto sobre el original tema « Influencia de un personal escrupulosamente escogido en las economías de un pueblo ». Con lo de « economías » se refería a « ahorros » y con lo de « pueblo », concretamente, a su « pequeña aldea ». Lo que ocurría es que sonaba muy bien aquello de « economías de un pueblo » y daba a su hipotético trabajo, aunque él lo decía en broma, una mayor altura y un alcance mucho más amplio.

Con la llegada de Dimas, el oficialito del Banco, los

padres y los maridos del pueblo se pusieron en guardia. Don José, el cura, que era un gran santo, charló repetidas veces con don Dimas, apuntándole las graves consecuencias que su bigote podría acarrear sobre el pueblo, para bien o para mal. 5 La asiduidad con que el cura y don Dimas se entrevistaban diluyó no poco el recelo de padres y maridos y hasta la Guindilla menor consideró que no era imprudente ni peligroso dejarse acompañar, de cuando en cuando, por don Dimas, aunque su hermana mayor, extremando el comedimiento, la 10 censurase a gritos « su libertinaje y su descoco notorios ».

Lo cierto es que a la Guindilla menor, que hasta entonces se le antojara aquel valle una cárcel vacía y sin luz, se le abrieron repentinamente los horizontes y reparó, por vez primera en su vida, en la belleza de las montañas abruptas, 15 las calidades poéticas de la verde campiña y en lo sugestivo que resultaba oír rasgarse la noche del valle por el estridente pitido de un tren. Naderías, al fin y al cabo, pero naderías que logran una afilada trascendencia cuando se tiene el corazón encandilado.

20 Una tarde, la Guindilla menor regresó de su acostumbrado paseo alborozada:

— Hermana — dijo —. No sé de dónde te viene esa inquina hacia Dimas. Es el mejor hombre que he conocido. Hoy le hablé de nuestro dinero y él me dió en seguida cuatro 25 ideas para colocarlo bien. Le he dicho que lo teníamos en un Banco de la ciudad y que hablaríamos tú y yo antes de decidirme.

Aulló, escocida, la Guindilla mayor:

— ¿Y le has dicho que se trata solamente de mil duros?

30 Sonrió la Guindilla menor ante el menosprecio que su hermana hacía de su sagacidad:

— No, naturalmente. De la cifra no he dicho nada — dijo.

Lola, la Guindilla mayor, levantó sus hombros huesudos en ademán de impotencia. Luego chilló, dejando resbalar las palabras, como por un tobogán, a lo largo de su afilada nariz:

— ¿Sabes lo que te digo? Que ese hombre es un truhán que se está burlando de ti. ¿No ves que todo el pueblo anda en comentarios y riéndose de tu tontería? Serás tú la única que no se entere, hermana. — Cambio repentinamente el tono de su voz, suavizándolo: — Tienes treinta y seis años, Irene; podrías ser casi la madre de ese muchacho. Piénsalo bien.

Irene, la Guindilla menor, adoptó una actitud levantisca, de mar encrespada:

— Me duelen tus recelos, Lola, para que lo sepas[6] — dijo —. Me fastidian tus malévolas insinuaciones. Nada tiene de particular, creo yo, que se entiendan un hombre y una mujer. Y nada significa que se lleven unos años. Lo que ocurre es que todas las del pueblo, empezando por ti, me tenéis envidia. ¡Eso es todo!

Las dos Guindillas se separaron con las narices en alto. A la tarde siguiente, Cuco, el factor, anunció en el pueblo que doña Irene, la Guindilla menor, y don Dimas, el del Banco, habían cogido el mixto para la ciudad. A la Guindilla mayor, al enterarse, le vino un golpe de sangre a la cara que le ofuscó la razón. Se desmayó. Tardó más de cinco minutos en recobrar el sentido. Cuando lo hizo, extrajo de un apolillado arcón el traje negro que aún conservaba desde la muerte de su padre, se embuchó en él, y marchó a paso rápido a la rectoría.

— Don José, Dios mío, qué gran desgracia — dijo, al entrar.

— Serénate, hija.

[6] i.e. quiero que lo sepas

Se sentó la Guindilla en una silla de mimbre, junto a la mesa del cura. Interrogó a don José con la mirada.

— Sí, ya lo sé; el Cuco me lo contó todo — respondió el párroco.

5 Ella respiró fuerte y sus costillas resonaron como si entrechocasen. Seguidamente se limpió una lágrima, redonda y apretada como un goterón de lluvia.

— Escúcheme con atención, don José — dijo —, tengo una horrible duda. Una duda que me corroe las entrañas. 10 Irene, mi hermana, es ya una prostituta, ¿no es eso?

El cura se ruborizó un poco:

— Calla, hija. No digas disparates.

Cerró el párroco el breviario que estaba leyendo y carraspeó, pero su voz salió, no obstante, empañada de una 15 sorda gangosidad.

— Escucha — dijo —, no es una prostituta la mujer que se da a un hombre por amor. La prostituta es la que hace de su cuerpo y de las gracias que Dios la ha dado un comercio ilícito; la que se entrega a todos los hombres por un estipendio. 20 ¿Comprendes la diferencia?

La Guindilla irguió el busto, inexorable:

— Padre, de todas maneras lo que ha hecho Irene es un gravísimo pecado, un asqueroso pecado, ¿no es cierto?

— Lo es, hija — respondió el cura —, pero no irreparable. 25 Creo conocer a don Dimas y no me parece mal muchacho. Se casarán.

La Guindilla mayor se cubrió los ojos con los dedos descarnados y reprimió a medias un sollozo:

— Padre, padre, pero aún hay otra cosa — dijo —. A mi 30 hermana la ha hecho caer el ardor de la sangre. Es su sangre la que ha pecado. Y mi sangre es la misma que la de ella. Yo podría haber hecho otro tanto. Padre, padre, me acuso de ello. De todo corazón, horriblemente contristada, me arrepiento de ello.

Se levantó don José, el cura, que era un gran santo, y le tocó la cabeza con dos dedos:

— Ve, hija. Ve a tu casa y tranquilízate. Tú no tienes culpa de nada. Lo de Irene, ya lo arreglaremos. 5

Lola, la Guindilla mayor, abandonó la rectoría. En cierto modo iba más consolada. Por el camino se repitió mil veces que estaba obligada a expresar su dolor y vergüenza de modo ostensible, ya que perder la honra siempre era una desgracia 10 mayor que perder la vida. Influída por esta idea, al llegar a casa, recortó un cartoncito de una caja de zapatos, tomó un pincel y a trazos nerviosos escribió: « Cerrado por deshonra ». Bajó a la calle y lo fijó a la puerta de la tienda.

El establecimiento, según le contaron a Daniel, el 15 Mochuelo, estuvo cerrado diez días con sus diez noches consecutivas.

VI

Pero Daniel, el Mochuelo, sí sabía ahora lo que era quedarse estéril y lo que era un malparto. Estas cosas se hacen sencillas y comprensibles a determinada edad. Antes, le parecen a uno cosa de brujas. El desdoblamiento de una mujer no encuentra sitio en la cabeza humana mientras no se hace evidente la rotundidad delatora. Y eso no pasa casi nunca antes de la Primera Comunión. Los ojos no sirven, antes de esa edad, para constatar las cosas palmarias y cuya simplicidad, más tarde, nos abruma.

Más también Germán, el Tiñoso, el hijo del zapatero, sabía lo que era quedarse estéril y lo que era un malparto. Germán, el Tiñoso, siempre fué un buen amigo, en todas las ocasiones; hasta en las más difíciles. No llegó, con Daniel, el Mochuelo, a la misma intimidad que el Moñigo, por ejemplo, pero ello no era achacable a él, ni a Daniel, el Mochuelo, ni a ninguna de las cosas y fenómenos que dependen de nuestra voluntad.

Germán, el Tiñoso, era un muchacho esmirriado, endeble y pálido. Tal vez con un pelo menos negro no se le hubieran notado tanto las calvas. Porque Germán tenía calvas en la cabeza desde muy niño y seguramente por eso le llamaban el Tiñoso, aunque, por supuesto, las calvas no fueran de tiña propiamente hablando.

Su padre el zapatero, además del tallercito — a mano izquierda de la carretera, según se sube, pasado el palacio de don Antonino, el marqués — tenía diez hijos: seis como Dios manda, desglosados en unidades, y otros cuatro en dos pares. Claro que su mujer era melliza y la madre de su mujer lo había sido y él tenía una hermana en Cataluña que era melliza también y había alumbrado tres niños de un solo parto y vino, por ello, en los periódicos y el gobernador la había socorrido con un donativo. Todo esto era sintomático sin duda. Y nadie apearía al zapatero de su creencia de que estos fenómenos se debían a un bacilo, « como cualquier otra enfermedad ».

Andrés, el zapatero, visto de frente, podía pasar por padre de familia numerosa; visto de perfil, imposible. Con motivos sobrados le decían en el pueblo: « Andrés, el hombre que de perfil no se le ve ». Y esto era casi literalmente cierto de lo escuchumizado y flaco que era. Y además, tenía una muy acusada inclinación hacia delante, quién decía que a consecuencia de su trabajo, quién por su afán insaciable por seguir, hasta perderlas de vista, las pantorrillas de las chicas que desfilaban dentro de su campo visual. Viéndole en esta disposición resultaba menos abstruso, visto de frente o de perfil, que fuera padre de diez criaturas. Y por si[1] fuera poco la prole, el tallercito de Andrés, el zapatero, estaba siempre lleno de verderones, canarios y jilgueros enjaulados y en primavera aturdían con su cri-cri desazonador y punzante más de una docena de grillos. El hombre, ganado por el misterio de la fecundación, hacía objeto a aquellos animalitos de toda clase de experiencias. Cruzaba canarias con verderones y canarios con jilgueras para ver lo que salía y él aseguraba que los híbridos ofrecían entonaciones más delicadas y cadenciosas que los pura raza.

[1] = por si acaso.

Por encima de todo, Andrés, el zapatero, era un filósofo. Si le decían: « Andrés, ¿pero no tienes bastante con diez hijos que aún buscas la compañía de los pájaros? », respondía: « Los pájaros no me dejan oír los chicos ».

5 Por otra parte, la mayor parte de los chicos estaban ya en edad de defenderse. Los peores años habían pasado a la historia. Por cierto que al llamar a quintas a la primera pareja de mellizos sostuvo una discusión acalorada con el Secretario porque el zapatero aseguraba que eran de reemplazos distintos.

10 — Pero hombre de Dios — dijo el Secretario —, ¿cómo van a ser de diferente quinta siendo gemelos?

A Andrés, el zapatero, se le fueron los ojos tras las rollizas pantorrillas de una moza que había ido a justificar la ausencia de su hermano. Después hurtó el cuello, con un 15 ademán que recordaba al caracol que se reduce en su concha, y respondió:

— Muy sencillo; el Andrés nació a las doce menos diez del día de san Silvestre. Cuando nació el Mariano ya era año nuevo.

20 Sin embargo, como ambos estaban inscritos en el Registro el 31 de diciembre, Andrés, « el hombre que de perfil no se le ve », tuvo que acceder a que se le llevaran juntos a los dos chicos.

Otro de sus hijos, Tomás, estaba bien colocado en la 25 ciudad, en una empresa de autobuses. Otro, el Bizco, le ayudaba en su trabajo. Las demás eran chicas, salvando, naturalmente, a Germán, el Tiñoso, que era el más pequeño.

Germán, el Tiñoso, fué el que dijo de Daniel, el Mochuelo, el día que éste se presentó en la escuela, que 30 miraba las cosas como si siempre estuviera asustado. Afinando un poco, resultaba ser Germán, el Tiñoso, quien había rebautizado a Daniel, pero éste no le guardaba ningún rencor por ello, antes bien encontró en él, desde el primer día, una leal amistad.

Las calvas del Tiñoso no fueron obstáculo para una comprensión. Si es caso, las calvas facilitaron aquella amistad, ya que Daniel, el Mochuelo, sintió desde el primer instante una vehemente curiosidad por aquellas islitas blancas, abiertas en el espeso océano de pelo negro que era la cabeza del Tiñoso.

Sin embargo, a pesar de que las calvas del Tiñoso no constituían motivo de preocupación en casa del zapatero ni en su reducido círculo de amigos, la Guindilla mayor, guiada por su frustrado instinto maternal en el que envolvía a todo el pueblo, decidió intervenir en el asunto, por más que el asunto ni le iba ni le venía. Mas la Guindilla mayor era muy aficionada a entrometerse donde nadie la llamaba. Entendía que su desmedido interés por el prójimo lo dictaba su ferviente anhelo de caridad, su alto sentido de la fraternidad cristiana, cuando lo cierto era que la Guindilla mayor utilizaba esta treta para poder husmear en todas partes bajo un rebozo, poco convincente, de prudencia y discreción.

Una tarde, estando Andrés, « el hombre que de perfil no se le ve », afanado en su cuchitril, le sorprendió la llegada de doña Lola, la Guindilla.

— Zapatero — dijo, apenas estuvo ante él —, ¿cómo tiene usted al chiquillo con esas calvas?

El zapatero no perdió la compostura ni apartó la vista de su tarea:

— Déjele estar, señora — respondió —. A la vuelta de cien años ni[2] se le notarán las calvas.

Los grillos, los verderones y los jilgueros armaban una algarabía espantosa y la Guindilla y el zapatero habían de entenderse a gritos.

[2] = ni siquiera.

— ¡Tenga! — añadió ella, autoritaria — Por las noches le va usted a poner esta pomada.

El zapatero alzó, al fin, la vista hasta ella, cogió el tubo, lo miró y remiró por todas partes y, luego, se lo devolvió a la Guindilla.

— Guárdeselo — dijo —; esto no vale. Al chiquillo le ha pegado las calvas un pájaro.

Y continuó trabajando.

Aquello podía ser verdad y podía no serlo. Por de pronto, Germán, el Tiñoso, sentía una afición desmedida por los pájaros. Seguramente se trataba de una reminiscencia de su primera infancia, desarrollada entre estridentes pitidos de verderones, canarios y jilgueros. Nadie en el valle entendía de pájaros como Germán, el Tiñoso, que además, por los pájaros, era capaz de pasarse una semana entera sin comer ni beber. Esta cualidad influyó mucho, sin duda, en que Roque, el Moñigo, se aviniese a hacer amistad con aquel rapaz físicamente tan deficiente.

Muchas tardes, al salir de la escuela, Germán les decía:

— Vamos. Sé donde hay un nido de curas. Tiene doce crías. Está en la tapia del boticario.

O bien:

— Venid conmigo al prado del Indiano. Está lloviznando y los tordos saldrán a picotear las boñigas.

Germán, el Tiñoso, distinguía como nadie a las aves por la violencia o los espasmos del vuelo o por la manera de gorjear; adivinaba sus instintos; conocía, con detalle, sus costumbres; presentía la influencia de los cambios atmosféricos en ellas y se diría que, de haberlo deseado, hubiera aprendido a volar. Esto, como puede suponerse, constituía para el Mochuelo y el Moñigo un don de inapreciable valor. Si iban a pájaros[3]

[3] i.e. Si iban a cazar pájaros.

no podía faltar la compañía de Germán, el Tiñoso, como a un cazador que se estime en algo no puede faltarle el perro.

Esta debilidad del hijo del zapatero le acarreó por otra parte muy serios y sensibles contratiempos. En cierta ocasión, buscando un nido de malvises entre la maleza de encima del túnel, perdió el equilibrio y cayó aparatosamente sobre la vía, fracturándose un pie. Al cabo de un mes, don Ricardo le dió por curado, pero Germán, el Tiñoso, renqueó de la pierna derecha durante toda su vida. Claro que a él no le importaba esto demasiado y siguió buscando nidos con el mismo inmoderado afán que antes del percance.

En otra ocasión, se desplomó desde un cerezo silvestre, donde acechaba a los tordos, sobre una enmarañada zarzamora. Una de las púas le rasgó el lóbulo de la oreja derecha de arriba a abajo, y como él no quiso cosérselo, le quedó el lobulillo dividido en dos como la cola de un frac.

Pero todo esto eran gajes del oficio y a Germán, el Tiñoso, jamás se le ocurrió lamentarse de su cojera, de su lóbulo partido, ni de sus calvas que, al decir de su padre, se las había contagiado un pájaro. Si los males provenían de los pájaros, bienvenidos fuesen. Era la suya una especie de resignación estoica cuyos límites no resultaban nunca previsibles.

— ¿No te duele nunca eso? — le preguntó un día el Moñigo, refiriéndose a la oreja.

Germán, el Tiñoso, sonrió, con su sonrisa pálida y triste de siempre.

— Alguna vez me duele el pie cuando va a llover. La oreja no me duele nunca — dijo.

Pero para Roque, el Moñigo, el Tiñoso poseía un valor superior al de un simple experto pajarero. Éste era su propia endeblez constitucional. En este aspecto, Germán, el Tiñoso, significaba un cebo insuperable para buscar camorra. Y

Roque, el Moñigo, precisaba de camorras como del pan de cada día. En las romerías de los pueblos colindantes, durante el estío, el Moñigo hallaba frecuentes ocasiones de ejercitar sus músculos. Eso sí, nunca sin una causa sobradamente justificada. Hay un afán latente de pujanza y hegemonía en el coloso de un pueblo hacia los colosos de los vecinos pueblos, villorrios y aldeas. Y Germán, el Tiñoso, tan enteco y delicado, constituía un buen punto de contacto entre Roque y sus adversarios; una magnífica piedra de toque para deslindar supremacías.

El proceso hasta la ruptura de hostilidades no variaba nunca. Roque, el Moñigo, estudiaba el terreno desde lejos. Luego, susurraba al oído del Tiñoso:

— Acércate y quédate mirándolos, como si fueras a quitarles las avellanas que comen.

Germán, el Tiñoso, se acercaba atemorizado. De todas formas, la primera bofetada era inevitable. De otro lado, no era cosa de mandar al diablo su buena amistad con el Moñigo por un escozor pasajero. Se detenía a dos metros del grupo y miraba a sus componentes con insistencia. La conminación no se hacía esperar:

— No mires así, pasmado. ¿Es que no te han dado nunca una guarra?

El Tiñoso, impertérrito, sostenía la mirada sin pestañear y sin cambiar de postura, aunque las piernas le temblaban un poco. Sabía que Daniel, el Mochuelo, y Roque, el Moñigo, acechaban tras el estrado de la música. El coloso del grupo enemigo insistía:

— ¿Oíste, imbécil? Te largas de ahí o te abro el alma en canal.

Germán, el Tiñoso, hacía como si no oyera, los dos ojos como dos faros, centrados en el paquete de avellanas, inmóvil y sin pronunciar palabra. En el fondo, consideraba ya el lugar del presunto impacto y si la hierba que pisaba estaría lo suficientemente mullida para paliar el golpe. El gallito adversario perdía la paciencia:

— Toma, fisgón, para que aprendas.

Era una cosa inexplicable, pero siempre, en casos semejantes, Germán, el Tiñoso, sentía antes la consoladora presencia del Moñigo a su espalda que el escozor del cachete. Su consoladora presencia y su voz próxima, caliente y protectora:

— Pegaste a mi amigo, ¿verdad? — y añadía mirando compasivamente a Germán: — ¿Le dijiste tú algo, Tiñoso?

Germán, el Tiñoso, sentado en el suelo, balbucía:

— No abrí la boca. Me pegó porque le miraba.

La pelea ya estaba hecha y el Moñigo llevaba, además, la razón en cuanto que el otro había golpeado a su amigo sólo por mirarle, es decir, según las elementales normas del honor de los rapaces, sin motivo suficiente y justificado.

Y como la superioridad de Roque, el Moñigo, en aquel empeño era cosa descontada, siempre concluían sentados en el « campo » del grupo adversario y comiéndose sus avellanas.

VII

Entre ellos tres no cabían disensiones. Cada cual acataba de antemano el lugar que le correspondía en la pandilla. Daniel, el Mochuelo, sabía que no podía imponerse al Moñigo, aunque tuviera una inteligencia más aguda que la suya, y Germán, el Tiñoso, reconocía que estaba por debajo de los otros dos, a pesar de que su experiencia pajarera era mucho más sutil y vasta que la de ellos. La prepotencia, aquí, la determinaba el bíceps y no la inteligencia, ni las habilidades, ni la voluntad. Después de todo, ello era una cosa razonable, pertinente y lógica.

Ello no quita para que Daniel, el Mochuelo, fuera el único capaz de coger los trenes mercancías en pleno ahogo ascendente y aun los mixtos si no venían sin carga o con máquina nueva. El Moñigo y el Tiñoso corrían menos que él; pero la ligereza de las piernas tampoco justificaba una primacía. Representaba una estimable cualidad, pero sólo eso.

En las tardes dominicales y durante las vacaciones veraniegas los tres amigos frecuentaban los prados y los montes y la bolera y el río. Sus entretenimientos eran variados, cambiantes y un poco salvajes y elementales. Es fácil hallar diversión, a esa edad, en cualquier parte. Con los tirachinas hacían, en ocasiones, terribles carnicerías de tordos, mirlos y malvises. Germán, el Tiñoso, sabía que los tordos, los mirlos y los malvises, al fin y al cabo de la misma familia, aguardaban mejor que en otra parte, en las zarzamoras y los bardales, a las horas de calor. Para matarlos en los árboles o en la vía, 5 cogiéndolos aún adormilados, era preciso madrugar. Por eso preferían buscarlos en plena canícula, cuando los animalitos sesteaban perezosamente entre la maleza. El tiro era, así, más corto, el blanco más reposado y, consiguientemente, la pieza resultaba más segura.

10 Para Daniel, el Mochuelo, no existía plato selecto comparable a los tordos con arroz. Si cobraba uno le gustaba, incluso, desplumarle por sí mismo y de esta forma pudo adivinar un día que casi todos los tordos tenían miseria debajo del plumaje. Le decepcionó la respuesta del Tiñoso al comuni- 15 carle su maravilloso descubrimiento.

— ¿Ahora te enteras? Casi todos los pájaros tienen miseria bajo la pluma. Según mi padre, a mí me pegó las calvas un cuclillo.

Daniel, el Mochuelo, formó el propósito de no intentar 20 nuevos descubrimientos concernientes a los pájaros. Si quería conocer algo de ellos resultaba más cómodo y rápido preguntárselo directamente al Tiñoso.

Otros días iban al corro de bolos a jugar una partida. Aquí, Roque, el Moñigo, les aventajaba de forma contundente. 25 De nada servía que les concediese una apreciable ventaja inicial; al acabar la partida, ellos apenas si se habían movido de la puntuación obtenida de gracia, mientras el Moñigo rebasaba, sin esfuerzo, el máximo. En este juego, el Moñigo demostraba la fuerza y el pulso y la destreza de un hombre ya 30 desarrollado. En los campeonatos que se celebraban por la Virgen, el Moñigo — que participaba con casi todos los hombres del pueblo — nunca se clasificaba por debajo del

cuarto lugar. A su hermana Sara la sulfuraba esta precocidad:

— Bestia, bestia — decía —, que vas a ser más bestia que tu padre.

Paco, el herrero, la miraba con ojos esperanzados:

5 — Así lo quiera Dios — añadía, como si rezara.

Pero, quizá, donde los tres amigos encontraban un entretenimiento más intenso y completo era en el río, del otro lado de la tasca de Quino, el Manco. Se abría, allí, un prado extenso, con una gran encina en el centro y, al fondo, una 10 escarpada muralla de roca viva que les independizaba del resto del valle. Enfrente de la muralla se hallaba la Poza del Inglés y, unos metros más abajo, el río se deslizaba entre rocas y guijos de poco tamaño, a escasa profundidad. En esta zona pescaban cangrejos a mano, levantando con cuidado las 15 piedras y apresando fuertemente a los animalitos por la parte más ancha del caparazón, mientras éstos retorcían y abrían y cerraban patosamente sus pinzas en un postrer intento de evasión tesonudo e inútil.

Otras veces, en la Poza del Inglés, pescaban centenares 20 de pececillos que navegaban en bancos tan numerosos que, frecuentemente, las aguas negreaban por su abundancia. Bastaba arrojar a la poza una remanga con cualquier cebo artificial de tonos chillones para atraparlos por docenas. Lo malo fué que, debido al excesivo número y a la fácil captura, 25 los muchachos empezaron por subestimarlos y acabaron despreciándolos del todo. Y otro tanto les ocurría con los ráspanos, las majuelas, las moras y las avellanas silvestres. Cooperaba no poco a fomentar este desdén el hecho de que don Moisés, el maestro, pusiera sus preferencias en los 30 escolares que consumían bobamente sus horas libres, recogiendo moras o majuelas para obsequiar con ellas a sus madres. O bien, pescando jaramugo. Y, por si esto fuera poco, estos mismos rapaces eran los que al final de curso obtenían diplomas, puntuaciones sobresalientes y menciones honoríficas. Roque, el Moñigo, Daniel, el Mochuelo, y Germán, el Tiñoso, sentían hacia ellos un desdén tan hondo por lo menos como el que les inspiraban las moras, las avellanas silvestres y el jaramugo.

En las tardes calurosas del verano, los tres amigos se bañaban en la Poza del Inglés. Constituía un placer inigualable sentir la piel en contacto directo con las aguas, refrescándose. Los tres nadaban a estilo perruno, salpicando y removiendo las aguas de tal manera que, mientras duraba la inmersión, no se barruntaba, en cien metros río abajo y otros tantos río arriba, la más insignificante señal de vida.

Una de estas tardes, mientras secaban sus cuerpecillos, tendidos al sol en el prado de la encina, Daniel, el Mochuelo, y Germán, el Tiñoso, se enteraron, al fin, de lo que significaba quedarse estéril y de lo que era un malparto. Tenían, entonces, siete y ocho años respectivamente y Roque, el Moñigo se cubría con un remendado calzoncillo con lo de atrás delante y el Mochuelo y el Tiñoso se bañaban en cueros vivos porque todavía no les había nacido la vergüenza. Fué Roque, el Moñigo, quien se la despertó y aquella misma tarde.

Sin saber aún por qué, Daniel, el Mochuelo, relacionaba todo esto con una conversación sostenida con su madre, cuatro años atrás, al mostrarle él la estampa de una exuberante vaca holandesa.

— Qué bonita, ¿verdad, Daniel? Es una vaca lechera — dijo su madre.

El niño la miró estupefacto. Él no había visto leche más que en las perolas y los cántaros.

— No, madre, no es una vaca lechera; mira, no tiene cántaras — enmendó.

La madre reía silenciosamente de su ingenuidad. Le tomó en el regazo y aclaró:

— Las vacas lecheras no llevan cántaras, hijo.

Él la miró de frente para adivinar si le engañaba. Su 5 madre se reía. Intuyó Daniel que algo, muy recóndito, había detrás de todo aquello. Aun no sabía que existiera « eso », porque sólo tenía tres años, pero en aquel instante lo presintió.

— ¿Dónde llevan la leche entonces, madre? — indagó, ganado por un súbito afán de aclararlo todo.

10 Su madre se reía aún. Tartamudeó un poco, sin embargo, al contestarle.

— En... en la barriga, claro — dijo.

Como una explosión retumbó la perplejidad del niño:

— ¿Quéééééé?

15 — Que las vacas lecheras llevan la leche en la barriga, Daniel — agregó ella, y le apuntaba con la chata uña la ubre prieta de la vaca de la estampa. Dudó un momento Daniel, el Mochuelo, mirando la ubre esponjosa; señaló el pezón:

— ¿Y la leche sale por ese grano? — dijo.

20 — Sí, hijito, por ese grano sale.

Aquella noche Daniel no pudo hablar ni pensar en otra cosa. Intuía en todo aquello un misterio velado para él, pero no para su madre. Ella se reía como no se reía otras veces, al preguntarle otras cosas. Paulatinamente, el Mochuelo se fué 25 olvidando de aquello. Meses después, su padre compró una vaca. Más tarde conoció las veinte vacas del boticario y las vió ordeñar. Daniel, el Mochuelo, se reía mucho luego al solo pensamiento de que hubiera podido imaginar alguna vez que las vacas sin cántaras no daban leche.

30 Aquella tarde, en el prado de la encina, junto al río, mientras el Moñigo hablaba, él se acordó de la estampa de la vaca holandesa. Acababan de chapuzarse y un vientecillo

ahilado les secaba el cuerpo a fríos lengüetazos. Con todo, flotaba un calor excesivo y pegajoso en el ambiente. Tumbados boca arriba en la pradera, vieron pasar por encima un enorme pájaro.

— ¡Mirad! — chilló el Mochuelo —. Seguramente será la cigüeña que espera la maestra de La Cullera. Va en esa dirección.

Cortó el Tiñoso:

— No es una cigüeña; es una grulla.

El Moñigo se sentó en la hierba frunciendo los labios en un gesto hosco y enfurruñado. Daniel, el Mochuelo, contempló con envidia cómo se inflaba y desinflaba su enorme tórax.

— ¿Qué demonio de cigüeña espera la maestra? ¿Así andáis todavía?[1] — dijo el Moñigo.

El Mochuelo y el Tiñoso se incorporaron también, sentándose en la hierba. Ambos miraban anhelantes al Moñigo; intuían que algo iba a decir de « eso ». El Tiñoso le dió pie.

— ¿Quién trae los niños, entonces? — dijo.

Roque, el Moñigo, se mantenía serio, consciente de su superioridad en aquel instante.

— El parir — dijo seco, rotundo.

— ¿El parir? — inquirieron, a dúo, el Mochuelo y el Tiñoso.

El otro remachó:

— Sí; el parir. ¿Visteis alguna vez parir a una coneja? — dijo.

— Sí.

— Pues es igual.

En la cara del Mochuelo se dibujó un cómico gesto de estupor.

[1] i.e. ¿Todavía tenéis esas ideas?

— ¿Quieres decir que todos somos conejos? — aventuró.

Al Moñigo le enojaba la torpeza de sus interlocutores.

— No es eso — dijo —. En vez de una coneja es una mujer; la madre de cada uno.

5 Brilló en las pupilas del Tiñoso un extraño resplandor de inteligencia.

— La cigüeña no trae los niños entonces, ¿verdad? Ya me parecía raro a mí — explicó —. Yo me decía ¿por qué mi padre va a tener diez visitas de la cigüeña y la Chata, la vecina, 10 ninguna y está deseando tener un hijo y mi padre no quería tantos?

El Moñigo bajó la voz. En torno había un silencio que sólo quebraban el cristalino chasquido de los rápidos del río y el suave roce del viento contra el follaje. El Mochuelo y el 15 Tiñoso tenían la boca abierta. Dijo el Moñigo:

— Les duele la mar, ¿sabéis?

Estalló el reticente escepticismo del Mochuelo:

— ¿Por qué sabes tú esas cosas?

— Eso lo sabe todo cristiano menos vosotros dos, que 20 vivís embobados — dijo el Moñigo —. Mi madre se murió de lo mucho que le dolía cuando nací yo. No se puso enferma ni nada; se murió de dolor. Hay veces que, por lo visto, el dolor no se puede resistir y se muere uno. Aunque no estés enfermo, ni nada; sólo es el dolor. — Emborrachado por la 25 ávida atención del auditorio, añadió: — Otras mujeres se parten por la mitad. Se lo he oído decir a la Sara.

Germán, el Tiñoso, inquirió:

— Más tarde sí se ponen enfermas, ¿no es cierto?

El Moñigo acentuó el misterio de la conversación bajando 30 aún más la voz:

— Se ponen enfermas al ver al niño — confesó —. Los niños nacen con el cuerpo lleno de vello y sin ojos, ni orejas, ni narices. Sólo tienen una boca muy grande para mamar. Luego les van naciendo los ojos, y las orejas, y las narices y todo.

Daniel, el Mochuelo, escuchaba las palabras del Moñigo todo estremecido y anhelante. Ante sus ojos se abría una nueva perspectiva que, al fin y al cabo, no era otra cosa que la justificación de la vida y la humanidad. Sintió una repentina vergüenza de hallarse enteramente desnudo al aire libre. Y, al tiempo, experimentó un amor remozado, vibrante e impulsivo hacia su madre. Sin él saberlo, notaba, por primera vez, dentro de sí, la emoción de la consanguinidad. Entre ellos había un vínculo, algo que hacía, ahora, de su madre una causa imprescindible y necesaria. La maternidad era más hermosa así; no se debía al azar, ni al capricho un poco absurdo de una cigüeña. Pensó Daniel, el Mochuelo, que de cuanto sabía de « eso », era esto lo que más le agradaba; el saberse consecuencia de un gran dolor y la coincidencia de que ese dolor no lo hubiera esquivado su madre porque deseaba tenerle precisamente a él.

Desde entonces, miró a su madre de otra manera, desde un ángulo más humano y simple, pero más sincero y estremecido también. Era una sensación extraña la que le embargaba en su presencia; algo así como si sus pulsos palpitasen al unísono, uniformemente; una impresión de paralelismo y mutua imprescindibilidad.

En lo sucesivo, Daniel, el Mochuelo, siempre que iba a bañarse a la Poza del Inglés, llevaba un calzoncillo viejo y remendado, como el Moñigo. Y, entonces, pensaba en lo feo que debía ser él nada más nacer, con todo el cuerpo cubierto de vello y sin ojos, ni orejas, ni narices, ni nada... Sólo una bocaza enorme y ávida para mamar. « Como un topo », pensaba. Y el primer estremecimiento se transformaba al poco rato en una risa espasmódica y contagiosa.

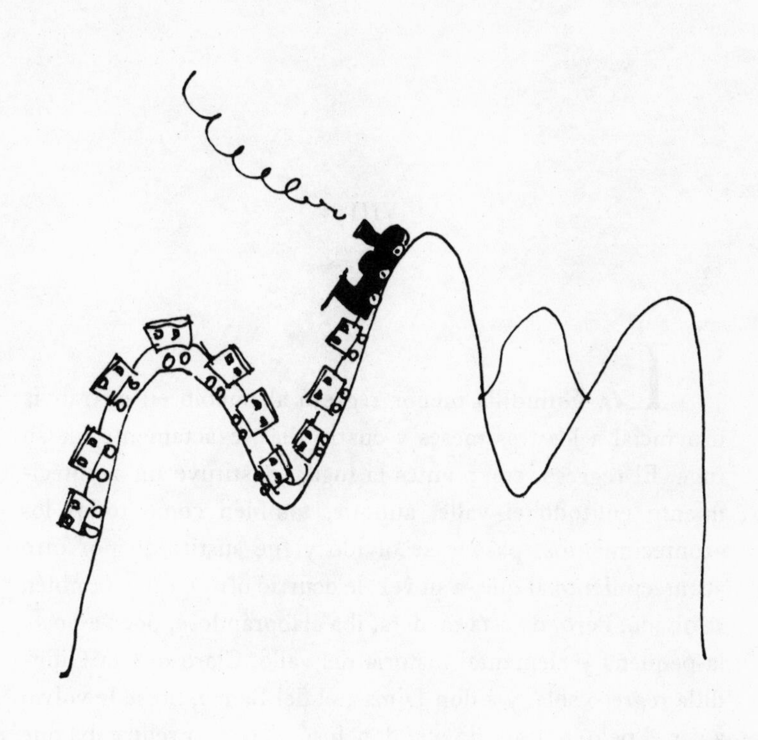

VIII

La Guindilla menor regresó al pueblo en el tranvía provincial a los tres meses y cuatro días, exactamente, de su fuga. El regreso, como antes la fuga, constituyó un acontecimiento en todo el valle, aunque, también como todos los acontecimientos, pasó y se olvidó y fué sustituído por otro acontecimiento al que, a su vez, le ocurrió otro tanto y también se olvidó. Pero, de esta manera, iba elaborándose, poco a poco, la pequeña y elemental historia del valle. Claro que la Guindilla regresó sola, y a don Dimas, el del Banco, no se le volvió a ver el pelo, a pesar de que don José, el cura, prejuzgaba que no era mal muchacho. Bueno o malo, don Dimas se disolvió en el aire, como se disolvía, sin dejar rastro, el eco de las montañas.

Fué Cuco, el factor, quien primero llevó la noticia al pueblo. Después de la « radio » de don Ramón, el boticario, Cuco, el factor, era la compañía más codiciada del lugar. Sus noticias eran siempre frescas y curiosas, aunque no siempre edificantes. Cuco, el factor, ostentaba una personalidad rolliza, pujante, expansiva y físicamente optimista. Daniel, el Mochuelo, le admiraba; admiraba su carácter, sus conocimientos y la simplicidad con que manejaba y controlaba la salida, entrada y circulación de los trenes por el valle. Todo esto implicaba una capacidad; la ductilidad y el talento de organización de un factor no se improvisan.

Irene, la Guindilla menor, al apearse del tren, llevaba lágrimas en los ojos y parecía más magra y consumida que 5 cuando marchó, tres meses antes. Aparentaba caminar bajo el peso de un fardo invisible que la obligaba a encorvarse por la cintura. Eran, sin duda, los remordimientos. Vestía como suelen vestir las mujeres viudas, muy viudas, toda enlutada y con una mantilla negra y tupida que le escamoteaba el rostro.

10 Había llovido durante el día y la Guindilla, al subir la varga, camino del pueblo, no se preocupaba de sortear los baches, antes bien parecía encontrar algún raro consuelo en la inmersión repetida de sus piececitos en los charcos y el fango de la carretera.

15 Lola, la Guindilla mayor, quedó pasmada al sorprender a su hermana, indecisa, a la puerta de la tienda. Se pasó la mano repetidamente por los ojos como queriendo disipar alguna mala aparición.

— Sí, soy yo, Lola — murmuró la menor —. No te 20 extrañes. Aunque pecadora y todo, he vuelto. ¿Me perdonas?

— ¡Por los siglos de los siglos! Ven aquí. Pasa — dijo la Guindilla mayor.

Desaparecieron las dos hermanas en la trastienda. Ya en ella, se contemplaron una a otra en silencio. La Guindilla 25 menor se mantenía encogida y cabizbaja y humillada. La mayor aparentaba haber engordado instantáneamente con el regreso y el arrepentimiento de la otra.

— ¿Sabes lo que has hecho, Irene? — fué lo primero que le dijo.

30 — Calla, por favor — gimoteó la hermana y se desplomó sobre el tablero de la mesa, llorando a moco tendido.

La Guindilla mayor respetó el llanto de su hermana. El

llanto era necesario para lavar la conciencia. Cuando Irene se incorporó, las dos hermanas se miraron de nuevo a los ojos. Apenas precisaban de palabras para entenderse. La comprensión brotaba de lo inexpresado:

— Irene, ¿has...?

— He...

— ¡Dios mío!

— Me engañó.

— ¿Te engañó o te engañaste?

— Como quieras, hermana.

— ¿Era tu marido cuando...?

— No... No lo es ahora, siquiera.

— ¡Dios mío! ¿Esperas...?

— No. Él me dijo... él me dijo...

Se le rompió la voz en un sollozo. Se hizo otro silencio. Al cabo, la Guindilla mayor inquirió:

— ¿Qué te dijo?

— Que era machorra.

— ¡Canalla!

— Ya lo ves; no puedo tener hijos.

La Guindilla mayor perdió de repente los buenos modales y, con éstos, los estribos.

— Ya sabes lo que has hecho, ¿verdad? Has tirado la honra. La tuya, la mía y la de la bendita memoria de nuestros padres...

— No. Eso no, Lola, por amor de Dios.

— ¿Qué otra cosa, entonces?

— Las mujeres feas no tenemos honra, desengáñate, hermana.

Decía esto con gesto resignado, aplanada por un inexorable convencimiento. Luego añadió:

— Él lo dijo así.

— La reputación de una mujer es más preciosa que la vida, ¿no lo sabías?

— Lo sé, Lola.

— ¿Entonces?

5 — Haré lo que tú digas, hermana.

— ¿Estás dispuesta?

La Guindilla menor agachó la cabeza.

— Lo estoy — dijo.

— Vestirás de luto el resto de tu vida y tardarás cinco
10 años en asomarte a la calle. Esas son mis condiciones, ¿las aceptas?

— Las acepto.

— Sube a casa, entonces.

La Guindilla mayor cerró con llave la puerta de la tienda
15 y subió tras ella. Ya en su cuarto, la Guindilla menor se sentó en el borde de la cama; la mayor trajo una palangana con agua tibia y le lavó los pies. Durante esta operación permanecieron en silencio. Al concluir, la Guindilla menor suspiró y dijo:

— Ha sido un malvado, ¿sabes?

20 La Guindilla mayor no contestó. Le imbuía un seco respeto el ademán de desolación de su hermana. Ésta continuó:

— Quería mi dinero. El muy[1] sinvergüenza creía que teníamos mucho dinero; un montón de dinero.

— ¿Por qué no le dijiste a tiempo que entre las dos sólo
25 sumábamos mil duros?

— Hubiera sido mi perdición, hermana. Me hubiera abandonado y yo estaba enamorada de él.

— Callar es lo que te ha perdido, loca.

— Lo gastó todo, ¿sabes?

30 — ¿Qué?

— Vivió conmigo mientras duró el dinero. Se acabó el

[1] *Emphatic adverb. Do not translate.*

dinero, se acabó Dimas. Luego me dejó tirada como a una perdida. Dimas es un mal hombre, Lola. Es un hombre perverso y cruel.

Las escuálidas mejillas de la Guindilla mayor se encendieron aún más de lo que habitualmente estaban. 5

— Es un ladrón. Eso es lo que es. Igual, lo mismito que el otro Dimas[2] — dijo.

Se quedó silenciosa al apagarse su arrebato. Repentinamente los escrúpulos empezaban a socavarle la conciencia. ¿Qué es lo que había dicho de Dimas, el buen ladrón? ¿No 10 gustaba el Señor de esta clase de arrepentidos? La Guindilla mayor sintió un vivo remordimiento. « De todo corazón te pido perdón, Dios mío », se dijo. Y se propuso que al día siguiente, nada más levantarse, iría a reconciliarse con don José; él sabría perdonarla y consolarla. Esto era lo que la 15 urgía: un poco de consuelo.

Se pasó, de nuevo, la mano por los ojos, tratando de desvanecer la pesadilla. Luego se sonó ruidosamente la larga nariz y dijo:

— Está bien, hermana; cámbiate de ropa. Yo vuelvo a 20 la tienda. Cuando acabes puedes regar los geranios de la galería como hacías siempre antes de la desgracia. Mañana verás a don José. Has de lavar cuanto antes tu alma empecatada.

La Guindilla menor la interrumpió: 25

— ¡Lola!

— ¿Qué?

— Me da mucha vergüenza.

— ¿Es que todavía te queda algo?

— ¿De qué? 30

[2] *The name traditionally given the "Good Thief" who died on the cross at the same time as Jesus Christ.*

— De vergüenza.

Irene hizo un mohín de desesperación.

— No lo puedo remediar, hermana.

— Vergüenza debería haberte dado escaparte con un
5 hombre desconocido. ¡Por Dios bendito que entonces no hiciste tanto remilgo!

— Es que don José, don José... es un santo, Lola, compréndelo. No entendería mi flaqueza.

— Don José comprende todas las flaquezas humanas,
10 Irene. Dios está en él. Además, una buena confesión forma también parte de mis condiciones, ¿entiendes?

Se oyó el tintineo de una moneda contra los cristales de la tienda. La Guindilla mayor se impacientó:

— Vamos, decídete, hermana; llaman abajo.

15 Irene, la Guindilla menor, accedió, al fin:

— Está bien, Lola; mañana me confesaré. Estoy decidida.

La Guindilla mayor descendió a la tienda. Dió media vuelta a la llave y entró Catalina, la Lepórida. Ésta, al igual
20 que sus hermanas, tenía el labio superior plegado como los conejos y su naricita se fruncía y distendía incesantemente como si incesantemente olisquease. Las llamaban, por eso, las Lepóridas. También las apodaban las Cacas, porque se llamaban Catalina, Carmen, Camila, Caridad y Casilda y el
25 padre había sido tartamudo.

Catalina se aproximó al mostrador:

— Una peseta de sal — dijo.

Mientras la Guindilla mayor la despachaba, ella alzó la carita de liebre hacia el techo y durante unos segundos vibra-
30 ron nerviosamente las aletillas de su nariz:

— Lola, ¿es que tienes forasteros?

La Guindilla se cerró, hermética. Las Lepóridas eran las

telefonistas del pueblo y conocían las noticias casi tan pronto como Cuco, el factor. Respondió cauta:

— No, ¿por qué?

— Parece que se oye ruido arriba.

— Será el gato.

— No, no; son pisadas.

— También el gato pisa.

— Entiéndeme, son pisadas de persona. No serán ladrones, ¿verdad?

La Guindilla mayor cortó:

— Toma, la sal.

La Lepórida miró de nuevo al techo, olisqueó el ambiente con insistencia y, ya en la puerta, se volvió:

— Lola, sigo oyendo pisadas arriba.

— Está bien. Vete con Dios.

Pocas veces la tienda de las Guindillas estuvo tan concurrida como aquella tarde y pocas veces también, de tan crecido número de clientes, salió una caja tan mezquina.

Rita, la Tonta, la mujer del zapatero, fué la segunda en llegar:

— Dos reales de sal — pidió.

— ¿No lo llevaste ayer?

— Puede. Quiero más.

Al cabo de una pausa, Rita, la Tonta, bajó la voz:

— Digo que tienes luz arriba. Estará corriendo el contador.

— ¿Vas a pagármelo tú?

— Ni por pienso.

— Entonces déjalo que corra.

Llegaron después la Basi, la criada del boticario; Ñuca, la del Chano; María, la Chata; Sara, la Moñiga; las otras cuatro Lepóridas; Juana, el ama de don Antonino, el marqués;

Rufina, la de Pancho, el Sindios, que desde que se casó tampoco creía en Dios ni en los santos, y otras veinte mujeres más. Salvo las cuatro Lepóridas, todas iban a comprar sal y todas oían pisadas arriba o se inquietaban, al ver luz en los balcones, por la carrera del contador.

A las diez, cuando ya el pueblo se rendía al silencio, se oyó la voz potente, un poco premiosa y arrastrada de Paco, el herrero. Iba éste haciendo eses por la carretera y ante los balcones de las Guindillas se detuvo. Portaba una botella en la mano derecha y, con la izquierda, se rascaba incesantemente el cogote. Las frases que voceaba hubiesen resultado abstrusas e incoherentes si todo el pueblo no hubiera estado al cabo de la calle.

— ¡Viva la hermana pródiga! ¡Viva la mujer de los muslos escurridos y el pecho de tabla!... — Hizo un cómico gesto de estupor, se rascó otra vez el cogote, eructó, volvió a mirar a los balcones y remató: — ¿Quién te robó el corazón? ¡Dimas, el buen ladrón!

Y se reía él solo, incrustando el poderoso mentón en el pecho gigantesco. Las Guindillas apagaron la luz y observaron al escandaloso por una rendija de la ventana. «Este perdido tenía que ser», murmuró Lola, la Guindilla mayor, al descubrir los destellos que el mortecino farolillo de la esquina arrancaba del pelo híspido y rojo del herrero. Cuando éste pronunció el nombre de Dimas, le entró una especie de ataque de nervios a la Guindilla menor. «Por favor, echa a ese hombre de ahí; que se vaya ese hombre, hermana. Su voz me vuelve loca», dijo. La Guindilla mayor agarró el cubo donde desaguaba el lavabo, entreabrió la ventana y vertió su contenido sobre la cara de Paco, el herrero, que en ese momento iniciaba un nuevo vítor:

— ¡Vivan las...!

El remojón le cortó la frase. El borracho miró al cielo con gesto estúpido, extendió sus manazas poniéndose en cruz y murmuró para sí, al tiempo que avanzaba tambaleándose carretera adelante:

— Vaya, Paco, a casita.[3] Ya está diluviando otra vez. 5

[3] i.e. vamos a casa.

IX

Comprendía Daniel, el Mochuelo, que ya no le sería fácil dormirse. Su cabeza, desbocada hacia los recuerdos, en una febril excitación, era un hervidero apasionado, sin un momento de reposo. Y lo malo era que al día siguiente habría de madrugar para tomar el rápido que le condujese a la ciudad. Pero no podía evitarlo. No era Daniel, el Mochuelo, quien llamaba a las cosas y al valle, sino las cosas y el valle quienes se le imponían, envolviéndole en sus rumores vitales, en sus afanes ímprobos, en los nimios y múltiples detalles de cada día.

Por la ventana abierta, frente a su camastro quejumbroso, divisaba la cresta del Pico Rando, hincándose en la panza estrellada del cielo. El Pico Rando asumía de noche una tonalidad mate y tenebrosa. Mandaba en el valle esta noche como había mandado en él a lo largo de sus once años, como mandaba en Daniel, el Mochuelo, y Germán, el Tiñoso, su amigo Roque, el Moñigo. La pequeña historia del valle se reconstruía ante su mirada interna, ante los ojos de su alma, y los silbidos distantes de los trenes, los soñolientos mugidos de las vacas, los gritos lúgubres de los sapos bajo las piedras, los aromas húmedos y difusos de la tierra avivaban su nostalgia, ponían en sus recuerdos una nota de palpitante realidad.

Después de todo, esta noche era como tantas otras en el valle, sin ir más lejos, como la primera vez que saltaron la tapia de la finca del Indiano para robarle las manzanas. Las manzanas, al fin y al cabo, no significaban nada para el Indiano, que en Méjico tenía dos restaurantes de lujo, un establecimiento de aparatos de radio y tres barcos destinados al cabotaje. Tampoco para ellos significaban mucho las manzanas del Indiano, la verdad, puesto que todos ellos recogían buenas manzanas en los huertos de sus casas, bien mirado, tan buenas manzanas como las que tenía Gerardo, el Indiano, en los árboles de su finca. ¿Que por qué las robaban? Eso constituía una cuestión muy compleja. Quizá, simplificando, porque ninguno de ellos, entonces, rebasaba los nueve años y la emoción de lo prohibido imprimía a sus actos rapaces un encanto indefinible. Le robaban las manzanas al Indiano por la misma razón que en los montes, o en el prado de la Encina, después del baño, les gustaba hablar de « eso » y conjeturar sobre « eso », que era, no menos, el origen de la vida y su misterio.

Cuando Gerardo se fué del pueblo todavía no era el Indiano, era sólo el hijo más pequeño de la señora Micaela, la carnicera, y, según decía ésta, el más tímido de todos sus hijos. La madre afirmaba que Gerardo « era el más tímido de todos », pero en el pueblo aseguraban que Gerardo antes de marchar era medio tonto y que en Méjico, si se iba allá, no serviría más que para bracero o cargador de muelle. Pero Gerardo se fué y a los veinte años de su marcha regresó rico. No hubo ninguna carta por medio, y cuando el Indiano se presentó en el valle, los gusanos ya se habían comido el solomillo, el hígado y los riñones de su madre, la carnicera.

Gerardo, que ya entonces era el Indiano, lloró un rato en el cementerio, junto a la iglesia, pero no lloró con los mocos colgando como cuando pequeño, ni se le caía la baba como entonces, sino que lloró en silencio y sin apenas verter lágrimas, como decía el ama de don Antonino, el marqués, que lloraban en las ciudades los elegantes. Ello implicaba que Gerardo, el Indiano, se había transformado mucho. Sus hermanos, en cambio, seguían amarrados al lugar, a pesar de que, en opinión de su madre, eran más listos que él; César, el mayor, con la carnicería de su madre, vendiendo hígados, solomillos y riñones de vaca a los vecinos para luego, al cabo de los años, hacer lo mismo que la señora Micaela y donar su hígado, su solomillo y sus riñones a los gusanos de la tierra. Una conducta, en verdad, inconsecuente e inexplicable. El otro, Damián, poseía una labranza medianeja en la otra ribera del río. Total nada, unas obradas de pradera y unos lacios y barbudos maizales. Con eso vivía y con los cuatro cuartos que le procuraba la docena de gallinas que criaba en el corral de su casa.

Gerardo, el Indiano, en su primera visita al pueblo, trajo una mujer que casi no sabía hablar, una hija de diez años y un « auto » que casi no metía ruido. Todos, hasta el auto, vestían muy bien y cuando Gerardo dijo que allá, en Méjico, había dejado dos restoranes de lujo y dos barcos de cabotaje, César y Damián le hicieron muchas carantoñas a su hermano y quisieron volverse con él, a cuidar cada uno de un restorán y un barco de cabotaje. Pero Gerardo, el Indiano, no lo consintió. Eso sí, les montó en la ciudad una industria de aparatos eléctricos y César y Damián se fueron del valle, renegaron de él y de sus antepasados y sólo de cuando en cuando volvían por el pueblo, generalmente por la fiesta de la Virgen, y entonces daban buenas propinas y organizaban carreras de sacos y carreras de cintas y ponían cinco duros de premio en la punta de la cucaña. Y usaban sombreros planchados y cuello duro.

Los antiguos amigos de Gerardo le preguntaron cómo se había casado con una mujer rubia y que casi no sabía hablar, siendo él un hombre de importancia y posición como, a no dudar, lo era. El Indiano sonrió sin aspavientos y les dijo que las mujeres rubias se cotizaban mucho en América y que su mujer sí que sabía hablar, lo que ocurría era que hablaba en inglés porque era yanqui. A partir de aquí, Andrés, « el hombre que de perfil no se le ve », llamó « Yanqui » a su perro, porque decía que hablaba lo mismo que la mujer de Gerardo, el Indiano.

Gerardo, el Indiano, no renegó, en cambio, de su pueblo. Los ricos siempre se encariñan, cuando son ricos, por el lugar donde antes han sido pobres. Parece ser ésta la mejor manera de demostrar su cambio de posición y fortuna y el más viable procedimiento para sentirse felices al ver que otros que eran pobres como ellos siguen siendo pobres a pesar del tiempo.

Compró la casa de un veraneante, frente a la botica, la reformó de arriba abajo y pobló sus jardines de macizos estridentes y árboles frutales. De vez en cuando, venía por el pueblo a pasar una temporada. Ultimamente reconoció ante sus antiguos amigos que las cosas le iban bien y que ya tenía en Méjico tres barcos de cabotaje, dos restaurantes de lujo y una representación de receptores de radio. Es decir, un barco de cabotaje más que la primera vez que visitó el pueblo. Lo que no aumentaban eran los hijos. Tenía sólo a la Mica — la llamaba Mica, tan sólo, aunque se llamaba como su abuela, pero, según decía el ama de don Antonino, el marqués, los ricos, en las ciudades, no podían perder el tiempo en llamar a las personas por sus nombres enteros — y la delgadez extremada de la yanqui, que también caía por el valle de ciento en viento, no daba ocasión a nuevas esperanzas. César y Damián hubieran preferido que por no existir, no existiera ni la Mica, por más que cuando ella venía de América le regalaban flores y cartuchos de bombones y la llevaban a los mejores teatros y restaurantes de la ciudad. Esto decía, al menos, el ama de don Antonino, el marqués.

5 La Mica cogió mucho cariño al pueblo de su padre. Reconocía que Méjico no la iba a ella y Andrés, el zapatero, argüía que se puede saber a ciencia cierta si « nos va » o « no nos va » un país cuando en él se dispone de dos restaurantes de lujo, una representación de aparatos de radio y tres barcos 10 de cabotaje. En el valle, la Mica no disponía de nada de eso y, sin embargo, era feliz. Siempre que podía hacía una escapada al pueblo y allí se quedaba mientras su padre no la ordenaba regresar. Últimamente, la Mica, que ya era una señorita, permanecía grandes temporadas en el pueblo estando 15 sus padres en Méjico. Sus tíos Damián y César, que en el pueblo les decían « los Ecos del Indiano », velaban por ella y la visitaban de cuando en cuando.

Daniel, el Mochuelo, nació precisamente en el tránsito de los dos barcos de cabotaje a los tres barcos de cabotaje, es 20 decir, cuando Gerardo, el Indiano, ahorraba para adquirir el tercer barco de cabotaje. Por entonces, la Mica ya tenía nueve años para diez y acababa de conocer el pueblo.

Pero cuando a Roque, el Moñigo, se le ocurrió la idea de robar las manzanas del Indiano, Gerardo ya tenía los tres 25 barcos de cabotaje y la Mica, su hija, diecisiete años. Por estas fechas, Daniel, el Mochuelo, ya era capaz de discernir que Gerardo, el Indiano, había progresado, y bien, sin necesidad de estudiar catorce años y a pesar de que su madre, la Micaela, decía de él que era « el más tímido de todos » y de que andaba 30 por el pueblo todo el día de Dios con los mocos colgando y la baba en la barbilla. Fuera o no fuera así, así lo contaban en el pueblo y no era cosa de recelar que existiera un acuerdo previo entre todos los vecinos para decirle una cosa que no era cierta.

Cuando saltaron la tapia del Indiano, Daniel, el Mochuelo, tenía el corazón en la garganta. En verdad, no sentía apetito de manzanas ni de ninguna otra cosa que no fuera tomar el 5 pulso a una cosa prohibida. Roque, el Moñigo, fué el primero en dejarse caer del otro lado de la tapia. Lo hizo blandamente, con una armonía y elegancia casi felinas, como si sus rodillas y sus ingles estuvieran montadas sobre muelles. Después les hizo señas con la mano, desde detrás de un árbol, para que se 10 apresurasen. Pero lo único que se apresuraba de Daniel, el Mochuelo, era el corazón, que bailaba como un loco desatado. Notaba los miembros envarados y una obscura aprensión mermaba su natural osadía. Germán, el Tiñoso, saltó el segundo, y Daniel, el Mochuelo, el último. 15

En cierto modo, la conciencia del Mochuelo estaba tranquila. Las manías de la Guindilla mayor se le habían contagiado en las últimas semanas. Por la mañana había preguntado a don José, el cura, que era un gran santo:

— Señor cura, ¿es pecado robar manzanas a un rico? 20

Don José había meditado un momento antes de clavar sus ojillos, como puntas de alfileres, en él:

— Según, hijo. Si el robado es muy rico, muy rico y el ladrón está en un caso de extremada necesidad y coge una manzanita para no morir de hambre, Dios es comprensivo y 25 misericordioso y sabrá disculparle.

Daniel, el Mochuelo, quedó apaciguado interiormente. Gerardo, el Indiano, era muy rico, muy rico, y, en cuanto a él, ¿no podría sobrevenirle una desgracia como a Pepe, el Cabezón, que se había vuelto raquítico por falta de vitaminas 30 y don Ricardo, el médico, le dijo que comiera muchas manzanas y muchas naranjas si quería curarse? ¿Quién le aseguraba que si no comía las manzanas del Indiano no le acaecería una desgracia semejante a la que aquejaba a Pepe, el Cabezón?

Al pensar en esto, Daniel, el Mochuelo, se sentía más aliviado. También le tranquilizaba no poco saber que Gerardo, 5 el Indiano, y la yanqui estaban en Méjico, la Mica con « los Ecos del Indiano » en la ciudad, y Pascualón, el del molino, que cuidaba de la finca, en la tasca del Chano disputando una partida de mus. No había, por tanto, nada que temer. Y, sin embargo, ¿por qué su corazón latía de este modo desordenado, 10 y se le abría un vacío acuciante en el estómago, y se le doblaban las piernas por las rodillas? Tampoco había perros. El Indiano detestaba este medio de defensa. Tampoco, seguramente, timbres de alarma, ni resortes sorprendentes, ni trampas disimuladas en el suelo. ¿Por qué temer, pues?

15 Avanzaban cautelosamente, moviéndose entre las sombras del jardín, bajo un cielo alto, tachonado de estrellas diminutas. Se comunicaban por tenues cuchicheos y la hierba crujía suavemente bajo sus pies y este ambiente de roces imperceptibles y misteriosos susurros crispaba los nervios de Daniel, 20 el Mochuelo.

— ¿Y si nos oyera el boticario? — murmuró éste de pronto.

— ¡Chist!

El contundente siseo de Roque, el Moñigo, le hizo callar. 25 Se internaban en la huerta. Apenas hablaban ya sino por señas y las muecas nerviosas de Roque, el Moñigo, cuando tardaban en comprenderle, adquirían, en las medias tinieblas, unos tonos patéticos impresionantes.

Ya estaban bajo el manzano elegido. Crecía unos pies por 30 detrás del edificio. Roque, el Moñigo, dijo:

— Quedaos aquí; yo sacudiré el árbol.

Y se subió a él sin demora. Las palpitaciones del corazón

del Mochuelo se aceleraron cuando el Moñigo comenzó a zarandear las ramas con toda su enorme fuerza y los frutos maduros golpeaban la hierba con un repiqueteo ininterrumpido de granizada. Él y Germán, el Tiñoso, no daban abasto para recoger los frutos desprendidos. Daniel, el Mochuelo, al agacharse, abría la boca, pues a ratos le parecía que le faltaba el aire y se ahogaba. Súbitamente, el Moñigo dejó de zarandear el árbol.

— Mirad; está ahí el coche — murmuró, desde lo alto, con una extraña opacidad en la voz.

Daniel y el Tiñoso miraron hacia la casa en tinieblas. La aleta del coche negro del Indiano, que metía menos ruido aún que el primero que trajo al valle, rebrillaba tras la esquina de la vivienda. A Germán, el Tiñoso, le temblaron los labios al exigir:

— Baja aprisa; debe de estar ella.

Daniel, el Mochuelo, y Germán, el Tiñoso, se movían doblados por los riñones, para soportar mejor las ingentes brazadas de manzanas. El Mochuelo sintió un miedo inmenso de que alguien pudiera sorprenderle así. Apoyó con vehemencia al Tiñoso:

— Vamos, baja, Moñigo. Ya tenemos suficientes manzanas.

El temor les hacía perder la serenidad. La voz de Daniel, el Mochuelo, sonaba agitada, en un tono superior al simple murmullo. Roque, el Moñigo, quebró una rama con el peso del cuerpo al tratar de descender precipitadamente. El chasquido restalló como un disparo en aquella atmósfera queda de roces y susurros. Su excitación iba en aumento:

— ¡Cuidado, Moñigo!

— Yo voy saliendo.

— ¡Narices!

— Gallina el que salte la tapia primero.

No es fácil determinar de dónde surgió la aparición. Daniel, el Mochuelo, después de aquello, se inclinaba a creer en brujas, duendes y fantasmas. Ella, la Mica, estaba ante 5 ellos, alta y esbelta, embutida en un espectral traje blanco. En las densas tinieblas, su figura adquiría una prestancia ultraterrena, algo parecido al Pico Rando, sólo que más vago y huidizo.

— Conque sois vosotros los que robáis las manzanas, 10 ¿eh? — dijo.

Daniel, el Mochuelo, y Germán, el Tiñoso, fueron dejando resbalar los frutos, uno a uno, hasta el suelo. La consternación les agarrotaba. La Mica hablaba con naturalidad, sin destemplanza en el tono de voz:

15 — ¿Os gustan las manzanas?

Tembló, un instante, en el aire, la amedrentada afirmación de Daniel, el Mochuelo:

— Siiií...

Se oyó la risa amortiguada de la Mica, como si brotase a 20 impulsos de una oculta complacencia. Luego dijo:

— Tomad dos manzanas cada uno y venid conmigo.

La obedecieron. Los cuatro se encaminaron hacia el porche. Una vez allí, la Mica giró un conmutador, oculto tras una columna, y se hizo la luz. Daniel, el Mochuelo, agradeció 25 que una columna piadosa se interpusiera entre la lámpara y su rostro abatido. La Mica, sin ton ni son, volvió a reír espontáneamente. A Daniel, el Mochuelo, le asaltó el temor de que fuera a entregarles a la Guardia Civil.

Nunca había visto tan próxima a la hija del Indiano y su 30 rostro y su silueta iban haciéndole olvidar por momentos la comprometida situación. Y también su voz, que parecía el suave y modulado acento de un jilguero. Su piel era tersa y tostada y sus ojos obscuros y sombreados por unas pestañas muy negras. Los brazos eran delgados y elásticos, y éstos y sus piernas, largas y esbeltas, ofrecían la tonalidad dorada de la pechuga del macho de perdiz. Al desplazarse, la ingravidez de sus movimientos producían la sensación de que podría volar y perderse en el espacio lo mismo que una pompa de jabón.

— Está bien — dijo, de pronto —. De modo que los tres sois unos ladronzuelos.

Daniel, el Mochuelo, se confesó que podría pasarse la vida oyéndola a ella decir que era un ladronzuelo y sin cansarse lo más mínimo. El decir ella « ladronzuelo » era lo mismo que si le acariciase las mejillas con las dos manos, con sus dos manos pequeñas, ligeras y vitales.

La Mica se recostó en una tumbona y su figura se estilizó aún más. Dijo:

— No voy a haceros nada esta vez. Voy a dejaros marchar. Pero vais a prometerme que en lo sucesivo si queréis manzanas me las pediréis a mí y no saltaréis la tapia furtivamente, como si fuerais ladrones.

Les miró, uno tras otro, y todos asintieron con la cabeza.

— Ahora podéis iros — concluyó.

Los tres amigos salieron, en silencio, por el portón a la carretera. Anduvieron unos pasos sin cambiar palabra. Su silencio era pesado y macizo, impuesto por la secreta conciencia de que si aún andaban sueltos por el mundo se debía, más que a su propia habilidad y maña, al favor y la compasión del prójimo. Esto, y más en la infancia, siempre resulta un poco deprimente.

Roque, el Moñigo, miró de refilón al Mochuelo. Caminaba éste con la boca abierta y los ojos ausentes, como en éxtasis.

El Moñigo le zarandeó por un brazo y dijo:

— ¿Qué te pasa, Mochuelo? Estás como alelado.

Y, sin esperar respuesta, arrojó con fuerza sus dos manzanas contra los bultos informes y obscuros que pastaban pacientemente en el prado del boticario. 5

X

La amistad del Moñigo forzaba, a veces, a Daniel, el Mochuelo, a extremar su osadía y a poner a prueba su valor. Lo malo era que el Moñigo entendía que el valor de un hombre puede cambiar de la noche a la mañana, como la lluvia o el viento. Hoy podía ser uno un valiente y mañana un bragazas, o a la inversa. Todo dependía de que uno se aviniera o no a realizar las mismas proezas que Roque, el Moñigo, realizaba cada día.

— Gallina el que no haga esto — les conminaba una y otra vez.

Y Daniel, el Mochuelo, y Germán, el Tiñoso, se veían forzados a atravesar el puente por la acitara — quince centímetros de anchura — o a dejarse arrastrar y hundir por la violencia del Chorro, para ir a reaparecer, empujados por la corriente de fondo, en la Poza del Inglés, o a cruzarse, dentro del túnel, con el tranvía provincial.

Con frecuencia, Daniel, el Mochuelo, que, por otra parte, no había de violentarse demasiado para imitar las proezas del Moñigo, se despertaba en la alta noche sobresaltado, asiéndose crispadamente al jergón de la cama. Respiraba hondo. No estaba hundido, como soñaba, bajo el Chorro, ni le arrastraban dando tumbos los hierros del tren, ni se había despeñado por la acitara y volaba a estrellarse contra las rocas del río. Se hallaba bien, cómodamente instalado en su cama de hierro, y, de momento, no había nada que temer.

Desde este punto de vista, suponían una paz inusitada los días de lluvia, que en el valle eran frecuentes, por más que según los disconformes todo andaba patas arriba desde hacía unos años y hasta los pastos se perdían ahora — lo que no había acaecido nunca — por falta de agua. Daniel, el Mochuelo, ignoraba cuánto podía llover antes en el valle; lo que sí aseguraba es que ahora llovía mucho; puestos a precisar, tres días de cada cinco, lo que no estaba mal.

Si llovía, el valle transformaba ostensiblemente su fisonomía. Las montañas asumían unos tonos sombríos y opacos, desleídas entre la bruma, mientras los prados restallaban en una reluciente y verde y casi dolorosa estridencia. El jadeo de los trenes se oía a mayor distancia y las montañas se peloteaban con sus silbidos hasta que éstos desaparecían, diluyéndose en ecos cada vez más lejanos, para terminar en una resonancia tenue e imperceptible. A veces, las nubes se agarraban a las montañas y las crestas de éstas emergían como islotes solitarios en un revuelto y caótico océano gris.

En el verano, las tormentas no acertaban a escapar del cerco de los montes y, en ocasiones, no cesaba de tronar en tres días consecutivos.

Pero el pueblo ya estaba preparado para estos accesos. Con las primeras gotas salían a relucir las almadreñas y su « cluac-cluac », rítmico y monótono, se escuchaba a toda hora en todo el valle, mientras persistía el temporal. A juicio de Daniel, el Mochuelo, era en estos días, o durante las grandes nevadas de Navidad, cuando el valle encontraba su adecuada fisonomía. Era, el suyo, un valle de precipitaciones, húmedo y triste, melancólico, y su languidez y apatía características desaparecían con el sol y con los horizontes dilatados y azules.

Para los tres amigos, los días de lluvia encerraban un encanto preciso y peculiar. Era el momento de los proyectos, 5 de los recuerdos y de las recapacitaciones. No creaban, rumiaban; no accionaban, asimilaban. La charla, a media voz, en el pajar del Mochuelo, tenía la virtud de evocar, en éste, los dulces días invernales, junto al hogar, cuando su padre le contaba la historia del profeta Daniel o su madre se reía 10 porque él pensaba que las vacas lecheras tenían que llevar cántaras.

Sentados en el heno, divisando la carretera y la vía férrea por el pequeño ventanuco frontal, Roque, el Moñigo, Daniel, el Mochuelo y Germán, el Tiñoso, hilvanaban sus proyectos.

15 Fué en uno de estos días y en el pajar de su casa, donde Daniel, el Mochuelo, adquirió una idea concreta de la fortaleza, de Roque, el Moñigo, y de lo torturante que resultaba para un hombre no tener en el cuerpo una sola cicatriz. Ocurrió una tarde de verano, mientras la lluvia tamborileaba en el 20 tejado de pizarra de la quesería y el valle se difuminaba bajo un cielo pesado, monótono y gris.

Mas el Moñigo no se conformaba con que la evidencia de su musculatura les entrase por los ojos:

— Mira; toca, toca — dijo.

25 Y flexionó el brazo, que se transformó en un manojo informe de músculos y tendones retorcidos. El Mochuelo adelantó tímidamente la yema de un dedo y tocó.

— Duro, ¿verdad?

— Ya lo creo.

30 — Pues mira aquí.

Se alzó el pantaloncillo de pana hasta el muslo y tensó la pierna, que adquirió la rigidez de un garrote:

— Mira; toca, toca.

Y de nuevo el dedo del Mochuelo, seguido a corta distancia de el del Tiñoso, tentó aquel portentoso juego de músculos.

— Más duro que el brazo, ¿no? 5

— Más duro.

Luego se descubrió el tórax y les hizo tocar también y contaban hasta doscientos sin que el Moñigo deshinchase el pecho y tuviera que hacer una nueva inspiración. Después el Moñigo les exigió que probasen ellos. El Tiñoso no resistió 10 más que hasta cuarenta sin tomar aire, y el Mochuelo, después de un extremoso esfuerzo que le dejó amoratado, alcanzó la cuenta de setenta.

A continuación, el Moñigo se tumbó boca abajo y con las palmas de las manos apoyadas en el suelo fué levantando 15 el cuerpo una y otra vez. Al llegar a la flexión sesenta lo dejó y les dijo:

— No he tenido paciencia nunca de ver las que[1] resisto. Anteanoche hice trescientas veintiocho y no quise hacer más porque me entró el sueño. 20

El Mochuelo y el Tiñoso le miraron abrumados. Aquel alarde superaba cuanto ellos hubieran podido imaginar respecto a las facultades físicas de su amigo.

— A ver tú las que aguantas, Mochuelo — le dijo de repente a Daniel. 25

— Si no sé... No he probado nunca.

— Prueba ahora.

— El caso es...

El Mochuelo acabó tumbándose e intentando la primera flexión. Empero sus bracitos no estaban habituados al ejercicio 30

[1] = cuántas.

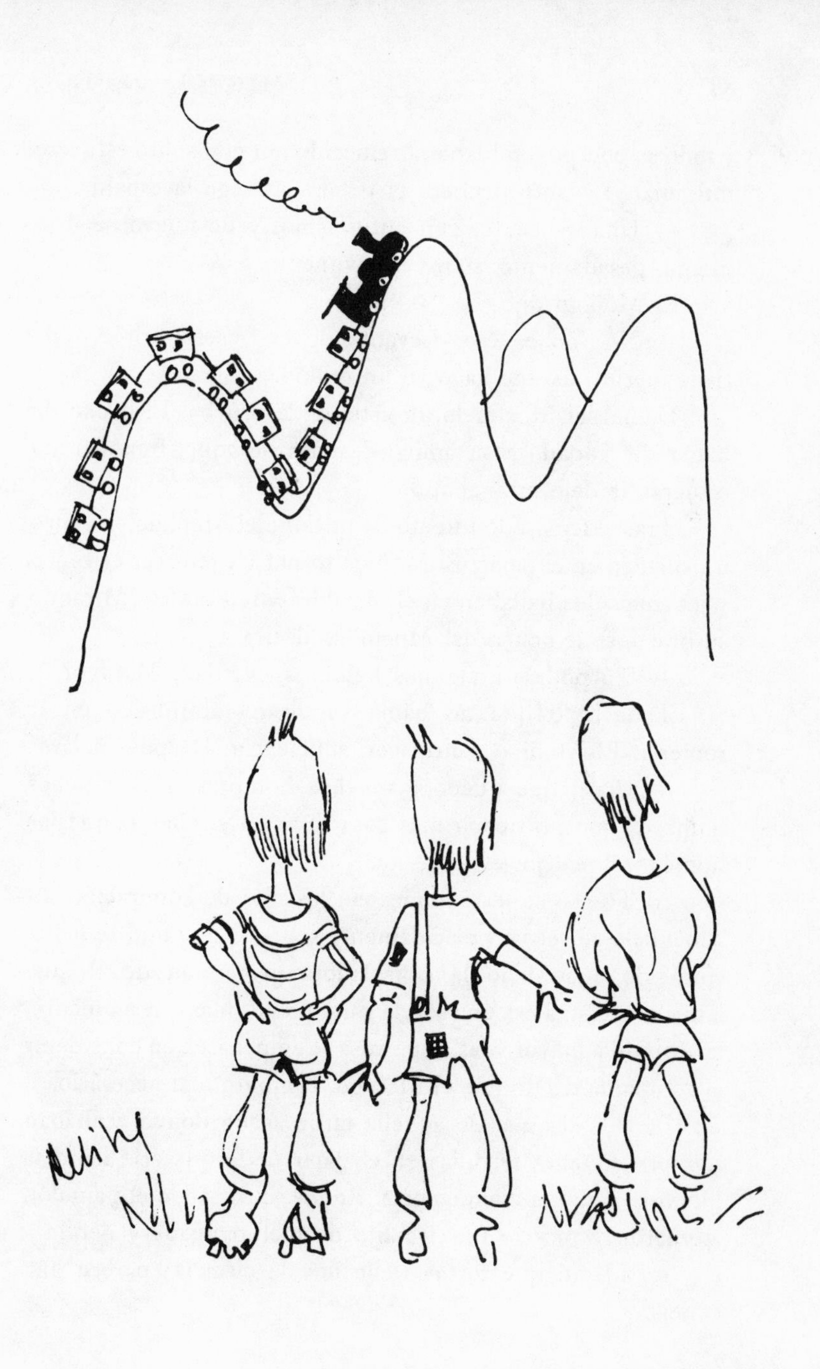

y todo su cuerpo temblaba estremecido por el insólito esfuerzo muscular. Levantó primero el trasero y luego la espalda.

— Una — cantó, con entusiasmo, y de nuevo se desplomó, pesadamente, sobre el pavimento.

El Moñigo dijo:

— No; no es eso. Levantando el trasero primero no tiene mérito; así me hago yo un millón.

Daniel, el Mochuelo, desistió de la prueba. El hecho de haber defraudado a su amigo después de aquel inmoderado esfuerzo le dejó muy abatido.

Tras el frustrado intento de flexión del Mochuelo se hizo un silencio en el pajar. El Moñigo tornaba a retorcer el brazo y los músculos bailaban en él, flexibles y relevantes. Mirando su brazo, se le ocurrió al Mochuelo decir:

— Tú podrás a algunos hombres, ¿verdad, Moñigo?

Todavía Roque no había vapuleado al músico en la romería. El Moñigo sonrió con suficiencia. Después aclaró:

— Claro que puedo a muchos hombres. Hay muchos hombres que no tienen más cosa dura en el cuerpo que los huesos y el pellejo.

Al Tiñoso se le redondeaban los ojos de admiración. El Mochuelo se recostó plácidamente sobre el montón de heno, sintiendo a su lado la consoladora protección de Roque. Aquella amistad era una sólida garantía por más que su madre, la Guindilla mayor y las Lepóridas se empeñasen en considerar la compañía de Roque, el Moñigo, como un mal necesario.

Pero la tertulia de aquella tarde acabó donde acababan siempre aquellas tertulias en el pajar de la quesería los días lluviosos: en una competencia. Roque se remangó el pantalón izquierdo y mostró un circulito de piel arrugada y débil:

— Mirad qué forma tiene hoy la cicatriz; parece una coneja.

El Mochuelo y el Tiñoso se inclinaron sobre la pierna del amigo y asintieron:

— Es cierto; parece una coneja.

A Daniel, el Mochuelo, le contristó el rumbo que tomaba la conversación. Sabía que aquellos prolegómenos degenerarían en una controversia sobre cicatrices. Y lo que más abochornaba a Daniel, el Mochuelo, a los ocho años, era no tener en el cuerpo ni una sola cicatriz que poder parangonar con las de sus amigos. Él hubiera dado diez años de vida por tener en la carne una buena cicatriz. La carencia de ella le hacía pensar que era menos hombre que sus compañeros que poseían varias cicatrices en el cuerpo. Esta sospecha le imbuía un nebuloso sentimiento de inferioridad que le desazonaba. En realidad, no era suya la culpa de tener mejor encarnadura que el Moñigo y el Tiñoso y de que las frecuentes heridas se le cerrasen sin dejar rastro, pero el Mochuelo no lo entendía así, y para él suponía una desgracia tener el cuerpo todo liso, sin una mala arruga. Un hombre sin cicatriz era, a su ver, como una niña buena y obediente. Él no quería una cicatriz de guerra, ni ninguna gollería: se conformaba con una cicatriz de accidente o de lo que fuese, pero una cicatriz.

La historia de la cicatriz de Roque, el Moñigo, se[2] la sabían de memoria. Había ocurrido cinco años atrás, durante la guerra.[3] Daniel, el Mochuelo, apenas se acordaba de la guerra. Tan sólo tenía una vaga idea de haber oído zumbar los aviones por encima de su cabeza y del estampido seco, demoledor, de las bombas al estallar en los prados. Cuando la aviación sobrevolaba el valle, el pueblo entero corría a refugiarse en el bosque: las madres agarradas a sus hijos y los padres apaleando al ganado remiso hasta abrirle las carnes.

[2] Do not translate.
[3] La guerra civil española duró de 1936 a 1939.

En aquellos días, la Sara huía a los bosques llevando de la mano a Roque, el Moñigo. Pero éste no sentía tampoco temor de los aviones, ni de las bombas. Corría porque veía correr a todos y porque le divertía pasar el tiempo tontamente, todos reunidos en el bosque, acampados allí, con el ganado y los enseres, como una cuadrilla de gitanos. Roque, el Moñigo, tenía entonces seis años.

Al principio, las campanas de la iglesia avisaban del cese del peligro con tres repiques graves y dos agudos. Más tarde, se llevaron las campanas para fundirlas, y en el pueblo estuvieron sin campanas hasta que, concluída la guerra, regaló una nueva don Antonino, el marqués. Hubo ese día una fiesta sonada en el valle, como homenaje del pueblo al donante. Hablaron el señor cura y el alcalde, que entonces era Antonio, el Buche. Al final don Antonino, el marqués, dió las gracias a todos y le temblaba la voz al hacerlo. Total nada, que don José y el alcalde emplearon media hora cada uno para dar las gracias a don Antonino, el marqués, por la campana, y don Antonino, el marqués, habló durante otra media hora larga, sólo para devolver las gracias que acababan de darle. Resultó todo demasiado cordial, discreto y comedido.

Pero la herida de Roque, el Moñigo, era de una esquirla de metralla. Se la produjo una bomba al estallar en un prado cuando, una mañana de verano, huía precipitadamente al bosque con la Sara. Los más listos del pueblo decían que el percance se debió a una bomba perdida, que fué lanzada por el avión para « quitar peso ». Mas Roque, el Moñigo, recelaba que el peso que había tratado de quitar el avión era el suyo propio. De todas maneras, Roque, el Moñigo, agradecía al aviador aquel medallón de carne retorcido que le había dejado en el muslo.

Continuaban los tres mirando la cicatriz que parecía, por

la forma, una coneja. Roque, el Moñigo, se inclinó, de repente, y la lamió con la punta de la lengua. Tras un rápido paladeo, afirmó:

— Sigue sabiendo salada. Dice Lucas, el Mutilado, que 5 es por el hierro. Las cicatrices de hierro saben siempre saladas. Su muñón también sabe salado y el de Quino, el Manco, también. Luego, con los años, se quita ese sabor.

Daniel, el Mochuelo, y Germán, el Tiñoso, le escuchaban escépticos. Roque, el Moñigo, receló de su incredulidad. 10 Acercó la pierna a ellos e invitó:

— Probad, veréis como no os engaño.

El Mochuelo y el Tiñoso cambiaron unas miradas vacilantes. Al fin, el Mochuelo se inclinó y rozó la cicatriz con la punta de la lengua.

15 — Sí, sabe salada — confirmó.

El Tiñoso lamió tras él y asintió con la cabeza. Después dijo:

— Sí, es cierto que sabe salada, pero no es por el hierro, es por el sudor. Probad mi oreja, veréis como[4] también sabe 20 salada.

Daniel, el Mochuelo, interesado en el asunto, se aproximó al Tiñoso y le lamió el lóbulo dividido de la oreja:

— Es verdad — dijo —. También la oreja del Tiñoso sabe salada.

25 — ¿A ver? — inquirió, dubitativo, el Moñigo.

Y deseoso de zanjar el pleito, chupó con avidez el lóbulo del Tiñoso con la misma fruición que si mamase. Al terminar, su rostro expresó un profundo desencanto:

— Es cierto que sabe salada también — dijo —. Eso es 30 que te dañaste con la cerca de alambre y no con la púa de una zarzamora como crees.

[4] i.e. que.

— No — saltó el Tiñoso, airado —; me rasgué la oreja con la púa de una zarzamora. Estoy bien seguro.

— Eso crees tú.

Germán, el Tiñoso, no se daba por vencido. Agachó la cabeza a la altura de la boca de sus compañeros.

— ¿Y mis calvas, entonces? — dijo con terca insistencia —. También saben saladas. Y mis calvas no me las hice con ningún hierro. Me las pegó un pájaro.

El Moñigo y el Mochuelo se miraron atónitos, pero, uno tras otro, se inclinaron sobre la morena cabeza de Germán, el Tiñoso, y lamieron una calva cada uno. Daniel, el Mochuelo, reconoció en seguida:

— Sí, saben saladas.

Roque, el Moñigo, no dió su brazo a torcer:

— Pero eso no es una cicatriz. Las calvas no son cicatrices. Ahí no tuviste herida nunca. Nada tiene que ver que sepan saladas.

Y el ventanuco iba obscureciéndose y el valle se tornaba macilento y triste, y ellos seguían discutiendo sin advertir que se hacía de noche y que sobre el tejado de pizarra repiqueteaba aún la lluvia y que el tranvía provincial subía ya afanosamente vía arriba, soltando, de vez en cuando, blancos y espumosos borbotones de humo, y Daniel, el Mochuelo, se compungía pensando que él necesitaba una cicatriz y no la tenía, y si la tuviera, quizá podría dilucidar la cuestión sobre si las cicatrices sabían saladas por causa del sudor, como afirmaba el Tiñoso, o por causa del hierro, como decían el Moñigo y Lucas, el Mutilado.

XI

Roque, el Moñigo, dejó de admirar y estimar a Quino, el Manco, cuando se enteró de que éste había llorado hasta hartarse el día que se murió su mujer. Porque Quino, el Manco, además de la mano, había perdido a su mujer, la Mariuca. Y no sería porque no se lo avisaran. Más que nadie la Josefa, que estaba enamorada de él, y se lo restregaba por las narices a la menor oportunidad, muchas veces sin esperar la oportunidad siquiera.

— Quino, piénsalo. Mira que la Mariuca está tísica perdida.

Quino, el Manco, se sulfuraba.

— ¿Y a ti qué diablos te importa, si puede saberse? — decía.

La Josefa tragaba bilis y lo dejaba. Por la noche lloraba, a solas, en su alcoba, hasta empapar la almohada y se juraba no volver a intervenir en el asunto. Mas a la mañana siguiente olvidaba su determinación. Le gustaba demasiado Quino, el Manco, para abandonar el campo sin quemar el último cartucho. Le gustaba porque era todo un hombre: fuerte, serio y cabal. Fuerte, sin ser un animal como Paco, el herrero; serio, sin llegar al escepticismo, como Pancho, el Sindiós, y cabal, sin ser un santo, como don José, el cura, lo era. En fin, lo que se dice un hombre equilibrado, un hombre que no pecaba por exceso ni por defecto, un hombre en el fiel.

Quino, en realidad, no creía en la tuberculosis. El mundo, para él, se componía de delgados y gordos. Mariuca era delgada, como delgados eran doña Lola y doña Irene, las Guindillas y Andrés, el zapatero. Y él era gordo como lo era Cuco, el factor. Pero eso no quería decir que los otros estuvieran enfermos y ellos sanos. De la Mariuca decían que estaba tísica desde que nació, pero ahí la tenían con sus veintitrés años, lozana y fresca como una flor.

Quino se acercó a ella sugestionado más que enamorado. Su natural tendencia le inclinaba a las hembras rollizas, de formas calientes, caídas por su propio peso, y exuberantes. Concretamente, hacia mujeres como la Josefa, duras, densas y apelmazadas. Pero Quino, el Manco, reflexionaba así: « En las ciudades, los señoritos se casan con las hembras flacas. Algo especial tendrán las flacas cuando los señoritos, que tienen estudios y talento, las buscan así. » Y se arrimó a la Mariuca porque era flaca. A los pocos días, sí se enamoró. Se enamoró ciegamente de ella porque tenía la mirada triste y sumisa como un corderillo y la piel azulada y translúcida como la porcelana. Se entendieron. A la Mariuca la gustaba Quino, el Manco, porque era su antítesis: macizo, vigoroso, corpulento y con unos ojos agudos y punzantes como bisturíes.

Quino, el Manco, decidió casarse y los vecinos se le echaron encima: « La Mariuca está delicada. » « La Mariuca está enferma. » « La tisis es mala compañera. » Pero Quino, el Manco, saltó por encima de todo y una mañana esplendente de primavera se presentó a la puerta de la iglesia embutido en un traje de paño azul y con un pañuelo blanco anudado al cuello. Don José, el cura, que era un gran santo, los bendijo. La Mariuca le puso la alianza en el dedo anular de la mano izquierda, porque Quino, el Manco, tenía seccionada la derecha.

La Josefa, a pesar de todo, no logró amargarle la luna de miel. La Josefa se propuso que le pesara toda la vida sobre la conciencia la sombra de su desgracia. Pero no lo consiguió.

En la iglesia, durante la primera amonestación, saltó como una pantera, gritando, mientras corría hacia el altar de san Roque y poniendo al santo por testigo, que la Mariuca y Quino, el Manco, no podían casarse porque ella estaba tísica. Hubo, primero, un revuelo y, luego, un silencio hecho de cien silencios, en el templo. Mas don José conocía mejor que ella los impedimentos y todo el Derecho Canónico.

— Hija — dijo —, la ley del Señor no prohibe a los enfermos contraer matrimonio. ¿Has entendido?

La Josefa, desesperada, se arrojó sobre las gradas del presbiterio y comenzó a llorar como una loca, mesándose los cabellos y pidiendo compasión. Todos la compadecían, pero resultaba inoperante fabricar, en un momento, otro Quino. Desde los bancos del fondo, donde se ponían los hombres, el Manco sonreía tristemente y se daba golpes amistosos con el muñón en la barbilla. La Guindilla mayor, al ver que don José vacilaba, no sabiendo qué partido tomar, se adelantó hasta la Josefa y la sacó del templo, tomándola compasivamente por las axilas. (La Guindilla mayor pretendió, luego, que don José, el cura, dijese otra misa en atención a ella, ya que entre sacar a la Josefa de la iglesia y atenderla unos momentos en el atrio se le pasó el Sanctus. Y ella afirmaba que no se iba a quedar sin misa por hacer una obra de caridad, y que eso no era justo, ni razonable, ni lógico, ni moral y que la comían por dentro los remordimientos y que era la primera vez que le ocurría en su vida... A duras penas don José logró apaciguarla y devolverla su inestable paz de conciencia.) Después continuó el Santo Sacrificio como si nada,[1] pero al domingo siguiente no faltó a misa ni Pancho, el Sindiós, que se coló subrepticiamente en el coro, tras el armonio. Y lo que pasa.[2] Aquel día, don José leyó las amonestaciones y no ocurrió nada. Tan sólo, al pronunciar el cura el nombre de Quino, surgió un suspiro ahogado del banco que ocupaba la Josefa. Pero nada más. Pancho, el Sindiós, dijo, al salir, que la piedad era inútil, un trasto, que en aquel pueblo no se sacaba nada en limpio siendo un buen creyente y que, por lo tanto, no volvería a la iglesia.

Lo gordo aconteció durante el refresco el día de la boda, cuando nadie pensaba para nada en la Josefa. Que nadie pensara en ella debió ser el motivo que la empujó a llamar la atención de aquella bárbara manera. De todos modos fué aquello una obscura y dolorosa contingencia.

Su grito se oyó perfectamente desde el corral de Quino, el Manco, donde se reunían los invitados. El grito provenía del puente y todos miraron hacia el puente. La Josefa, toda desnuda, estaba subida al pretil, de cara al río, y miraba la fiera corriente con ojos desencajados. Todo lo que se les ocurrió a las mujeres para evitar la catástrofe fué gritar, redondear los ojos, y desmayarse. Dos hombres echaron a correr hacia ella, según decían para contenerla, pero sus esposas les ordenaron acremente volverse atrás, porque no querían que sus maridos vieran de cerca a la Josefa toda desnuda. Entre estas dudas y vacilaciones, la Josefa volvió a gritar, levantó los brazos, puso los ojos en blanco y se precipitó en la obscura corriente de El Chorro.

Acudieron allá todos menos los novios. Al poco tiempo

[1] i.e. como si nada hubiera pasado.
[2] i.e. lo que pasa siempre.

regresó a la taberna el juez. Quino, el Manco, decía en ese momento a la Mariuca:

— Esa Josefa es una burra.

— Era... — corrigió el juez.

Por eso supieron la Mariuca y Quino, el Manco, que la Josefa se había matado.

Para enterrarla en el pequeño camposanto de junto a la iglesia hubo sus más y sus menos, pues don José no se avenía a dar entrada en él a una suicida y no lo consintió sin antes consultar al Ordinario. Al fin llegaron noticias de la ciudad y todo se arregló, pues, por lo visto, la Josefa se había suicidado en un estado de enajenación mental transitorio.

Pero ni la sombra de la Josefa bastó para enturbiar las mieles de Quino en su viaje de bodas. Los novios pasaron una semana en la ciudad y de regreso le faltó tiempo a la Mariuca para anunciar a los cuatro vientos que estaba encinta.

— ¿Tan pronto? — la preguntó la Chata.

— Anda ésta. ¿Qué tiene la cosa de particular? — dijo, azorada, la Mariuca.

Y la Chata masculló una palabrota por dentro.

El proceso de gestación de la criatura no fué normal. A medida que se le abultaba el vientre a la Mariuca se le afilaba la cara de un modo alarmante. Las mujeres comenzaron a murmurar que la chica no aguantaría el parto.

El parto sí lo aguantó, pero se quedó en el sobreparto. Murió tísica a la semana y media de dar a luz y dió a luz a los cinco meses justos de suicidarse la Josefa.

Las comadres del pueblo empezaron a explicarse entonces la precipitación de la Mariuca por pregonar su estado, aun antes de apearse del tren que la trajo de la ciudad.

Quino, el Manco, según decían, pasó la noche solo, llorando junto al cadáver, con la niñita recién nacida en los brazos y acariciando tímidamente, con el retorcido muñón, las lacias e inertes melenas rubias de la difunta.

La Guindilla mayor, al enterarse de la desgracia, hizo este comentario:

— Eso es un castigo de Dios por haber comido el cocido antes de las doce.

Se refería a lo del alumbramiento prematuro, pero el ama de don Antonino, el marqués, tenía razón al comentar que seguramente no era aquello un castigo de Dios, puesto que Irene, la Guindilla menor, había comido no sólo el cocido, sino la sopa también antes de las doce, y nada le había ocurrido.

En aquella época, Daniel, el Mochuelo, sólo contaba dos años, y cuatro Roque, el Moñigo. Cinco después empezaron a visitar a Quino de regreso del baño en la Poza del Inglés, o de pescar cangrejos o jaramugo. El Manco era todo generosidad y les daba un gran vaso de sidra de barril por una perra chica. Ya entonces la tasca de Quino marchaba pendiente abajo. El Manco devolvía las letras sin pagar y los proveedores le negaban la mercancía. Gerardo, el Indiano, le afianzó varias veces, pero como no observara en Quino afán alguno de enmienda, pasados unos meses lo abandonó a su suerte. Y Quino, el Manco, empezó a ir de tumbo en tumbo, de mal en peor. Eso sí, él no perdía la locuacidad y continuaba regalando de lo poco que le quedaba.

Roque, el Moñigo, Germán, el Tiñoso, y Daniel, el Mochuelo, solían sentarse con él en el banco de piedra que daba a la carretera. A Quino, el Manco, le gustaba charlar con los niños más que con los mayores, quizá porque él, a fin de cuentas, no era más que un niño grande también. En ocasiones, a lo largo de la conversación, surgía el nombre de la Mariuca, y con él el recuerdo, y a Quino, el Manco, se le humedecían los ojos y, para disimular la emoción, se propinaba golpes reiteradamente con el muñón en la barbilla. En estos casos, Roque, el Moñigo, que era enemigo de lágrimas y de sentimentalismos, se levantaba y se largaba sin decir nada, llevándose a los dos amigos cosidos a los pantalones. Quino, el Manco, les miraba estupefacto, sin comprender nunca el motivo que impulsaba a los rapaces para marchar tan repentinamente de su lado, sin exponer una razón.

Jamás Quino, el Manco, se vanaglorió con los tres pequeños de que una mujer se hubiera matado desnuda por él. Ni aludió tan siquiera a aquella contingencia de su vida. Si Daniel, el Mochuelo, y sus amigos sabían que la Josefa se lanzó corita al río desde el puente, era por Paco, el herrero, que no disimulaba que le había gustado aquella mujer y que si ella hubiese accedido, sería, a estas alturas, la segunda madre de Roque, el Moñigo. Pero si ella prefirió la muerte que su enorme tórax y su pelo rojo, con su pan se lo comiera.

Lo que más avivaba la curiosidad de los tres amigos en los tiempos en que en la taberna de Quino se despachaba un gran vaso de sidra de barril por cinco céntimos, era conocer la causa por la que al Manco le faltaba una mano. Constituía la razón una historia sencilla que el Manco relataba con sencillez.

— Fué mi hermano, ¿sabéis? — decía. — Era leñador. En los concursos ganaba siempre el primer premio. Partía un grueso tronco en pocos minutos, antes que nadie. Él quería ser boxeador.

La vocación del hermano de Quino, el Manco, acrecía la atención de los rapaces. Quino proseguía:

— Claro que esto no sucedió aquí. Sucedía en Vizcaya hace quince años. No está lejos Vizcaya, ¿sabéis? Más allá de estos montes — y señalaba la cumbre fosca, empenachada de bruma, del Pico Rando —. En Vizcaya todos los hombres quieren ser fuertes y muchos lo son. Mi hermano era el más fuerte del pueblo, por eso quería ser boxeador; porque les ganaba a todos. Un día, me dijo: « Quino, aguántame este tronco, que voy a partirlo en cuatro hachazos. » Esto me lo pedía con frecuencia, aunque nunca partiera los troncos en cuatro hachazos. Eso era un decir. Aquel día se lo aguanté firme, pero en el momento de descargar el golpe, yo adelanté la mano para hacerle una advertencia y ¡zás! — las tres caritas infantiles expresaban, en este instante, un mismo nivel emocional. Quino, el Manco, se miraba cariñosamente el muñón y sonreía: — La mano saltó a cuatro metros de distancia, como una astilla — continuaba.

El Moñigo temblaba al preguntarle:

— ¿Te... te importa enseñarme de cerca el muñón, Manco?

Quino adelantaba el brazo, sonriente:

— Al contrario — decía.

Los tres niños, animados por la amable concesión del Manco, miraban y remiraban la incompleta extremidad, la sobaban, introducían las uñas sucias por las hendiduras de la carne, se hacían uno a otro indicaciones y, al fin, dejaban el muñón sobre la mesa de piedra como si se tratara de un objeto ya inútil.

La Mariuca, la niña, se crió con leche de cabra y el mismo Quino le preparó los biberones hasta que cumplió el año. Cuando la abuela materna le insinuó una vez que ella podía hacerse cargo de la niña, Quino, el Manco, lo tomó tan a pechos y se irritó de tal modo que él y su suegra ya no volvieron a dirigirse la palabra. En el pueblo aseguraban que Quino había prometido a la difunta no dejar la criatura en manos ajenas aunque tuviera que criarla él mismo. Esto le parecía a Daniel, el Mochuelo, una evidente exageración.

A la Mariuca-uca, como la llamaban en el pueblo para indicar que era una consecuencia de la Mariuca difunta, la querían todos a excepción de Daniel, el Mochuelo. Era una niña de ojos azules, con los cabellos dorados y la parte superior del rostro tachonado de pecas. Daniel, el Mochuelo, conoció a la niña muy pronto, tanto que el primer recuerdo de ella se desvanecía en su memoria. Luego sí, recordaba a la Mariuca-uca, todavía una cosita de cuatro años, rondando los días de fiesta por las proximidades de la quesería.

La niña despertaba en la madre de Daniel, el Mochuelo, el instinto de la maternidad prematuramente truncada. Ella deseaba una niña, aunque hubiera tenido la carita llena de pecas como la Mariuca-uca. Pero eso ya no podría ser. Don Ricardo, el médico, le dijo que después del malparto se había quedado estéril. La madre de Daniel, el Mochuelo, envejecía, pues, sin esperanzas. De aquí que sintiese hacia la pequeña huérfana una inclinación casi maternal. Si la veía pindongueando por las inmediaciones de la quesería, la llamaba y la sentaba a la mesa.

— Mariuca-uca, hija — decía, acariciándola —, ¿querrás un poco de boruga, verdad?

La niña asentía. La madre del Mochuelo la atendía solícita.

— Pequeña, ¿tienes bastante azúcar? ¿Te gusta?

Volvía a asentir la niña, sin palabras. Al concluir la golosina, la madre de Daniel se interesaba por los pormenores domésticos de la casa del Quino:

— Mariuca-uca, hija, ¿quién te lava la ropa?

La niña sonreía:

— El padre.

— ¿Y quién te hace la comida?

— El padre.

— ¿Y quién te peina las trenzas?

— El padre.

— ¿Y quién te lava la cara y las orejas?

— Nadie.

La madre de Daniel, el Mochuelo, sentía lástima de ella. Se levantaba, vertía agua en una palangana y lavaba las orejas de la Mariuca-uca y, después, le peinaba cuidadosamente las trenzas. Mientras realizaba esta operación musitaba como una letanía: «Pobre niña, pobre niña, pobre niña...» y, al acabar, decía dándole una palmada en el trasero:

— Vaya, hija, así estás más curiosita.

La niña sonreía débilmente y entonces la madre de Daniel, el Mochuelo, la cogía en brazos y la besaba muchas veces, frenéticamente.

Tal vez influyera en Daniel, el Mochuelo, este cariño desmedido de su madre hacia la Mariuca-uca para que ésta no fuese santo de su devoción. Pero no; lo que enojaba a Daniel, el Mochuelo, era que la pequeña Uca quisiera meter la nariz en todas las salsas e intervenir activamente en asuntos impropios de una mujer y que no le concernían.

Cierto es que Mariuca-uca disfrutaba de una envidiable libertad, una libertad un poco salvaje, pero, al fin y al cabo, la Mariuca-uca era una mujer, y una mujer no puede hacer lo mismo que ellos hacían ni tampoco ellos hablar de «eso» delante de ella. No hubiera sido delicado ni oportuno. Por lo demás, que su madre la quisiera y la convidase a boruga los domingos y días festivos, no le producía frío ni calor. Le irritaba la incesante mirada de la Mariuca-uca en su cara, su afán por interceptar todas las contingencias y eventualidades de su vida.

— Mochuelo, ¿dónde vas a ir hoy?

— Al demonio. ¿Quieres venir?

7
Klms

— Sí — afirmaba la niña, sin pensar lo que decía.

Roque, el Moñigo, y Germán, el Tiñoso, se reían y le mortificaban, diciéndole que la Uca-uca estaba enamorada de él.

Un día, Daniel, el Mochuelo, para zafarse de la niña, 5 le dió una moneda y le dijo:

— Uca-uca, toma diez y vete a la botica a pesarme.

Ellos se fueron al monte y, al regresar, ya de noche, la Mariuca-uca les aguardaba pacientemente, sentada a la puerta de la quesería. Se levantó al verles, se acercó a Daniel y le 10 devolvió la moneda.

— Mochuelo — dijo —, dice el boticario que para pesarte has de ir tú.

Los tres amigos se reían espasmódicamente y ella les miraba con sus intensos ojos azules, probablemente sin com- 15 prenderles.

Uca-uca, en ocasiones, había de echar mano de toda su astucia para poder ir donde el Mochuelo.[3]

Una tarde, se encontraron los dos solos en la carretera.

— Mochuelo — dijo la niña —. Sé donde hay un nido 20 de rendajos con pollos emplumados.

— Dime dónde está — dijo él.

— Ven commigo y te lo enseño — dijo ella.

Y, esa vez, se fué con la Uca-uca. La niña no le quitaba ojo en todo el camino. Entonces sólo tenía nueve años. Daniel, 25 el Mochuelo, sintió la impresión de sus pupilas en la carne, como si le escarbasen con un punzón.

— Uca-uca, ¿por qué demonios me miras así? — preguntó.

Ella se avergonzó, pero no desvió la mirada.

— Me gusta mirarte — dijo. 30

— No me mires, ¿oyes?

[3] i.e. donde estaba el Mochuelo.

Pero la niña no le oyó o no le hizo caso.

— Te dije que no me mirases, ¿no me oíste? — insistió el.

Entonces ella bajó los ojos.

— Mochuelo — dijo —. ¿Es verdad que te gusta la Mica?

5 Daniel, el Mochuelo, se puso encarnado. Dudó un momento, notando como un extraño burbujeo en la cabeza. Ignoraba si en estos casos procedía enfadarse o si, por el contrario, debía sonreír. Pero la sangre continuaba acumulándosele en la cabeza y, para abreviar, se indignó. Disimuló, no 10 obstante, fingiendo dificultades para saltar la cerca de un prado.

— A ti no te importa si me gusta la Mica o no — dijo.

Uca-uca insinuó débilmente:

— Es más vieja que tú; te lleva diez años.

15 Se enfadaron. El Mochuelo la dejó sola en un prado y él se volvió al pueblo sin acordarse para nada del nido de rendajos. Pero en toda la noche no pudo olvidar las palabras de la Mariuca-uca. Al acostarse, sintió una rara desazón. Sin embargo, se dominó. Ya en la cama, recordó que el herrero 20 le contaba muchas veces la historia de la Guindilla menor y don Dimas y siempre empezaba así: « El granuja era quince años más joven que la Guindilla... ».

Sonrió Daniel, el Mochuelo, en la oscuridad. Pensó que la historia podría repetirse y se durmió arrullado por la sensa-25 ción de que le envolvían los efluvios de una plácida y extraña dicha.

XII

El tío Aurelio, el hermano de su madre, les escribió desde Extremadura. El tío Aurelio se marchó a Extremadura porque tenía asma y le sentaba mal el clima del valle, húmedo y próximo al mar. En Extremadura, el clima era más seco y el tío Aurelio marchaba mejor. Trabajaba de mulero en una gran dehesa, y si el salario no daba para mucho, en cambio tenía techo gratis y frutos de la tierra a bajos precios. « En estos tiempos no se puede pedir más », les había dicho en su primera carta.

De su tío sólo le quedaba a Daniel, el Mochuelo, el vago recuerdo de un jadeo ahogado, como si resollase junto a su oído una acongojada locomotora ascendente. El tío se ponía compresas en la parte alta del pecho y respiraba siempre en su habitación vapores de eucaliptos.[1] Mas, a pesar de las compresas y los vapores de eucaliptos, el tío Aurelio sólo cesaba de meter ruido al respirar en el verano, durante la quincena más seca.

En la última carta, el tío Aurelio decía que enviaba para el pequeño un Gran Duque que había atrapado vivo en un olivar. Al leer la carta, Daniel, el Mochuelo, sintió un estremecimiento. Se figuró que su tío le enviaba, facturado, una

[1] i.e. vapores de (hojas) de eucalipto.

especie de don Antonino, el marqués, con el pecho cubierto de insignias, medallas y condecoraciones. Él no sabía que los grandes duques anduvieran sueltos por los olivares, y, mucho menos, que los muleros pudieran atraparlos impunemente como quien atrapa una liebre.

Su padre se rió de él cuando le expuso sus temores. Daniel, el Mochuelo, se alegró íntimamente de haber hecho reír a su padre, que en los últimos años andaba siempre con cara de vinagre y no se reía ni cuando los húngaros representaban comedias y hacían títeres en la plaza. Al acabar de reírse, su padre le aclaró:

— El Gran Duque es un mochuelo gigante. Es un cebo muy bueno para matar milanos. Cuando llegue te llevaré conmigo de caza al Pico Rando.

Era la primera vez que su padre le prometía llevarle de caza con él. A pesar de que a su padre no se le ocultaba su avidez cinegética.

Todas las temporadas, al abrirse la veda, el quesero cogía el mixto en el pueblo, el primer día, y se marchaba hasta Castilla. Regresaba dos días después con alguna liebre y un buen racimo de perdices que, ineluctablemente, colgaba de la ventanilla de su compartimiento. A las codornices no les tiraba, pues decía que no valían el cartucho y que a los pájaros o se les mata con el tirachinas o se les deja vivir. Él les dejaba vivir. Daniel, el Mochuelo, los mataba con el tirachinas.

Cuando su padre regresaba de sus cacerías, en los albores del otoño, Daniel, el Mochuelo, salía a recibirle a la estación. Cuco, el factor, le anunciaba si el tren venía en punto o si traía algún retraso. De todas las maneras, Daniel, el Mochuelo, aguardaba a ver aparecer la fumosa locomotora por la curva con el corazón alborozado y la respiración anhelante. Siempre localizaba a su padre por el racimo de perdices. Ya a su lado, en el pequeño andén, su padre le entregaba la escopeta y las piezas muertas. Para Daniel, el Mochuelo, significaba mucho esta muestra de confianza, y aunque el arma pesaba lo suyo y los gatillos tentaban vivamente su curiosidad, él la llevaba con una ejemplar seriedad cinegética.

Luego no se apartaba de su padre mientras limpiaba y engrasaba la escopeta. Le preguntaba cosas y más cosas y su padre satisfacía o no su curiosidad según el estado de su humor. Pero siempre que imitaba el vuelo de las perdices su padre hacía « Prrrrr », con lo que Daniel, el Mochuelo, acabó convenciéndose de que las perdices, al volar, tenían que hacer « Prrrrr » y no podían hacer de otra manera. Se lo contó a su amigo, el Tiñoso, y discutieron fuerte porque Germán afirmaba que era cierto que las perdices hacían ruido al volar, sobre todo en invierno y en los días ventosos, pero que hacían « Brrrrr » y no « Prrrrr » como el Mochuelo y su padre decían. No resultaba viable convencerse mutuamente del ruido exacto del vuelo de las perdices y aquella tarde concluyeron regañando.

Tanta ilusión como por ver llegar a su padre triunfador, con un par de liebres y media docena de perdices colgadas de la ventanilla, le producía a Daniel, el Mochuelo, el primer encuentro con Tula, la perrita *cocker*, al cabo de dos o tres días de ausencia. Tula descendía del tren de un brinco y, al divisarle, le ponía las manos en el pecho y, con la lengua, llenaba su rostro de incesantes y húmedos halagos. Él la acariciaba también, y le decía ternezas con voz trémula. Al llegar a casa, Daniel, el Mochuelo, sacaba al corral una lata vieja con los restos de la comida y una herrada de agua y asistía, enternecido, al festín del animalito.

A Daniel, el Mochuelo, le preocupaba la razón por la que en el valle no había perdices. A él se le antojaba que de

Beline

haber sido perdiz no hubiera salido del valle. Le entusiasmaría remontarse sobre la pradera y recrearse en la contemplación de los montes, los espesos bosques de castaños y eucaliptos, los pueblos pétreos y los blancos caseríos dispersos, desde la altura. Pero a las perdices no les agradaba eso, por lo visto, y anteponían a las demás satisfacciones la de poder comer, fácil y abundantemente.

Su padre le relataba que una vez, muchos años atrás, se le escapó una pareja de perdices a Andrés, el zapatero, y criaron en el monte. Meses después, los cazadores del valle acordaron darles la batida. Se reunieron treinta y dos escopetas y quince perros. No se olvidó un solo detalle. Partieron del pueblo de madrugada y hasta el atardecer no dieron con las perdices. Mas sólo restaba la hembra con tres pollos escuálidos y hambrientos. Se dejaron matar sin oponer resistencia. A la postre, disputaron los treinta y dos cazadores por la posesión de las cuatro piezas cobradas y terminaron a tiros entre los riscos. Casi hubo aquel día más víctimas entre los hombres que entre las perdices.

Cuando el Mochuelo contó esto a Germán, el Tiñoso, éste le dijo que lo de que las perdices se le escaparon a su padre y criaron en la montaña era bien cierto, pero que todo lo demás era una inacabable serie de embustes.

Al recibir la carta del tío Aurelio le entró un nerviosismo a Daniel, el Mochuelo, imposible de acallar. No veía el momento de que el Gran Duque llegase y poder salir con su padre a la caza de milanos. Si tenía algún recelo, se lo procuraba el temor de que sus amigos, con la novedad, dejaran de llamarle Mochuelo y le apodaran, en lo sucesivo, Gran Duque. Un cambio de apodo le dolía tanto, a estas alturas, como podría dolerle un cambio de apellido. Pero el Gran Duque llegó y sus amigos, tan excitados como él mismo, no tuvieron tiempo ni para advertir que el impresionante pajarraco era un enorme mochuelo.

El quesero amarró al Gran Duque por una pata en un rincón de la cuadra y si alguien entraba a verle, el animal bufaba como si se tratase de un gato encolerizado.

Diariamente comía más de dos kilos de recortes de carne y la madre de Daniel, el Mochuelo, apuntó tímidamente una noche que el Gran Duque gastaba en comer más que la vaca y que la vaca daba leche y el Gran Duque no daba nada. Como el quesero callase, su mujer preguntó si es que tenían al Gran Duque como huésped de lujo o si se esperaba de él un rendimiento. Daniel, el Mochuelo, tembló pensando que su padre iba a romper un plato o una encella de barro como siempre que se enfadaba. Pero esta vez el quesero se reprimió y se limitó a decir con gesto hosco:

— Espero de él un rendimiento.

Al asentarse el tiempo, su padre le dijo una noche, de repente, al Mochuelo:

— Prepárate. Mañana iremos a los milanos.[2] Te llamaré con el alba.

Le entró un escalofrío por la espalda a Daniel, el Mochuelo. De improviso, y sin ningún motivo, su nariz percibía ya el aroma de tomillo que exhalaban los pantalones de caza del quesero, el seco olor a pólvora de los cartuchos disparados y que su padre recargaba con paciencia y parsimonia, una y otra vez, hasta que se inutilizaban totalmente. El niño presentía ya el duelo con los milanos, taimados y veloces, y, mentalmente, matizaba la proyectada excursión.

Con el alba salieron. Los helechos, a los bordes del sendero, brillaban de rocío y en la punta de las hierbas se formaban gotitas microscópicas que parecían de mercurio.

[2] i.e. iremos a cazar milanos.

Al iniciar la pendiente del Pico Rando, el sol asomaba tras la montaña y una bruma pesada y blanca se adhería ávidamente al fondo del valle. Visto, éste, desde la altura, semejaba un lago lleno de un líquido ingrávido y extraño.

Daniel, el Mochuelo, miraba a todas partes fascinado. En la espalda, encerrado en una jaula de madera, llevaba al Gran Duque, que bufaba rabioso si algún perro les ladraba en el camino.

Al salir de casa, Daniel dijo al quesero:

— ¿Y a la Tula no la llevamos?

— La Tula no pinta nada hoy — dijo su padre.

Y el muchacho lamentó en el alma que la perra, que al ver la escopeta y oler las botas y los pantalones del quesero se había impacientado mucho, hubiera de quedarse en casa. Al trepar por la vertiente sur del Pico Rando y sentirse impregnado de la luminosidad del día y los aromas del campo, Daniel, el Mochuelo, volvió a acordarse de la perra. Después, se olvidó de la perra y de todo. No veía más que la cara acechante de su padre, agazapado entre unas peñas grises, y al Gran Duque agitarse y bufar cinco metros más allá, con la pata derecha encadenada. Él se hallaba oculto entre la maleza, frente por frente de su padre.

— No te muevas ni hagas ruido; los milanos saben latín — le advirtió el quesero.

Y él se acurrucó en su escondrijo, mientras se preguntaba si tendría alguna relación el que los milanos supieran latín, como decía su padre, con que vistiesen de negro, un negro duro y escueto, igual que las sotanas de los curas. O a lo mejor su padre lo había dicho en broma; por decir algo.

Daniel, el Mochuelo, creyó entrever que su padre le señalaba el cielo con el dedo. Sin moverse miró a lo alto y divisó tres milanos describiendo pausados círculos concéntricos por encima de su cabeza. El Mochuelo experimentó una ansiedad desconocida. Observó, de nuevo, a su padre y le vió empalidecer y aprestar la escopeta con cuidado. El Gran Duque se había excitado más y bufaba. Daniel, el Mochuelo, 5 se aplastó contra la tierra y contuvo el aliento al ver que los milanos descendían sobre ellos. Casi era capaz ya de distinguirles con todos sus pormenores. Uno de ellos era de un tamaño excepcional. Sintió el Mochuelo un picor intempestivo en una pierna, pero se abstuvo de rascarse para evitar todo 10 ruido y movimiento.

De pronto, uno de los milanos se descolgó verticalmente del cielo y cruzó raudo, rasando la cabeza del Gran Duque. Inmediatamente se desplomaron los otros dos. El corazón de Daniel, el Mochuelo, latía desalado. Esperó el estampido del 15 disparo, arrufando la cara, pero el estampido no se produjo. Miró a su padre, estupefacto.

Éste seguía al milano grande, que de nuevo se remontaba, por los puntos de la escopeta, pero no disparó tampoco ahora. Pensó Daniel, el Mochuelo, que a su padre le ocurría algo 20 grave. Jamás vió él un milano tan próximo a un hombre y, sin embargo, su padre no hacía fuego.

Los milanos volvieron a la carga al poco rato. La excitación de Daniel y del Gran Duque aumentó. Pasó el primer milano, tan cerca, que el Mochuelo divisó su ojo brillante y redondo 25 clavado fijamente en el Gran Duque, sus uñas rapaces y encorvadas. Cruzó el segundo. Semejaban una escuadrilla de aviones picando en cadena. Ahora descendía el grande, con las alas distendidas, destacándose en el cielo azul. Sin duda era éste el momento que aguardaba el quesero. Daniel observó 30 a su padre. Seguía al ave por los puntos de la escopeta. El milano sobrevoló al Gran Duque sin aletear. En ese instante sonó el disparo, cuyas resonancias se multiplicaron en el valle.

El pájaro dejó flotando en el aire una estela de plumas y sus enormes alas bracearon frenéticas, impotentes, en un desesperado esfuerzo por alejarse de la zona de peligro. Mas, entonces, el quesero disparó de nuevo y el milano se desplomó, graznando lúgubremente, en un revoloteo de plumas.

El grito de júbilo de su padre no encontró eco en Daniel, el Mochuelo. Éste se había llevado la mano a la mejilla al oír el segundo disparo. Simultáneamente con la detonación, sintió como si le atravesaran la carne con un alambre candente, como un latigazo instantáneo. Al retirar la mano vió que tenía sangre en ella. Se asustó un poco. Al momento comprendió que su padre le había pegado un tiro.

— Me has dado — dijo tímidamente.

El quesero se detuvo en seco; su entusiasmo se enfrió instantáneamente. Al aproximarse a él casi lloraba de rabia.

— ¿Ha sido mucho, hijo? ¿Ha sido mucho? — inquirió, excitado.

Por unos segundos, el quesero lo vió todo negro, el cielo, la tierra y todo negro. Sus ahorros concienzudos y su vida sórdida dejaron, por un instante, de tener dimensión y sentido. ¿Qué podía hacer él si había matado a su hijo, si su hijo ya no podía progresar? Mas, al acercarse, se disiparon sus oscuros presentimientos. Ya a su lado, soltó una áspera carcajada nerviosa y se puso a hacer cómicos aspavientos:

— Ah, no es nada, no es nada — dijo —. Creí que era otra cosa. Un rebote. ¿Te duele, te duele? Ja, ja, ja. Es sólo un perdigón.

No le agradó a Daniel, el Mochuelo, este menosprecio de su herida. Pequeño o grande, aquello era un tiro. Y con la lengua notaba un bultito por dentro de la mejilla. Era el perdigón y el perdigón era de cuarta. Casi una bala, una bala pequeñita.

— Ahora me duele poco. Lo tengo como dormido. Antes sí me dolió — dijo.

Sangraba. La cabeza de su padre se desplazó nuevamente al milano abatido. Lo del chico no tenía importancia.

— ¿Le viste caer, Daniel? ¿Viste el muy ladino cómo quiso rehacerse después del primer tiro? — preguntó.

Se contagió Daniel, el Mochuelo, del expansivo entusiasmo de su padre.

— Claro que le ví, padre. Ha caído — dijo el Mochuelo.

Y corrieron los dos juntos, dando saltos, hacia el lugar señalado. El milano aún se retorcía en los postreros espasmos de la muerte. Y medía más de dos metros de envergadura.

De regreso a casa, Daniel, el Mochuelo, le dijo a su padre:

— Padre, ¿crees que me quedará señal?

Apenas le hizo caso el quesero:

— Nada, eso se cierra bien.

Daniel, el Mochuelo, casi tenía lágrimas en los ojos.

— Pero... pero, ¿no me quedará nada de cicatriz?

— Por supuesto, eso no es nada — repitió, desganado, su padre.

Daniel, el Mochuelo, tuvo que pensar en otra cosa para no ponerse a llorar con toda su alma. De pronto, el quesero le detuvo cogiéndole por el cuello:

— Oye, a tu madre ni una palabra, ¿entiendes? No hables de eso si quieres volver de caza conmigo, ¿de acuerdo?

Al Mochuelo le agradó ahora sentirse cómplice de su padre.

— De acuerdo — dijo.

Al día siguiente, el quesero marchó a la ciudad con el milano muerto y regresó por la tarde. Sin cambiarse de ropa agarró al Gran Duque, lo encerró en la jaula y se fué a La Cullera, una aldea próxima.

Por la noche, después de la cena, puso cinco billetes de cien sobre la mesa.

— Oye — dijo a su mujer —. Ahí tienes el rendimiento del Gran Duque. No era un huésped de lujo como verás.
5 Cuatrocientas[3] me ha dado el cura de La Cullera por él y cien en la ciudad la Junta contra Animales Dañinos por tumbar al milano.

La madre de Daniel no dijo nada. Su marido siempre había sido obstinado y terco para defender su postura. Y él no
10 lo ocultaba tampoco: « Desde el día de mi boda, siempre me ha gustado quedar por encima de mi mujer ».

Y luego se reía, se reía con gruesas carcajadas, él sabría por qué.

[3] Cuatrocientas pesetas.

XIII

HAY cosas que la voluntad humana no es capaz de controlar. Daniel, el Mochuelo, acababa de averiguar esto. Hasta entonces creyó que el hombre puede elegir libremente entre lo que quiere y lo que no quiere; incluso él mismo podía ir, si éste era su deseo, al dentista que actuaba en la galería de Quino, el Manco, los jueves por la mañana, mediante un módico alquiler, y sacarse el diente que le estorbase. Había algunos hombres, como Lucas, el Mutilado, que[1] hasta les cercenaban un miembro si ese miembro llegaba a ser para ellos un estorbo. Es decir, que hasta la tarde aquella que saltaron la tapia del Indiano para robarle las manzanas y les sorprendió la Mica, Daniel, el Mochuelo, creyó que los hombres podían desentenderse a su antojo de cuanto supusiese para ellos una rémora, lo mismo en lo relativo al cuerpo que en lo concerniente al espíritu.

Pero nada más abandonar la finca del Indiano con una manzana en cada mano y las orejas gachas, Daniel, el Mochuelo, comprendió que la voluntad del hombre no lo es todo en la vida. Existían cosas que se le imponen al hombre, y lo sojuzgan, y lo someten a su imperio con cruel despotismo. Tal — ahora se daba cuenta — la deslumbradora belleza de

[1] = a quienes.

la Mica. Tal, el escepticismo de Pancho, el Sindiós. Tal, el apasionado y desgraciado amor de la Josefa. Tal, el encendido fervor de don José, el cura, que era un gan santo. Tal, en fin, la antipatía sorda de la Sara hacia su hermano Roque, el Moñigo.

Desde el frustrado robo de las manzanas, Daniel, el Mochuelo, comprendió que la Mica era muy hermosa, pero, además, que la hermosura de la Mica había encendido en su pecho una viva llama desconocida. Una llama que le abrasaba materialmente el rostro cuando alguien mentaba a la Mica en su presencia. Eso constituía, en él, algo insólito, algo que rompía el hasta ahora despreocupado e independiente curso de su vida.

Daniel, el Mochuelo, aceptó este fenómeno con la resignación con que se aceptan las cosas ineluctables. Él no podía evitar acordarse de la Mica todas las noches al acostarse, o los domingos y días festivos si comía boruga. Esto le llevó a deducir que la Mica significaría para el feliz mortal que la conquistase un muy dulce remanso de paz.

Al principio, Daniel, el Mochuelo, intentó zafarse de esta presión interior que enervaba su insobornable autonomía, pero acabó admitniedo el constante pensamiento de la Mica como algo consubstancial a él mismo, algo que formaba parte muy íntima de su ser.

Si la Mica se ausentaba del pueblo, el valle se ensombrecía a los ojos de Daniel, el Mochuelo, y parecía que el cielo y la tierra se tornasen yermos, amedrentadores y grises. Pero cuando ella regresaba, todo tomaba otro aspecto y otro color, se hacían más dulces y cadenciosos los mugidos de las vacas, más incitante el verde de los prados y hasta el canto de los mirlos adquiría, entre los bardales, una sonoridad más matizada y cristalina. Acontecía, entonces, como un portentoso renacimiento del valle, una acentuación exhaustiva de sus posibilidades, aromas, tonalidades y rumores peculiares. En una palabra, como si para el valle no hubiera ya en el mundo otro sol que los ojos de la Mica y otra brisa que el viento de sus palabras.

Daniel, el Mochuelo, guardaba su ferviente admiración por la Mica como el único secreto no compartido. No obstante, algo en sus ojos, quizá en su voz, revelaba una excitación interior muy difícil de acallar.

También sus amigos admiraban a la Mica. La admiraban en su belleza, lo mismo que admiraban al herrero en su vigor físico, o a don José, el cura, que era un gran santo, en su piedad, o a Quino, el Manco — antes de enterarse el Moñigo de que había llorado a la muerte de su mujer — en su muñón. La admiraban, sí, pero como se admira a las cosas bonitas o poderosas que luego no dejan huella. Sentían, sin duda, en su presencia, a la manera de una nueva emoción estética que inmediatamente se disipaba ante un tordo abatido con el tirachinas o un regletazo de dón Moisés, el maestro. Su arrobo no perduraba; era efímero y decadente como una explosión. En ello advirtió Daniel, el Mochuelo, que su estado de ánimo ante la Mica era una cosa especial, diferente del estado de ánimo de sus amigos. Y si no, ¿por qué Roque, el Moñigo, o Germán, el Tiñoso, no adelgazaban tres kilos si la Mica marchaba a América, o un par de ellos si sólo se desplazaba a la ciudad, o engordaban lo perdido y un kilo más cuando la Mica retornaba al valle por una larga temporada? Ahí estaba la demostración de que sus sentimientos hacia la Mica eran singulares, muy distintos a los que embargaban a sus compañeros. Aunque al hablar de ella se hicieran cruces, o Roque, el Moñigo, cerrase los ojos y emitiese un breve y agudo silbido como veía hacer a su padre ante una moza bien puesta. Esto era pura ostentación, estridencias superficiales y no, en modo alguno, un ininterrumpido y violento movimiento de fondo.

Una tarde, en el prado de la Encina, hablaron de la Mica. Salió la conversación a propósito del muerto que decía la 5 gente había enterrado desde la guerra en medio del prado, bajo el añoso árbol.

— Será ya ceniza — dijo el Tiñoso —. No quedarán ni los huesos. ¿Creéis que cuando se muera la Mica olerá mal, como los demás, y se deshará en polvo?

10 Experimentó el Mochuelo un latigazo de sangre en la cara.

— No puede ser — saltó, ofendido, como si hubieran afrentado a su madre —. La Mica no puede oler nunca mal. Ni cuando se muera.

15 El Moñigo soltó al aire una risita seca.

— Éste es lila — dijo —. La Mica cuando se muera olerá a demonios como todo hijo de vecino.

Daniel, el Mochuelo, no se entregó.

— La Mica puede morir en olor de santidad; es muy 20 buena — añadió.

— ¿Y qué es eso? — rezongó Roque.

— El olor de los santos.

Roque, el Moñigo, se sulfuró:

— Eso es un decir. No creas que los santos huelen a 25 colonia. Para Dios, sí, pero para los que olemos con las narices, no. Mira don José. Creo que no puede haber hombre más santo, ¿eh? ¿Y no le apesta la boca? Don José será todo lo santo que quieras, pero cuando se muera olerá mal, como la Mica, como tú, como yo y como todo el mundo.

30 Germán, el Tiñoso, desvió la conversación. Hacía tan sólo dos semanas del asalto a la finca del Indiano. Entornó los ojos para hablar. Le costaba grandes esfuerzos expresarse. Su

padre, el zapatero, aseguraba que se le escapaban las ideas por las calvas.

— ¿Os fijasteis... os fijasteis — preguntó, de pronto — en la piel de la Mica? Parece como que la tiene de seda.

— Eso se llama cutis... tener cutis — aclaró Roque, el Moñigo, y añadió: — De todo el pueblo es la Mica la única que tiene cutis.

Daniel, el Mochuelo, experimentó un gran gozo al saber que la Mica era la única persona del pueblo que tenía cutis.

— Tiene la piel como una manzana con lustre — aventuró tímidamente.

Roque, el Moñigo, siguió con lo suyo:

— La Josefa, la que se suicidó por el Manco, era gorda, pero por lo que dicen mi padre y la Sara también tenía cutis. En las capitales hay muchas mujeres que lo tienen. En los pueblos, no, porque el sol les quema el pellejo o el agua se lo arruga.

Germán, el Tiñoso, sabía algo de eso, porque tenía un hermano en la ciudad y algunos años venía por las Navidades y le contaba muchísimas cosas de allá.

— No es por eso — atajó, con aire de suficiencia absoluta —. Yo sé por lo que es. Las señoritillas se dan cremas y potingues por las noches, que borran las arrugas.

Le miraron los otros dos, embobados.

— Y aún sé más. — Suavizó la voz y Roque y Daniel se aproximaron a él invitados por su misterioso aire de confidencia —. ¿Sabéis por qué a la Mica no se la arruga el pellejo y lo conserva suave y fresco como si fuera una niña? — dijo.

Las dos interrogaciones se confundieron en una sola voz:

— ¿Por qué?

— Pues porque se pone una lavativa todas las noches, al

acostarse. Eso hacen todas las[2] del cine. Lo dice mi padre, y don Ricardo ha dicho a mi padre que eso puede ser verdad, porque la vejez sale del vientre.

Para Daniel, el Mochuelo, fué esta manifestación un rudo golpe. En su mente se confundían la Mica y la lavativa en una irritante promiscuidad. Eran dos polos opuestos e irreconciliables. Pero, de improviso, recordaba lo que decía a veces don Moisés, el maestro, de que los extremos se tocan y sentía una desfondada depresión, como si algo se le fuese del cuerpo a chorros. La afirmación del Tiñoso era, pues, concienzuda, enteramente posible y verosímil. Mas cuando dos días después volvió a ver a la Mica, se desvanecieron sus bajos recelos y comprendió que don Ricardo y el zapatero y Germán, el Tiñoso, y todo el pueblo decían lo de la lavativa, porque ni sus madres, ni sus mujeres, ni sus hermanas, ni sus hijas tenían cutis y la Mica sí que lo tenía.

La sombra de la Mica acompañaba a Daniel, el Mochuelo, en todos sus quehaceres y devaneos. La idea de la muchacha se encajonó en su cerebro como una obsesión. Entonces no reparaba en que la chica le llevaba diez años y sólo le preocupaba el hecho de que cada uno perteneciera a una diferente casta social. No se reprochaba más que el que él hubiera nacido pobre y ella rica y que su padre, el quesero, no se largase, en su día, a las Américas, con Gerardo, el hijo menor de la señora Micaela. En tal caso, podría él disponer, a estas alturas, de dos restoranes de lujo, un establecimiento de receptores de radio y tres barcos de cabotaje o siquiera, siquiera, de un comercio de aparatos eléctricos como el que poseían en la ciudad los « Ecos del Indiano ». Con el comercio de aparatos eléctricos sólo le separarían de la Mica los dos restoranes de lujo y los tres barcos de cabotaje. Ahora, a más

[2] i.e. las actrices.

de los restoranes de lujo y los barcos de cabotaje, había por medio un establecimiento de receptores de radio que tampoco era moco de pavo.

Sin embargo, a pesar de la admiración y el arrobo de Daniel, el Mochuelo, pasaron años antes de poder cambiar la palabra con la Mica, aparte de la amable reprimenda del día de las manzanas. Daniel, el Mochuelo, se conformaba con despedirla y darle la bienvenida con una mirada triste o radiante, según las circunstancias. Eso sólo, hasta que una mañana de verano le llevó hasta la iglesia en su coche, aquel coche negro y alargado y reluciente que casi no metía ruido al andar. Por entonces, el Mochuelo había cumplido ya los diez años y sólo le restaba uno para marcharse al colegio a empezar a progresar. La Mica ya tenía diecinueve para veinte y los tres años transcurridos desde la noche de las manzanas, no sólo no lastimaron su piel, ni su rostro, ni su cuerpo, sino, al contrario, sirvieron para que su piel, su cuerpo y su rostro entrasen en una fase de mayor armonía y plenitud.

Él subía la varga agobiado por el sol de agosto, mientras flotaban en la mañana del valle los tañidos apresurados del último toque de la misa. Aún le restaba casi un kilómetro, y Daniel, el Mochuelo, desesperaba de alcanzar a don José antes de que éste comenzase el Evangelio. De repente, oyó a su lado el claxon del coche negro de la Mica y volvió la cabeza asustado y se topó, de buenas a primeras, con la franca e inesperada sonrisa de la muchacha. Daniel, el Mochuelo, se sintió envarado, preguntándose si la Mica recordaría el frustrado hurto de las manzanas. Pero ella no aludió al enojoso episodio:

— Pequeño — dijo —. ¿Vas a misa?

Se le atarantó la lengua al Mochuelo y no acertó a responder más que con un movimiento de cabeza.

Ella misma abrió la portezuela y le invitó:

— Es tarde y hace calor. ¿Quieres subir?

Cuando reparó en sus movimientos, Daniel, el Mochuelo, ya estaba acomodado junto a la Mica, viendo desfilar aceleradamente los árboles tras los cristales del coche. Notaba él la vecindad de la muchacha en el flujo de la sangre, en la tensión incómoda de los nervios. Era todo como un sueño, doloroso y punzante en su misma saciedad. « Dios mío — pensaba el Mochuelo —, esto es más de lo que yo había imaginado », y se puso rígido y como acartonado e insensible cuando ella le acarició con su fina mano el cogote y le preguntó suavemente:

— ¿Tú de quién eres?

Tartamudeó el Mochuelo, en un forcejeo desmedido con los nervios:

— De... del quesero.

— ¿De Salvador?

Bajó la cabeza, asintiendo. Intuyó que ella sonreía. El fino contacto de su piel en la nuca le hizo sospechar que la Mica tenía también cutis en las palmas de las manos.

Se divisaba ya el campanario de la iglesia entre la fronda.

— ¿Querrás subirme un par de quesos de nata luego, a la tarde? — dijo la Mica.

Daniel, el Mochuelo, tornó a asentir mecánicamente con la cabeza, incapaz de articular palabra. Durante la misa no supo de qué lado le daba el aire y por dos veces se santiguó extemporáneamente, mientras Angel, el cabo de la Guardia civil, se reía convulsivamente a su lado, cubriéndose el rostro con el tricornio, de su desorientación.

Al anochecer se puso el traje nuevo, se peinó con cuidado, se lavó las rodillas y se marchó a casa del Indiano a llevar los quesos. Daniel, el Mochuelo, se maravilló ante el lujo inusitado de la vivienda de la Mica. Todos los muebles brillaban y su superficie era lisa y suave, como si también ellos tuvieran cutis.

Al aparecer la Mica, el Mochuelo perdió el poco aplomo almacenado durante el camino. La Mica, mientras observaba y pagaba los quesos, le hizo muchas preguntas. Desde luego era una muchacha sencilla y simpática y no se acordaba en absoluto del desagradable episodio de las manzanas.

— ¿Cómo te llamas? — dijo.

— Da... Daniel.

— ¿Vas a la escuela?

— Ssssí.

— ¿Tienes amigos?

— Sí.

— ¿Cómo se llaman tus amigos?

— El Mo... Moñigo y el Ti... Tiñoso.

Ella hizo un mohín de desagrado.

— ¡Uf, qué nombres tan feos! ¿Por qué llamas a tus amigos por unos nombres tan feos? — dijo.

Daniel, el Mochuelo, se azoró. Comprendía ahora que había contestado estúpidamente, sin reflexionar. A ella debió decirle que sus amigos se llamaban Roquito y Germanín. La Mica era una muchacha muy fina y delicada y con aquellos vocablos había herido su sensibilidad. En lo hondo de su ser lamentó su ligereza. Fué en ese momento, ante el sonriente y atractivo rostro de la Mica, cuando se dió cuenta de que le agradaba la idea de marchar al colegio y progresar. Estudiaría denodadamente y quizá ganase luego mucho dinero. Entonces la Mica y él estarían ya en un mismo plano social y podrían casarse y, a lo mejor, la Uca-uca, al saberlo, se tiraría desnuda al río desde el puente, como la Josefa el día de la boda de Quino. Era agradable y estimulante pensar en la ciudad y pensar que algún día podría ser él un honorable caballero y pensar que, con ello, la Mica perdía su inasequibilidad y se colocaba al alcance de su mano. Dejaría, entonces, de decir motes y palabras feas y de agredirse con sus amigos con boñigas resecas y hasta olería a perfumes caros en lugar de a requesón. La Mica, en tal caso, cesaría de tratarle como a un rapaz maleducado y pueblerino.

Cuando abandonó la casa del Indiano era ya de noche. Daniel, el Mochuelo, pensó que era grato pensar en la oscuridad. Casi se asustó al sentir la presión de unos dedos en la carne de su brazo. Era la Uca-uca.

— ¿Por qué has tardado tanto en dejarle los quesos a la Mica, Mochuelo? — inquirió la niña.

Le dolió que la Uca-uca vulnerase con este desparpajo su intimidad, que no le dejase tranquilo ni para madurar y reflexionar sobre su porvenir.

Adoptó un gracioso aire de superioridad.

— ¿Vas a dejarme en paz de una vez, mocosa?

Andaba de prisa y la Mariuca-uca casi corría, a su lado, bajando la varga.

— ¿Por qué te pusiste el traje nuevo para subirle los quesos, Mochuelo? Di — insistió ella.

Él se detuvo en medio de la carretera, exasperado. Dudó, por un momento, si abofetear a la niña.

— A ti no te importa nada de lo mío, ¿entiendes? — dijo, finalmente.

Le tembló la voz a la Uca-uca al indagar:

— ¿Es que te gusta más la Mica que yo?

El Mochuelo soltó una carcajada. Se aproximó mucho a la niña para gritarle:

— ¡Óyeme! La Mica es la chica más guapa del valle y tiene cutis y tú eres fea como un cuco de luz y tienes la cara llena de pecas. ¿No ves la diferencia?

Reanudó la marcha hacia su casa. La Mariuca-uca ya no le seguía. Se había sentado en la cuneta derecha del camino y, ocultando la pecosa carita entre las manos, lloraba con un hipo atroz.

XIV

Podían decir lo que quisieran; eso no se lo impediría nadie. Pero lo que decían de ellos no se ajustaba a la verdad. Ni Roque, el Moñigo, tenía toda la culpa, ni ellos hacían otra cosa que procurar pasar el tiempo de la mejor manera posible. 5 Que a la Guindilla mayor, al quesero, o a don Moisés, el maestro, no les agradase la forma que ellos tenían de pasar el tiempo era una cosa muy distinta. Mas ¿quién puede asegurar que ello no fuese una rareza de la Guindilla, el quesero y el Peón y no una perversidad diabólica por su parte?

10 La gente en seguida arremete contra los niños, aunque muchas veces el enojo de los hombres proviene de su natural irritable y suspicaz y no de las travesuras de aquéllos. Ahí estaba Paco, el herrero.[1] Él les comprendía porque tenía salud y buen estómago, y si el Peón no hacía lo mismo era por sus 15 ácidos y por su rostro y su hígado retorcidos. Y su mismo padre, el quesero, porque el afán ávido de ahorrar le impedía ver las cosas en el aspecto optimista y risueño que generalmente ofrecen. Y la Guindilla mayor, porque, a fin de cuentas, ella era la dueña del gato y le quería como si fuese una con- 20 secuencia irracional de su maternidad frustrada. Mas tampoco ellos eran culpables de que la Guindilla mayor sintiera aquel

[1] = Por ejemplo, Paco, el herrero.

afecto entrañable y desordenado por el animal, ni de que el gato saltara al escaparate en cuanto el sol, aprovechando cualquier descuido de las nubes, asomaba al valle su rostro congestionado y rubicundo. De esto no tenía la culpa nadie, ésa es la verdad. Pero Daniel, el Mochuelo, intuía que los niños tienen ineluctablemente la culpa de todas aquellas cosas de las que no tiene la culpa nadie.

Lo del gato tampoco fué una hazaña del otro jueves. Si el gato hubiera sido de Antonio, el Buche, o de las mismas Lepóridas, no hubiera ocurrido nada. Pero Lola, la Guindilla mayor, era una escandalosa y su amor por el gato una inclinación evidentemente enfermiza y anormal. Porque, vamos a ver, si la trastada hubiese sido grave o ligeramente pecaminosa, ¿se hubiera reído don José, el cura, con las ganas que se rió cuando se lo contaron? Seguramente, no. Además, ¡qué diablo!, el bicho se lo buscaba por salir al escaparate a tomar el sol. Claro que esta costumbre, por otra parte, representaba para Daniel, el Mochuelo, y sus amigos, una estimable ventaja económica. Si deseaban un real de galletas tostadas, en la tienda de las Guindillas, la mayor decía:

— ¿De las de la caja o de las que ha tocado el gato?

— De las que ha tocado el gato — respondían ellos, invariablemente.

Las que «había tocado el gato» eran las muestras del escaparate y, de éstas, la Guindilla mayor daba cuatro por un real y dos, por el mismo precio, de las de la caja. A ellos no les importaba mucho que las galletas estuvieran tocadas por el gato. En ocasiones estaban algo más que tocadas por el gato, pero tampoco en esos casos les importaba demasiado. Siempre, en cualesquiera condiciones, serían preferibles cuatro galletas que dos.

En lo concerniente a la lupa, fué Germán, el Tiñoso,

quien la llevó a la escuela una mañana de primavera. Su padre la guardaba en el taller para examinar el calzado, pero Andrés, «el hombre que de perfil no se le ve», apenas la utilizaba porque tenía buena vista. La hubiera usado si las lupas
5 poseyeran la virtud de levantar un poco las sayas de las mujeres, pero lo que él decía:[2] «Para ver las pantorrillas más gordas y accidentadas de lo que realmente son, no vale la pena emplear artefactos».

Con la lupa de Germán, el Tiñoso, hicieron aquella
10 mañana toda clase de experiencias. Roque, el Moñigo, y Daniel, el Mochuelo, encendieron, concentrando con ella los rayos de sol, dos defectuosos pitillos de follaje de patata. Después se analizaron minuciosamente las cicatrices que, agrandadas por el grueso del cristal, asumían una topografía
15 irregular y monstruosa. Luego, se miraron los ojos, la lengua y las orejas y, por último, se cansaron de la lupa y de las extrañas imágenes que ella provocaba.

Fué al cruzar el pueblo hacia sus casas, de regreso de la escuela, que vieron el gato de las Guindillas, enroscado sobre
20 el plato de galletas, en un extremo de la vitrina. El animal ronroneaba voluptuoso, con su negra y peluda panza expuesta al sol, disfrutando de las delicias de una cálida temperatura. Al aproximarse ellos, abrió, desconfiado, un redondo y terrible ojo verde, pero al constatar la protección de la luna del esca-
25 parate, volvió a cerrarlo y permaneció inmóvil, dulcemente traspuesto.

Nadie es capaz de señalar el lugar del cerebro donde se generan las grandes ideas. Ni Daniel, el Mochuelo, podría decir, sin mentir, en qué recóndito pliegue nació la ocurrencia
30 de interponer la lupa entre el sol y la negra panza del animal. La idea surgió de él espontánea y como naturalmente. Algo

[2] = pero como él decía.

así como fluye el agua de un manantial. Lo cierto es que durante unos segundos los rayos de sol convergieron en el cuerpo del gato formando sobre su negro pelaje un lunar brillante. Los tres amigos observaban expectantes el proceso físico. Vieron cómo los pelos más superficiales chisporroteaban sin que el bicho modificara su postura soñolienta y voluptuosa. El lunar de fuego permanecía inmóvil sobre su oscura panza. De repente brotó de allí una tenue hebra de humo y el gato de las Guindillas dió, simultáneamente, un acrobático salto acompañado de rabiosos maullidos:

— ¡¡Marramiauuuu!! ¡¡Miauuuuuuuu!!

Los maullidos agudos y lastimeros se diluían, poco a poco, en el fondo del establecimiento.

Sin acuerdo previo, los tres amigos echaron a correr. Pero la Guindilla fué más rápida que ellos y su rostro descompuesto asomó a la puerta, antes de que los tres rapaces se perdieran varga abajo. La Guindilla blandía el puño en el aire y lloraba de rabia e impotencia:

— ¡Golfos! ¡Sinvergüenzas! ¡Vosotros teníais que ser! ¡Me habéis abrasado el gato! ¡Pero ya os daré yo! ¡Os vais a acordar de esto!

Y, efectivamente, se acordaron, ya que fué más leonino lo que don Moisés, el Peón, hizo con ellos que lo que ellos habían hecho con el gato. Así y todo, en ellos se detuvo la cadena de escarmientos. Y Daniel, el Mochuelo, se preguntaba: « ¿Por qué si quemamos un poco a un gato nos dan a nosotros una docena de regletazos en cada mano, y nos tienen todo un día sosteniendo con el brazo levantado el grueso tomo de la Historia Sagrada, con más de cien grabados a todo color, y al que a nosotros nos somete a esta caprichosa tortura no hay nadie que le imponga una sanción, consecuentemente más dura, y así, de sanción en sanción, no nos plantamos en la

COMESTIB

pena de muerte? ». Pero, no. Aunque el razonamiento no era desatinado, el castigo se acababa en ellos. Éste era el orden pedagógico establecido y había que acatarlo con sumisión. Era la caprichosa, ilógica y desigual justicia de los hombres.

Daniel, el Mochuelo, pensaba, mientras pasaban lentos los minutos y le dolían las rodillas y le temblaba y sentía punzadas nerviosas en el brazo levantado con la Historia Sagrada en la punta, que el único negocio en la vida era dejar cuanto antes de ser niño y transformarse en un hombre. Entonces se podía quemar tranquilamente un gato con una lupa sin que se conmovieran los cimientos sociales del pueblo y sin que don Moisés, el maestro, abusara impunemente de sus atribuciones.

¿Y lo del túnel? Porque todavía en lo de la lupa hubo una víctima inocente: el gato; pero en lo del túnel no hubo víctimas y de haberlas habido,[3] hubieran sido ellos y encima vengan[4] regletazos en la palma de la mano y vengan[4] horas de rodillas, con el brazo levantado con la Historia Sagrada sobrepasando siempre el nivel de la cabeza. Esto era inhumano, un evidente abuso de autoridad, ya que, en resumidas cuentas, ¿no hubiera descansado don Moisés, el Peón, si el rápido se los lleva a los tres aquella tarde por delante? Y, si era así, ¿por qué se les castigaba? ¿Tal vez porque el rápido no se les llevó por delante? Aviados estaban entonces; la disyuntiva era ardua: o morir triturados entre los ejes de un tren o tres días de rodillas con la Historia Sagrada y sus más de cien grabados a todo color, izada por encima de la cabeza.

Tampoco Roque, el Moñigo, acertaría a explicarse en qué región de su cerebro se generó la idea estrambótica de esperar al rápido dentro del túnel con los calzones bajados.

[3] = si las hubiera habido.
[4] *Do not translate.*

Otras veces habían aguantado en el túnel el paso del mixto o del tranvía provincial. Mas estos trenes discurrían cachazudamente y su paso, en la oscuridad del agujero, apenas si les producía ya emoción alguna. Era preciso renovarse. Y Roque, el Moñigo, les exigió este nuevo experimento: aguardar al rápido dentro del túnel.

El detalle que descuidaron fué el depósito de los calzones. De haber atado este cabo,[5] nada se hubiera descubierto. Como no hubiera pasado nada tampoco si el día que el Tiñoso llevó la lupa a la escuela no hubiera habido sol. Pero existen, flotando constantemente en el aire, unos entes diabólicos que gozan enredando los actos inocentes de los niños, complicándoles las situaciones más normales y simples.

¿Quién pensaba, en ese momento, en la suerte de los calzones estando en juego la propia suerte? ¿Se preocupa el torero del capote cuando tiene las astas a dos cuartas de sus ingles? Y aunque al torero le rasgue el toro el capote no le regaña su madre, ni le aguarda un maestro furibundo que le dé dos docenas de regletazos y le ponga de rodillas con la Historia Sagrada levantada por encima de la cabeza. Y, además, al torero le dan bastante dinero. Ellos arriesgaban sin esperar una recompensa, ni un aplauso, ni la chimenea ni una rueda del tren[6] tan siquiera. Trataban únicamente de autoconvencerse de su propio valor. ¿Merece esta prueba un suplicio tan refinado?

El rápido entró en el túnel silbando, bufando, echando chiribitas, haciendo trepidar los montes y las piedras. Los tres rapaces estaban pálidos, en cuclillas, con los traseritos des-

[5] = si hubieran atado.

[6] *These would parallel the special awards an enthusiastic audience at a bullfight can request for the bullfighter: an ear, two ears or the ears and tail of the bull.*

nudos a medio metro de la vía. Daniel, el Mochuelo, sintió que el mundo se dislocaba bajo sus plantas, se desintegraba sin remedio y, mentalmente, se santiguó. La locomotora pasó bufando a su lado y una vaharada cálida de vapor le lamió el
5 trasero. Retemblaron las paredes del túnel, que se llenó de unas resonancias férreas estruendosas. Por encima del fragor del hierro y la velocidad encajonada, llegó a su oído la advertencia del Moñigo, a su lado:

— ¡Agarraos a las rodillas!

10 Y se agarró ávidamente, porque lo ordenaba el jefe y porque la atracción del convoy era punto menos que irresistible. Se agarró a las rodillas y cerró los ojos.

Se oyeron las risas sofocadas de los tres amigos al concluir de desfilar el tren. El Tiñoso se irguió y comenzó a toser ahito
15 de humo. Luego tosió el Mochuelo y, el último, el Moñigo. Jamás el Moñigo rompía a toser el primero, aunque tuviese ganas de hacerlo. Sobre estos extremos existía siempre una competición inexpresada.

Se reían aun cuando Roque, el Moñigo, dió la voz de
20 alarma:

— No están aquí los pantalones — dijo.

Cedieron las risas instantáneamente.

— Ahí tenían que estar — corroboró el Mochuelo, tanteando en la oscuridad.

25 Los pantalones seguían sin aparecer. Tanteando llegaron a la boca del túnel. Tenían los traseros salpicados de carbonilla y el temor por haber extraviado los calzones plasmaba en sus rostros una graciosa expresión de estupor. Ninguno se atrevió a reír, sin embargo. El presentimiento de unos padres y un
30 maestro airados e implacables no dejaba mucho lugar al alborozo.

De improviso divisaron, cuatro metros por delante, en

medio del senderillo que flanqueaba la vía, un pingajo informe y negruzco. Lo recogió Roque, el Moñigo, y los tres lo examinaron con detenimiento. Sólo Daniel, el Mochuelo, osó, al fin, hablar:

— Es un trozo de mis pantalones — balbuceó con un hilo de voz.

El resto de la ropa fué apareciendo, disgregada en minúsculos fragmentos, a lo largo del sendero. La onda de la velocidad había arrebatado las prendas, que el tren deshizo entre sus hierros como una fiera enfurecida.

De no ser[7] por este inesperado contratiempo nadie se hubiera enterado de la aventura. Pero esos entes siniestros que constantemente flotan en el aire, les enredaron el asunto una vez más. Claro que, ni aun sopesando la diablura en toda su dimensión, se justificaba el castigo que les impuso don Moisés, el maestro. El Peón siempre se excedía, indefectiblemente. Además, el castigar a los alumnos parecía procurarle un indefinible goce o, por lo menos, la comisura derecha de su boca se distendía, en esos casos, hasta casi morder la negra patilla de bandolero.

¿Que habían escandalizado entrando en el pueblo sin calzones? ¡Claro! Pero, ¿qué otra cosa cabía hacer en un caso semejante? ¿Debe extremarse el pudor hasta el punto de no regresar al pueblo por el hecho de haber perdido los calzones? Resultaba tremendo para Daniel, el Mochuelo, Roque, el Moñigo y Germán, el Tiñoso, tener que decidir siempre entre unas disyuntivas tan penosas. Y era aún más mortificante la exacerbación que producía en don Moisés, el maestro, sus cosas, unas cosas que ni de cerca, ni de lejos, le atañían.

[7] = si no hubiera sido.

XV

DON Moisés, el maestro, decía a menudo que él necesitaba una mujer más que un cocido. Pero llevaba diez años en el pueblo diciéndolo y aún seguía sin la mujer que necesitaba. Las Guindillas, las Lepóridas y don José, el cura, que era un gran santo, reconocían que el Peón necesitaba una mujer. Sobre todo por dignidad profesional. Un maestro no puede presentarse en la escuela de cualquier manera; no es lo mismo que un quesero o un herrero, por ejemplo. El cargo exige. Claro que lo primero que exige el cargo es una remuneración suficiente, y don Moisés, el Peón, carecía de ella. Así es que tampoco tenía nada de particular que don Moisés, el Peón, se embutiese cada día en el mismo traje con que llegó al pueblo, todo tazado y remendado, diez años atrás, e incluso que no gastase ropa interior. La ropa interior costaba un ojo de la cara y el maestro precisaba los dos ojos de la cara para desempeñar su labor.

Camila, la Lepórida, se portó mal con él; eso desde luego;[1] don Moisés, el maestro, anduvo enamoriscado de ella una temporada y ella le dió calabazas, porque decía que era rostritorcido y tenía la boca descentrada. Esto era una tontería, y Paco, el herrero, llevaba razón al afirmar que eso no consti-

[1] i.e. eso desde luego era verdad.

tuía inconveniente grave, ya que la Lepórida, si se casaba con él, podría centrarle la boca y enderezarle la cara a fuerza de besos. Pero Camila, la Lepórida, no andaba por la labor y se obstinó en que para besar la boca del maestro habría de
5 besarle en la oreja y esto le resultaba desagradable. Paco, el herrero, no dijo que sí ni que no, pero pensó que siempre sería menos desagradable besar la oreja de un hombre que besar los hocicos de una liebre. Así que la cosa se disolvió en agua de borrajas. Camila, la Lepórida, continuó colgada del
10 teléfono y don Moisés, el maestro, acudiendo diariamente a la escuela sin ropa interior, con la vuelta de los puños tazada y los codos agujereados.

El día que Roque, el Moñigo, expuso a Daniel, el Mochuelo, y Germán, el Tiñoso, sus proyectos fué un día
15 soleado de vacación, en tanto Pascual, el del molino, y Antonio, el Buche, disputaban[2] una partida en el corro de bolos.

— Oye, Mochuelo — dijo, de pronto —; ¿por qué no se casa la Sara con el Peón?

20 Por un momento, Daniel, el Mochuelo, vió los cielos abiertos. ¿Cómo siendo aquello tan sencillo y pertinente no se le ocurrió antes a él?

— ¡Claro! — replicó —. ¿Por qué no se casan?

— Digo — agregó a media voz el Moñigo —, que para
25 casarse dos basta con que se entiendan en alguna cosa. La Sara y el Peón se parecen en que ninguno de los dos me puede ver a mí ni en pintura.

A Daniel, el Mochuelo, iba pareciéndole el Moñigo un ser inteligente. No veía manera de cambiar de exclamación,
30 tan perfecto y sugestivo le parecía todo aquello:

— ¡Claro! — dijo.

[2] = jugaban.

Prosiguió el Moñigo:

— Figúrate lo que sería vivir yo en mi casa con mi padre, los dos solos; sin la Sara. Y en la escuela, don Moisés siempre me tendría alguna consideración por el hecho de ser hermano de su mujer e incluso a vosotros por ser los mejores amigos del hermano de su mujer. Creo que me explico, ¿no?

De la contumacia del Mochuelo se infería su desbordado entusiasmo:

— ¡Claro! — volvió a decir.

— ¡Claro! — adujo el Tiñoso, contagiado.

El Moñigo movió la cabeza dubitativamente:

— El caso es que ellos se quieran casar — dijo.

— ¿Por qué no van a querer? — afirmó el Mochuelo —. El Peón hace diez años que necesita una mujer y a la Sara no la disgustaría que un hombre le dijese cuatro cosas. Tu hermana no es guapa.

— Es fea como un diablo, ya lo sé; pero también es fea la Lepórida.

— ¿Es escrupulosa la Sara? — dijo el Tiñoso.

— Qué va; si le cae una mosca en la leche se ríe y le dice: « Prepárate, que vas de viaje », y se la bebe con la leche como si nada. Luego se ríe otra vez — dijo Roque, el Moñigo.

— ¿Entonces? — dijo el Tiñoso.

— La mosca ya no vuelve a darle guerra; es cosa de un momento. Casarse es diferente — dijo el Moñigo.

Los tres permanecieron un rato silenciosos. Al cabo, Daniel, el Mochuelo, dijo:

— ¿Por qué no hacemos que se vean?

— ¿Cómo? — inquirió el Moñigo.

El Mochuelo se levantó de un salto y se palmeó el polvo de las posaderas:

— Ven, ya verás.

Salieron de la bolera a la carretera. La actitud del Mochuelo revelaba una febril excitación.

— Escribiremos una nota al Peón como si fuera la propia Sara, ¿me entiendes? Tu hermana sale todas las tardes 5 a la puerta de casa para ver pasar la gente. Le diremos que le espera a él y cuando él vaya y la vea creerá que le está esperando de verdad.

Roque, el Moñigo, adoptaba un gesto hosco, enfurruñado, habitual en él cuando algo no le convencia plenamente.

10 — ¿Y si el Peón conoce la letra? — arguyó.

— La desfiguraremos — intervino, entusiasmado, el Tiñoso.

Añadió el Moñigo:

— ¿Y si le enseña la carta a la Sara?

15 Daniel caviló un momento.

— Le diremos que queme la carta antes de ir a verla y que jamás le hable de esa carta si no quiere que se muera de vergüenza y que no le vuelva a mirar a la cara.

— ¿Y si no la quema? — argumentó, obstinado, el 20 Moñigo.

— La quemará. El asqueroso Peón tiene miedo de quedarse sin mujer. Ya es un poco viejo y él sabe que tuerce la boca. Y que eso hace feo. Y que a las mujeres no les gusta besar la boca de un hombre en la oreja. Ya se lo dijo la 25 Lepórida bien claro — dijo el Mochuelo.

Roque, el Moñigo, añadió como hablando consigo mismo:

— Él no dirá nada por la cuenta que le tiene; le queda canguelo desde que la Camila le dió calabazas. Tienes razón.

Paulatinamente renacía la confianza en el ancho pecho 30 del Moñigo. Ya se veía sin la Sara, sin la constante amenaza de la regla del Peón sobre su cabeza en la escuela; disfrutando de una independencia que hasta entonces no había conocido.

— ¿Cuándo le escribimos la carta, entonces? — dijo.

— Ahora.

Estaban frente a la quesería y entraron en ella. El Mochuelo tomó un lápiz y un papel y escribió con caracteres tipográficos: « Don Moisés, si usted necesita una mujer, yo necesito un hombre. Le espero a las siete en la puerta de mi casa. No me hable jamás de esta carta y quémela. De otro modo me moriría de vergüenza y no volvería a mirarle a usted a la cara. Tropiécese conmigo como por casualidad. Sara. »

A la hora de comer, Germán, el Tiñoso, introdujo la carta al maestro por debajo de la puerta de su casa y a las siete menos cuarto de aquella misma tarde entraba con Daniel, el Mochuelo, en casa del Moñigo a esperar los acontecimientos desde el ventanuco del pajar.

El asunto estaba bien planeado y todo, mas a pique estuvo de venirse abajo. La Sara, como de costumbre, tenía encerrado al Moñigo en el pajar cuando ellos llegaron. Y eran las siete menos cuarto. Daniel, el Mochuelo, presumía que, necesitando como necesitaba el Peón una mujer desde hacia diez años, no se retrasaría ni un solo minuto.

La voz de la Sara se desgranaba por el hueco de la escalera. A pesar de haber oído un millón de veces aquella retahila, Daniel, el Mochuelo, no pudo evitar, ahora, un estremecimiento:

— Cuando mis ojos vidriados y desencajados por el horror de la inminente muerte fijen en Vos sus miradas lánguidas y moribundas...

El Moñigo debía saber que eran cerca de las siete, porque respondía atropelladamente, sin dar tiempo a la Sara a concluir la frase:

— Jesús misericordioso, tened compasión de mí.

La Sara se detuvo al oír que alguien subía la escalera. Eran el Mochuelo y el Tiñoso.

— Hola, Sara — dijo el Mochuelo impaciente. Perdona al Moñigo, no lo volverá a hacer.

5 — Qué sabes tú lo que ha hecho, zascandil — dijo ella.

— Algo malo será. Tú no le castigas nunca sin un motivo. Tú eres justa.

La Sara sonrió, complacida:

10 — Aguarda un momento — dijo, y prosiguió rápidamente, ansiando dar cuanto antes cima a su castigo.

— Cuando perdido el uso de los sentidos, el mundo todo desaparezca de mi vista y gima yo entre las angustias de la última agonía y los afanes de la muerte...

15 — Jesús misericordioso, tened compasión de mí. Sara, ¿has terminado?

Ella cerró el devocionario.

— Sí.

— Ale, abre.

20 — ¿Escarmentaste?

— Sí, Sara; hoy me metiste mucho miedo.

Se levantó la Sara y abrió la puerta del pajar visiblemente satisfecha. Comenzó a bajar la escalera con lentitud. En el primer rellano se volvió.

25 — Ojo y no hagáis perrerías — dijo, como estremecida por un difuso presentimiento.

El Moñigo, el Mochuelo y el Tiñoso se precipitaron hacia el ventanuco del pajar sin cambiar una palabra. El Moñigo retiró las telarañas de un manotazo y se asomó a la 30 calle. Inquirió angustiado el Mochuelo:

— ¿Salió ya?

— Está sacando la silla y la labor. Ya se sienta — su voz

se hizo repentinamente apremiante —. ¡El Peón viene por la esquina de la calle!

El corazón del Mochuelo se puso a bailar locamente, más locamente aún que cuando oyó silbar al rápido a la entrada del túnel y él le esperaba dentro con los calzones bajados, o cuando su madre preguntó a su padre, con un extraño retintín, si tenían al Gran Duque como un huésped de lujo. Lo de hoy era aún mucho más emocionante y trascendental que todo aquello. Puso su cara entre las del Moñigo y el Tiñoso y vió que don Moisés se detenía frente a la Sara, con el cuerpo un poco ladeado y las manos en la espalda, y le guiñaba reiteradamente un ojo y le sonreía hasta la oreja por el extremo izquierdo de la boca. La Sara le miraba atónita y, al fin, azorada por tantos guiños y tantas medias sonrisas, balbuceó:

— Buenas tardes, don Moisés, ¿qué dice de bueno?

Él entonces se sentó en el banco de piedra junto a ella. Tornó a hacer una serie de muecas veloces con la boca, con lo que demostraba su contento.

La Sara le observaba asombrada.

— Ya estoy aquí, nena — dijo él —. No he sido moroso, ¿verdad? De lo demás no diré ni una palabra. No te preocupes.

Don Moisés hablaba muy bien. En el pueblo no se ponían de acuerdo sobre quién era el que mejor hablaba de todos, aunque en los candidatos coincidían: don José, el cura; don Moisés, el maestro; y don Ramón, el alcalde.

La melosa voz del Peón a su lado y el lenguaje abstruso que empleaba desconcertaron a la Sara.

— ¿Le... le pasa a usted hoy algo, don Moisés? — dijo.

Él tornó a guiñarle el ojo con un sentido de entendimiento y complicidad y no contestó.

Arriba, en el ventanuco del pajar, el Moñigo susurró en la oreja del Mochuelo:

— Es un cochino charlatán. Está hablando de lo que no debía.

— ¡Chist!

El Peón se inclinó ahora hacia la Sara y la cogió osadamente una mano:

— Lo que más admiro en las mujeres es la sinceridad, Sara; gracias. Tú y yo no necesitamos de recovecos ni de disimulos — dijo.

Tan roja se le puso la cara a la Sara que su pelo parecía menos rojo. Se acercaba la Chata, con un cántaro de agua al brazo, y la Sara se deshizo de la mano del Peón:

— ¡Por Dios, don Moisés! — cuchicheó en un rapto de inconfesada complacencia. — ¡Pueden vernos!

Arriba, en el ventanuco del pajar, Roque, el Moñigo, y Daniel, el Mochuelo, y Germán, el Tiñoso, sonreían bobamente, sin mirarse.

Cuando la Chata dobló la esquina, el Peón volvió a la carga:

— ¿Quieres que te ayude a coser esa prenda? — dijo.

Ahora le cogía las dos manos. Forcejearon. La Sara, en un movimiento instintivo, ocultó la prenda tras de sí, atosigada de rubores.

— Las manos quietas, don Moisés — rezongó.

Arriba, en el pajar, el Moñigo rió quedamente:

— Ji, ji, ji. Es una braga — dijo.

El Mochuelo y el Tiñoso rieron también. La confusión y el aparente enojo de la Sara no ocultaban un vehemente regodeo. Entonces el Peón comenzó a decirle sin cesar cosas bonitas de sus ojos y de su boca y de su pelo, sin darle tiempo a respirar, y a la legua se advertía que el corazón virgen de la Sara, huérfana aún de requiebros, se derretía como el hielo bajo el sol. Al concluir la retahila de piropos, el maestro se quedó mirando de cerca, fijamente, a la Sara:

— ¿A ver[3] si has aprendido ya como son tus ojos, nena? — dijo.

Ella rió, entontecida. 5

— ¡Qué cosas tiene, don Moisés! — dijo.

Él insistió. Se notaba que la Sara evitaba hablar para no defraudar con sus frases vulgares al Peón, que era uno de los que mejor hablaban en el pueblo. Sin duda la Sara quería recordar algo bonito que hubiese leído, algo elevado y poético, 10 pero lo primero que le vino a las mientes fué lo que más veces había repetido:

— Pues... mis ojos son... son... vidriados y desencajados, don Moisés — dijo y tornó a reír en corto, crispadamente. 15

La Sara se quedó tan terne. La Sara no era lista. Entendía que aquellos adjetivos por el mero hecho de venir en el devocionario debían ser más apropiados para aplicarlos a los ángeles que a los hombres y se quedó tan a gusto. Ella interpretó la expresión de asombro que se dibujo en la cara del 20 maestro favorablemente, como un indicio de sorpresa al constatar que ella no era tan zafia y ruda como seguramente había él imaginado. En cambio, el Moñigo, allá arriba, receló algo:

— La Sara ha debido decir una bobada, ¿no?

El Mochuelo aclaró: 25

— Los ojos vidriados y desencajados son los de los muertos.

El Moñigo sintió deseos de arrojar un ladrillo sobre la cabeza de su hermana. No obstante, el Peón sonrió hasta la oreja derecha después de su pasajero estupor. Debía necesitar 30 mucho una mujer cuando transigía con aquello sin decir nada.

[3] = Vamos a ver.

Tornó a requebrar a la Sara con mayor ahinco y al cuarto de hora, ella estaba como abobada, con las mejillas rojas y la mirada perdida en el vacío, igual que una sonámbula. El Peón quiso asegurarse la mujer que necesitaba:

5 — Te quiero, ¿sabes, Sara? Te querré hasta el fin del mundo. Vendré a verte todos los días a esta misma hora. Y tú, tú, dime — le cogía una mano otra vez, aparentando un efervescente apasionamiento —, ¿me querrás siempre?

La Sara le miró como enajenada. Las palabras le acudían 10 a la boca con una fluidez extraña; era como si ella no fuese ella misma; como si alguien hablase por ella desde dentro de su cuerpo:

— Le querré, don Moisés — dijo —, hasta que, perdido el uso de los sentidos, el mundo todo desaparezca de mi vista 15 y gima yo entre las angustias de la última agonía y los afanes de la muerte.

— ¡Así! — dijo el maestro entusiasmado y le oprimió las manos y guiñó dos veces los ojos, y otras cuatro se le distendió la boca hasta la oreja y, al fin, se marchó y antes de 20 llegar a la esquina volvió varias veces el rostro y sonrió convulsivamente a la Sara.

Así se hicieron novios la Sara y el Peón. Con Daniel, el Mochuelo, estuvieron un poco desconsiderados, teniendo en cuenta la parte que él había jugado en aquel entendimiento. 25 Habían sido novios año y medio y ahora que él tenía que marchar al colegio a empezar a progresar se les ocurría fijar la boda para el dos de noviembre, el día de las Ánimas Benditas. Andrés, « el hombre que de perfil no se le ve », tampoco aprobó aquella fecha y lo dijo así sin veladuras:

30 — Los hombres que van buscando la mujer se casan en primavera; los que van buscando la fregona se casan en invierno. No falla nunca.

En la Nochebuena siguiente, la Sara estaba de muy buen humor. Desde que se hiciera novia del Peón se había suavizado su carácter. Hasta tal punto que, desde entonces, sólo dos veces había encerrado al Moñigo en el pajar para leerle las recomendaciones del alma. Ya era ganar algo. Por añadidura, el Moñigo sacaba mejores notas en la escuela y ni una sola vez tuvo que levantar la Historia Sagrada, con sus más de cien grabados a todo color, por encima de la cabeza.

Daniel, el Mochuelo, en cambio, sacó bien poco de todo aquello.

A veces lamentaba haber intervenido en el asunto, pues siempre resultaba más confortador sostener la Historia Sagrada viendo que el Moñigo hacía otro tanto a su lado, que tener que sostenerla sin compañía.

El día de Nochebuena, la Sara andaba de muy buen humor y le preguntó al Moñigo mientras daba vuelta al pollo que se asaba en el horno:

— Dime, Roque, ¿escribiste tú una carta al maestro diciéndole que yo le quería?

— No, Sara — dijo el Moñigo.

— ¿De veras? — dijo ella.

— Te lo juro, Sara — añadió.

Ella se llevó un dedo que se había quemado a la boca y cuando lo sacó dijo:

— Ya decía yo. Sería lo único bueno que hubieras hecho en tu vida. Anda. Aparta de ahí, zascandil.

XVI

Don José, el cura, que era un gran santo, utilizaba, desde el púlpito, todo género de recursos persuasivos: crispaba los puños, voceaba, reconvenía, sudaba por la frente y el pescuezo, se mesaba los escasos cabellos blancos, recorría los
5 bancos con su índice acusador e incluso una mañana se rasgó la sotana de arriba abajo en uno de los párrafos más patéticos y violentos que recordaría siempre la historia del valle. Así y todo, la gente, particularmente los hombres, no le hacían demasiado caso. La misa les parecía bien, pero al sermón le
10 ponían mala cara y le fruncían el ceño. La Ley de Dios no ordenaba oír sermón entero todos los domingos y fiestas de guardar. Por lo tanto, don José, el cura, se sobrepasaba en el cumplimento de la Ley Divina. Decían de él que pretendía ser más papista que el Papa y que eso no estaba bien y menos
15 en un sacerdote; y todavía menos en un sacerdote como don José, tan piadoso y comprensivo, de ordinario, para las flaquezas de los hombres.

Eran un poco torvos y adustos y desagradecidos los hombres del valle. No obstante, un franco espíritu deportivo
20 les infundía un notorio aliento humano. Los detractores de don José, el cura, como orador, decían que no se podía estimar que hablase bien un hombre que a cada dos por tres

decía « en realidad ». Esto era cierto. Claro que puede hablarse bien diciendo « en realidad » a cada dos por tres. Ambas cosas, a juicio de Daniel, el Mochuelo, resultaban perfectamente compatibles. Mas algunos no lo entendían así y si asistían a un sermón de don José era para jugarse el dinero a pares o nones, sobre las veces que el cura decía, desde el púlpito, « en realidad ». La Guindilla mayor aseguraba que don José decía « en realidad » adrede y que ya sabía que los hombres tenían por costumbre jugarse el dinero durante los sermones a pares o nones, pero que lo prefería así, pues siquiera de esta manera le escuchaban y entre « en realidad » y « en realidad » algo de fundamento les quedaría. De otra forma se exponía a que los hombres pensaran en la hierba, la lluvia, el maíz o las vacas, mientras él hablaba, y esto ya sería un mal irremediable.

La gente del valle era obstinadamente individualista. Don Ramón, el alcalde, no mentía cuando afirmaba que cada individuo del pueblo preferiría morirse antes que mover un dedo en beneficio de los demás. La gente vivía aislada y sólo se preocupaba de sí misma. Y a decir verdad, el individualismo feroz del valle sólo se quebraba las tardes de los domingos, al caer el sol. Entonces los jóvenes se emparejaban y escapaban a los prados o a los bosques y los viejos se metían en las tascas a fumar y a beber. Esto era lo malo. Que la gente sólo perdiese su individualismo para satisfacer sus instintos más bajos.

Don José, el cura, que era un gran santo, arremetió una mañana contra las parejas que se marchaban a los prados o a los bosques los domingos, al anochecer; contra las que se apretujaban en el baile cerrado; contra los que se emborrachaban y jugaban hasta los pelos en la tasca del Chano y, en fin, contra los que durante los días festivos segaban el heno o cavaban las patatas o cuchaban los maizales. Fué aquel el día en que don José, el cura, en un arrebato, se rasgó la sotana

de arriba abajo. En definitiva, el cura no dejó títere con cabeza, ya que en el valle podían contarse con los dedos de la mano los que dejaban transcurrir una festividad sin escapar a los prados o a los bosques, apretujarse en el baile cerrado, emborracharse y jugar en la tasca del Chano o segar el heno, cuchar los maizales o cavar las patatas. El señor cura afirmó que, « en realidad, el día del Juicio Final habría muy poca gente del pueblo a la derecha de Nuestro Señor, si las actuales costumbres no se enmendaban radicalmente ».

Una comisión, presidida por la Guindilla mayor, visitó al cura en la sacristía al concluir la misa.

— Díganos, señor cura, ¿está en nuestras manos cambiar estas costumbres tan corrompidas? — dijo la Guindilla.

El anciano párroco carraspeó, sorprendido. No esperaba una reacción tan rápida. Escrutó, uno tras otro, aquellos rostros predilectos del Señor y volvió a carraspear. Ganaba tiempo.

— Hijas mías — dijo, al fin —, está en vuestras manos, si estáis bien dispuestas.

En el atrio, Antonio, el Buche, abonaba dos pesetas a Andrés, el zapatero, porque don José había dicho « en realidad » cuarenta y dos veces y él había jugado a nones.

En la sacristía, don José, el cura, agregó:

— Podemos organizar un centro donde la juventud se distraiga sin ofender al Señor. Con buena voluntad eso no sería difícil. Un gran salón con toda clase de entretenimientos. A las seis podríamos hacer cine los domingos y días festivos. Claro que proyectando solamente películas morales, católicas a machamartillo.

La Guindilla mayor hizo palmitas:

— El local podría ser la cuadra de Pancho. No tiene ganado ya y quiere venderla. Podríamos tomarla en arriendo, don José — dijo, con entusiasmo.

Catalina, la Lepórida, intervino:

— El Sindiós no cederá la cuadra, señor cura. Es un tunante sin fe. Antes morirá que dejarnos la cuadra para un fin tan santo.

5 Daniel, el Mochuelo, que había ayudado a misa, escuchaba boquiabierto la conversación de don José con las mujeres. Pensó marcharse, pero la idea de que en el pueblo iba a montarse un cine le contuvo.

Don José, el cura, apaciguó a Catalina, la Lepórida:

10 — No formes juicios temerarios, hija. Pancho, en el fondo, no es malo.

La Guindilla mayor saltó, como si la pinchasen:

— Padre, ¿es que se puede ser bueno sin creer en Dios? — dijo.

15 Camila, la otra Lepórida, infló su exuberante pechuga y cortó:

— Pancho por ganar una peseta sería capaz de vender el alma al diablo. Lo sé porque lo sé.

Intervino, toda excitada, Rita, la Tonta, la mujer del 20 zapatero:

— El alma se la ha regalado ya ese tunante. El diablo no necesita darle ni dos reales por ella. Eso lo sabemos todos.

Don José, el cura, impuso, finalmente, su autoridad. 25 Nombró una comisión, presidida por la Guindilla, que llevaría a cabo las gestiones con Pancho, el Sindiós, y se desplazaría a la ciudad para adquirir un proyector cinematográfico. A todos les pareció de perlas la decisión. Al terminar su perorata, don José anunció que las próximas colectas durante 30 dos meses tendrían por finalidad adquirir una sotana nueva para el párroco. Todos elogiaron la idea y la Guindilla, creyéndose obligada, inició la suscripción con un duro.

Tres meses después, la cuadra de Pancho, el Sindiós, bien blanqueada y desinsectada, se inauguró como cine en el valle. La primera sesión fué un gran éxito. Apenas quedó en los montes o en los bosques alguna pareja recalcitrante. Mas a las dos semanas surgió el problema. No había disponibles más 5 películas « católicas a machamartillo ». Se abrió un poco la mano y hubo necesidad de proyectar alguna que otra frivolidad. Don José, el cura, tranquilizaba su conciencia, asiéndose, como un náufrago a una tabla, a la teoría del mal menor:

— Siempre estarán mejor recogidos aquí que sobándose 10 en los prados — decía.

Transcurrió otro mes y la frivolidad de las películas que enviaban de la ciudad iba en aumento. Por otro lado, las parejas que antes marchaban a los prados o a los bosques al anochecer aprovechaban la penumbra de la sala para arrullarse 15 descomedidamente.

Una tarde se dió la luz en plena proyección y Pascualón, el del molino, fué sorprendido con la novia sentada en las rodillas. La cosa iba mal, y a finales de octubre, don José, el cura, que era un gran santo, convocó en su casa a la comisión. 20

— Hay que tomar medidas urgentes. En realidad ni las películas son ya morales, ni los espectadores guardan en la sala la debida compostura. Hemos caído en aquello contra lo que luchábamos — dijo.

— Pongamos luz en la sala y censuremos duramente las 25 películas — arguyó la Guindilla mayor.

A la vuelta de muchas discusiones se aprobó la sugerencia de la Guindilla. La comisión de censura quedó integrada por don José, el cura, la Guindilla mayor y Trino, el sacristán. Los tres se reunían los sábados en la cuadra de Pancho y 30 pasaban la película que se proyectaría al día siguiente.

Una tarde detuvieron la prueba en una escena dudosa:

— A mi entender esa marrana enseña demasiado las piernas, don José — dijo la Guindilla.

— Eso me estaba pareciendo a mí — dijo don José. Y volviendo el rostro hacia Trino, el sacristán, que miraba la imagen de la mujer sin pestañear y boquiabierto, le conminó: — Trino, o dejas de mirar así o te excluyo de la comisión de censura.

Trino era un pobre hombre de escaso criterio y ninguna voluntad. Poseía una mirada blanda y acuosa y carecía de barbilla. Todo ello daba a su rostro una torpe y bobalicona expresión. Cuando andaba se acentuaba su torpeza, como si le costase un esfuerzo desplazar a cada paso el volumen de aire que necesitaba su cuerpo. Una completa calamidad. Claro que hasta el más simple sirve para algo y Trino, el sacristán, era casi un virtuoso tocando el armonio.

Ante la reprimenda del párroco, Trino humilló los ojos y sonrió bobamente, contristado. Al cura le asistía la razón, pero, ¡caramba!, aquella mujer de la película tenía unas pantorrillas admirables, como no se veían frecuentemente por el mundo.

Don José, el cura, veía que cada día crecían las dificultades. Resultaba peliagudo luchar contra las apetencias instintivas de todo el valle. Trino mismo, a pesar de ser censor y sacristán, pecaba de deseo y pensamiento con aquellas mujeronas que mostraban con la mayor desvergüenza las piernas en la pantalla. Era una tarea ímproba y él se encontraba ya muy viejo y cansado.

El pueblo acogió con destemplanza las bombillas distribuídas por la sala y encendidas durante la proyección. El primer día las silbaron; el segundo las rompieron a patatazos. La comisión se reunió de nuevo. Las bombillas debían de ser rojas para no perturbar la visibilidad. Mas entonces la gente la tomó con los cortes. Fué Pascualón, el del molino, quien inició el plante:

— Mire, doña Lola, para mí si me quitan las piernas y los besos se acabó el cine — dijo.

Otros mozos le secundaron: 5

— O dan las películas sin cortar o volvemos a los bosques.

Otra vez se reunió la comisión. Don José, el cura, estaba excitadísimo:

— Se acabó el cine y se acabó todo. Propongo a la comi- 10 sión que ofrezca el aparato de cine a los Ayuntamientos de los alrededores.

La Guindilla chilló:

— Venderemos una ocasión próxima de pecado, don José.

El párroco inclinó la cabeza abatido. La Guindilla tenía 15 razón, le sobraba razón esta vez. Vender la máquina de cine era comerciar con el pecado.

— Lo quemaremos, entonces — dijo, sombrío.

Y al día siguiente, reunidos en el corral del párroco los elementos de la comisión, se quemó el aparato proyector. Junto 20 a sus cenizas, la Guindilla mayor, en plena fiebre inquisidora, proclamó su fidelidad a la moral y su decisión inquebrantable de no descansar hasta que ella[1] reinase sobre el valle.

— Don José — le dijo al cura, al despedirse —, seguiré luchando contra la inmoralidad. No lo dude. Yo sé el modo 25 de hacerlo.

Y al domingo siguiente, al anochecer, tomó una linterna y salió sola a recorrer los prados y los montes. Tras los zarzales y en los lugares más recónditos y espesos encontraba alguna pareja de tórtolos arrullándose. Proyectaba sobre sus rostros 30 confundidos el haz luminoso de la linterna.

[1] i.e. la moral.

— Pascualón, Elena, estáis en pecado mortal — decía tan sólo. Y se retiraba.

Así recorrió los alrededores sin fatigarse, repitiendo incansablemente su terrible admonición:

— Fulano, Fulana, estáis en pecado mortal.

« Ya que los mozos y mozas del pueblo tienen la conciencia acorchada, yo sustituiré a la voz de su conciencia », se decía. Era una tarea ardua la que echaba sobre sí, pero al propio tiempo no estaba exenta de atractivos.

Los mozos del pueblo soportaron el entrometimiento de la Guindilla en sus devaneos durante tres domingos consecutivos. Pero al cuarto llegó la insurrección. Entre todos la rodearon en un prado. Unos querían pegarle, otros desnudarla y dejarla al relente, amarrada a un árbol, toda la noche. Al fin se impuso un tercer grupo, que sugirió echarla de cabeza a El Chorro. La Guindilla, abatida, dejó caer la linterna en el suelo y se dispuso a entrar en las largas listas del martirologio cristiano; aunque, de vez en cuando, lloriqueaba, y pedía, entre hipo e hipo, un poquitín de clemencia.

Profiriendo gritos e insultos, la condujeron hasta el puente. La corriente de El Chorro vertía el agua con violencia en la Poza del Inglés. Flotaba, sobre la noche del valle, un ambiente tétrico y siniestro. La multitud parecía enloquecida. Todo estaba dispuesto para su fin y la Guindilla, mentalmente, rezó un acto de contrición.

Y, a fin de cuentas, si la Guindilla no compartió aquella noche el lecho del río, a Quino, el Manco, había de agradecérselo, aunque él y la difunta Mariuca hubieran comido, según ella, el cocido antes de las doce. Mas por lo visto, el Manco aún conservaba en su pecho un asomo de dignidad, un vivo rescoldo de nobleza. Se interpuso con ardor entre la Guindilla y los mozos y la defendió como un hombre. Hasta se enfureció y agitó el muñón en el aire como si fuera el mástil de una bandera arriada. Los mozos, cuyos malos humos se habían desvanecido en el trayecto, consideraron suficiente el susto y se retiraron.

La Guindilla se quedó sola, frente por frente del Manco. No sabía qué hacer. La situación resultaba para ella un poco embarazosa. Soltó una risita de compromiso y luego se puso a mirarse la punta de los pies. Volvió a reír y dijo « bueno », y, al fin, sin darse bien cuenta de lo que hacía, se inclinó y besó con fuerza el muñón de Quino. Inmediatamente echó a correr, asustada, carretera adelante, como una loca.

Al día siguiente, antes de la misa, la Guindilla mayor se acercó al confesonario de don José.

— Ave María Purísima, padre — dijo.

— Sin pecado concebida, hija.[2]

— Padre, me acuso... me acuso de haber besado a un hombre en la obscuridad de la noche — añadió la Guindilla.

Don José, el cura, se santiguó y alzó los ojos al techo del confesonario, resignado.

— Alabado sea el Señor — musitó. Y sintió una pena inmensa por aquel pueblo.

[2] *Greeting and response often exchanged by pious people.*

XVII

DANIEL, el Mochuelo, lo perdonaba todo a la Guindilla menos el asunto del coro; la despiadada forma en que le puso en evidencia ante los ojos del pueblo entero y el convencimiento de ella de su falta de definición sexual.
5 Esto no podría perdonárselo por mil años que viviera. El asunto del coro era un baldón; el mayor oprobio que puede soportar un hombre. La infamia exigía contramedidas con las que demostrar su indiscutible virilidad.

En la iglesia ya les esperaban todos los chicos y chicas
10 de las escuelas, y Trino, el sacristán, que arrancaba agrias y gemebundas notas del armonio cuando llegaron. Y la asquerosa Guindilla también estaba allí, con una varita en la mano, erigida, espontáneamente, en directora.

Al entrar ellos, les ordenó a todos por estatura; después
15 levantó la varita por encima de la cabeza y dijo:

— Veamos. Quiero ensayar con vosotros el « Pastora Divina » para cantarlo el día de la Virgen. Veamos — repitió.

Hizo una señal a Trino y luego bajó la varita y los niños y niñas cantaron cada uno por su lado:

20 Paaaas-to-ra Di-vi-naaa
Seee-guir-te yo quie-roooo...

Cuando ya empezaban a sintonizar las cuarenta y dos voces, la Guindilla mayor puso un cómico gesto de desolación y dijo:

— ¡Basta, basta! No es eso. No es « Pas », es « Paaaas ». Así:

« Paaaas-to-ra Di-vi-naaa; Seee-guir-te yo quierooo; pooor va-lles y o-te-rooos; Tuuus hue-llas en pooos. »[1] Veamos — repitió.

Dió con la varita en la cubierta del armonio y de nuevo se atrajo la atención de todos. Los muros del templo se estremecieron bajo los agudos acentos infantiles. Al poco rato, la Guindilla puso un acusado gesto de asco. Luego señaló al Moñigo con la varita.

— Tú puedes marcharte, Roque; no te necesito. ¿Cuándo cambiaste la voz?

Roque, el Moñigo, humilló la mirada:

— ¡Qué sé yo! Dice mi padre que ya de recién nacido berreaba con voz de hombre.

Aunque cabizbajo, el Moñigo decía aquello con orgullo, persuadido de que un hombre bien hombre debe definirse desde el nacimiento. Los primeros de la escuela acusaron su manifestación con unas risitas de superioridad. En cambio las niñas miraron al Moñigo con encendida admiración.

Al concluir otra prueba, doña Lola prescindió de otros dos chicos porque desafinaban. Una hora después, Germán, el Tiñoso, fué excluído también del coro porque tenía una voz en transición, y la Guindilla « quería formar un coro sólo de tiples ». Daniel, el Mochuelo, pensó que ya no pintaba allí

[1] Pastora Divina
Seguirte yo quiero;
Por valles y oteros;
Tus huellas en pos.

nada y deseó ardientemente ser excluído. No le gustaba, además, tener voz de tiple. Pero el ensayo del primer día terminó sin que la Guindilla estimara necesario prescindir de él.

5 Volvieron al día siguiente y la Guindilla siguió sin excluirle. Aquello se ponía feo. Permanecer en el coro suponía, a estas alturas, una deshonra. Era casi como dudar de la hombría de uno, y Daniel, el Mochuelo, estimaba demasiado la hombría para desentenderse de aquella selección. Mas a 10 pesar de sus deseos y a pesar de no restar ya más que seis varones en el coro, Daniel, el Mochuelo, continuó formando parte de él. Aquello era el desastre. Al cuarto día la Guindilla mayor, muy satisfecha, declaró:

— He terminado la selección. Quedáis sólo las voces 15 puras. — Eran quince niñas y seis niños. — Espero — se dirigía ahora a los seis niños — que a ninguno de vosotros se le vaya a ocurrir cambiar la voz de aquí al día de la Virgen.

Sonrieron los niños y las niñas, tomando a orgullo aquello de tener « las voces puras ». Sólo se desesperó, por lo 20 bajo, inútilmente, Daniel, el Mochuelo. Pero ya la Guindilla estaba golpeando la cubierta del armonio para llamar la atención de Trino, el sacristán, y las veintiuna voces puras difundían por el ámbito del templo las plegarias a la Virgen:

Paaas-to-ra Di-vi-naaa
25 Seee-guir-te yo quie-rooo
Pooor va-lles y o-te-rooos
Tuuus hue-llas en pooos.

Daniel, el Mochuelo, intuía lo que aquella tarde ocurrió 30 a la salida. Los chicos descartados, capitaneados por el Moñigo, les esperaban en el atrio y al verles salir, formaron corro alrededor de los seis « voces puras » y comenzaron a chillar de un modo reiterativo y enojoso:

— ¡Niñas, maricas! ¡Niñas, maricas! ¡Niñas, maricas!

De nada valió la intercesión de la Guindilla ni los débiles esfuerzos de Trino, el sacristán, que era ya viejo y estaba como envarado. Tampoco valieron de nada las miradas suplicantes que Daniel, el Mochuelo, dirigía a su amigo Roque. En este trance, el Moñigo olvidaba hasta las más elementales normas de la buena amistad. En el fondo del grupo agresor borboteaba un despecho irreprimible por haber sido excluídos del coro que cantaría el día de la Virgen. Pero esto no importaba nada ahora. Lo importante era que la virilidad de Daniel, el Mochuelo, estaba en entredicho y que había que sacarla con bien de aquel embrollo.

Aquella noche al acostarse tuvo una idea. ¿Por qué no ahuecaba la voz al cantar el « Pastora Divina »? De esta manera la Guindilla le excluiría como a Roque, el Moñigo, y como a Germán, el Tiñoso. Bien pensado era la exclusión de éste lo que más le molestaba. Después de todo, Roque, el Moñigo, siempre había estado por encima de él. Pero lo de Germán era distinto. ¿Cómo iba a conservar, en adelante, su rango y su jerarquía ante un chico que tenía la voz más fuerte que él? Decididamente había que ahuecar la voz y ser excluído del coro antes del día de la Virgen.

Al día siguiente, al comenzar el ensayo, Daniel, el Mochuelo, carraspeó, buscando un efecto falso a su voz. La Guindilla tocó el armonio con la punta de la varita y el cántico se inició:

Paaas-to-ra Di-vi-naaa
Seee-guir-te yo quie-rooo. . .

La Guindilla se detuvo en seco. Arrugaba la nariz,

larguísima, como si la molestase un mal olor. Luego frunció el ceño igual que si algo no respondiera a lo que ella esperaba y se sintiera incapaz de localizar la razón de la deficiencia Pero al segundo intento apuntó con la varita al Mochuelo, y
5 dijo, molesta:

— Daniel, ¡caramba!, deja de engolar la voz o te doy un sopapo.

Había sido descubierto. Se puso encarnado al solo pensamiento de que los demás pudieran creer que pretendía ser
10 hombre mediante un artificio. Él, para ser hombre, no necesitaba de fingimientos. Los demostraría en la primera oportunidad.

A la salida, Roque, el Moñigo, capitaneando el grupo de « voces impuras », les rodeó de nuevo con su maldito estribillo:
15 — ¡Niñas, maricas! ¡Niñas, maricas! ¡Niñas, maricas!

Daniel, el Mochuelo, experimentaba deseos de llorar. Se contuvo, sin embargo, porque sabía que su vacilante virilidad acabaría derrumbándose con el llanto ante el grupo de energúmenos de « las voces impuras ».

20 Así llegó el día de la Virgen. Al despertarse aquel día, Daniel, el Mochuelo, pensó que no era tan descorazonador tener la voz aguda a los diez años y que tiempo sobrado tendría de cambiarla. No había razón por la que sentirse triste y humillado. El sol entraba por la ventana de su cuarto
25 y a lo lejos el Pico Rando parecía más alto y majestuoso que de ordinario. A sus oídos llegaba el estampido ininterrumpido de los cohetes y las notas desafinadas de la charanga bajando la varga. A lo lejos, a intervalos, se percibía el tañido de la campana, donada por don Antonino, el marqués, convocando
30 a misa mayor. A los pies de la cama tenía su traje nuevo, recién planchado, y una camisa blanca, escrupulosamente lavada, que todavía olía a añil y a jabón. No. La vida no era triste.

Ahora, acodado en la ventana, podía comprobarlo. No era triste, aunque media hora después tuviera que cantar el « Pastora Divina » desde el coro de las « voces puras ». No lo era, por más que a la salida « las voces impuras » les llamasen niñas y maricas.

Un polvillo dorado, de plenitud vegetal, envolvía el valle, sus dilatadas y vastas formas. Olía al frescor de los prados, aunque se adivinaba en el reposo absoluto del aire un día caluroso. Debajo de la ventana, en el manzano más próximo del huerto, un mirlo hacía gorgoritos y saltaba de rama en rama. Ahora pasaba la charanga por la carretera, hacia El Chorro y la casa de Quino, el Manco, y un grupo de chiquillos la seguía profiriendo gritos y dando volteretas. Daniel, el Mochuelo, se escondió disimuladamente, porque casi todos los chiquillos que acompañaban a la charanga pertenecían al grupo de « voces impuras ».

En seguida se avió y marchó a misa. Los cirios chisporroteaban en el altar y las mujeres lucían detonantes vestidos. Daniel, el Mochuelo, subió al coro y desde allí miró fijamente a los ojos de la Virgen. Decía don José que, a veces, la imagen miraba a los niños que eran buenos. Podría ser debido a las llamas tembloteantes de las velas, pero a Daniel, el Mochuelo, le pareció que la Virgen aquella mañana volvía los ojos a él y le miraba. Y su boca sonreía. Sintió un escalofrío y entonces le dijo, sin mover los labios, que le ofrecía el « Pastora Divina » para que los « voces impuras » no se rieran de él ni le motejaran.

Después del Evangelio, don José, el cura, que era un gran santo, subió al púlpito y empezó el sermón. Se oyó un carraspeo prolongado en los bancos de los hombres e instintivamente, Daniel, el Mochuelo, comenzó a contar las veces que don José, el cura, decía « en realidad ». Aunque él no

jugaba a pares o nones. Pero don José decía aquella mañana cosas tan bonitas, que el Mochuelo perdió la cuenta.

— Hijos, en realidad, todos tenemos un camino marcado en la vida. Debemos seguir siempre nuestro camino, sin renegar de él — decía don José —. Algunos pensaréis que 5 eso es bien fácil, pero, en realidad, no es así. A veces el camino que nos señala el Señor es áspero y duro. En realidad eso no quiere decir que ése no sea nuestro camino. Dios dijo: « Tomad la cruz y seguidme ».

— Una cosa os puedo asegurar — continuó —. El camino 10 del Señor no está en esconderse en la espesura al anochecer los jóvenes y las jóvenes. En realidad, tampoco está en la taberna, donde otros van a buscarlo los sábados y los domingos; ni siquiera está en cavar las patatas o afeitar los maizales durante los días festivos. Dios mismo, en realidad, creó el 15 mundo en seis días y al séptimo descansó. Y era Dios. Y como Dios que era, en realidad, no estaba cansado. Y, sin embargo, descansó. Descansó para enseñarnos a los hombres que el domingo había que descansar.

Don José, el cura, hablaba aquel día, sin duda, inspirado 20 por la Virgen, y hablaba suavemente, sin estridencias. Prosiguío diciendo cosas del camino de cada uno, y luego pasó a considerar la infelicidad que en ocasiones traía el apartarse del camino marcado por el Señor por ambición o sensualidad. Dijo cosas inextricables y confusas para Daniel. Algo así como 25 que un mendigo podía ser más feliz sin saber cada día si tendría algo que llevarse a la boca,[2] que un rico en un suntuoso palacio lleno de mármoles y criados. « Algunos — dijo — por ambición, pierden la parte de felicidad que Dios les tenía asignada en un camino más sencillo. La felicidad — concluyó 30 — no está, en realidad, en lo más alto, en lo más grande, en

[2] i.e. algo que comer.

lo más apetitoso, en lo más excelso; está en acomodar nuestros pasos al camino que el Señor nos ha señalado en la Tierra. Aunque sea humilde. »

Acabó don José y Daniel, el Mochuelo, persiguió con 5 los ojos su menuda silueta hasta el altar. Quería llenarse los ojos de él, de su presencia carnal, pues estaba seguro que un día no lejano ocuparía una hornacina en la parroquia. Pero no sería él mismo, entonces, sino una talla en madera o una figura en escayola detestablemente pintada.

10 Casi le sorprendió el ruido del armonio, activado por Trino, el sacristán. La Guindilla estaba ante ellos, con la varita en la mano. Los « voces puras » carraspearon un momento. La Guindilla golpeó el armonio con la varita y Trino acometió los compases preliminares del « Pastora 15 Divina ». Luego sonaron las voces puras, acompasadas, meticulosamente controladas por la varita de la Guindilla:

Paaas-to-ra Di-vi-naaa
Seee-guir-te yo quie-rooo
Pooor va-lles y o-te-rooos
20 Tuuus hue-llas en pooos.

Tuuu grey des-va-li-da
Gi-mien-do te im-plo-ra
Es-cu-cha, Se-ño-ra,
Su ar-dien-te cla-mor.

25 Paaas-to-ra Di-vi-naaa
Seee-guir-te yo quie-rooo
Pooor va-lles y o-te-rooos
Tuuus hue-llas en pooos.

Cuando terminó la misa, la Guindilla les felicitó y les 30 obsequió con un chupete a cada uno. Daniel, el Mochuelo, lo guardó en el bolsillo subrepticiamente, como una vergüenza.

Ya en el atrio, dos envidiosos le dijeron al pasar « niña, marica », pero Daniel, el Mochuelo, no les hizo ningún caso. Ciertamente, sin el Moñigo guardándole las espaldas, se sentía blando y como indefenso. A la puerta de la iglesia la gente hablaba del sermón de don José. Un poco apartada, a la izquierda, Daniel, el Mochuelo, divisó a la Mica. Le sonrió ella:

— Habéis cantado muy bien, muy bien — dijo, y le besó en la frente.

Los diez años del Mochuelo se pusieron ansiosamente de puntillas. Pero fué en vano. Ella ya le había besado. Ahora la Mica volvía a sonreír, pero no era a él. Se acercaba a ella un hombre joven, delgado y vestido de luto. Ambos se cogieron de las manos y se miraron de un modo que no le gustó al Mochuelo.

— ¿Qué te ha parecido? — dijo ella.

— Encantador; todo encantador — dijo él.

Y entonces, Daniel, el Mochuelo, acongojado por no sabía qué extraño presentimiento, se apartó de ellos y vió que toda la gente se daba codazos y golpecitos y miraban de un lado a otro de reojo y se decían con voz queda: « Mira, es el novio de la Mica. » « Mira, es el novio de la Mica. » « ¡Caramba! Ha venido el novio de la Mica. » « Es guapo el novio de la Mica. » « No está mal el novio de la Mica. » Y ninguno quitaba el ojo del hombre joven delgado y vestido de luto, que tenía entre las suyas las manos de la Mica.

Comprendió entonces, Daniel, el Mochuelo, que sí había motivos suficientes para sentirse atribulado aquel día, aunque el sol brillase en un cielo esplendente y cantasen los pájaros en la maleza, y agujereasen la atmósfera con sus melancólicas campanadas los cencerros de las vacas y la Virgen le hubiera mirado y sonreído. Había motivos para estar triste y para desesperarse y para desear morir y algo notaba él que se desgajaba amenazadoramente en su interior.

Por la tarde, bajó a la romería. Roque, el Moñigo y
5 Germán, el Tiñoso, le acompañaban. Daniel, el Mochuelo, seguía triste y deprimido; sentía la necesidad de un desahogo. En el prado olía a churros y a aglomeración humana, a alegría congestiva y vital. En el centro estaba la cucaña, diez metros más alta que otros años. Se detuvieron ante ella y contem-
10 plaron los intentos fallidos de dos mozos que no pasaron de los primeros metros. Un hombre borracho señalaba con un dedo la punta de la cucaña y decía:

— Hay allí cinco duros. El que suba y los baje que me
15 convide.

Y se reía con un cloqueo contagioso. Daniel, el Mochuelo, miró a Roque, el Moñigo.

— Voy a subir yo — dijo.

Roque le acució:

20 — No eres hombre.[3]

Germán, el Tiñoso, se mostraba extrañamente precavido:

— No lo hagas. Te puedes matar.

Le empujó su desesperación, un vago afán de emular al joven enlutado, a los niños del grupo de « los voces impuras ».
25 Saltó sobre el palo y ascendió, sin esfuerzo, los primeros metros. Daniel, el Mochuelo, tenía como un fuego muy vivo en la cabeza, una mezcla rara de orgullo herido, vanidad despierta y desesperación. « Adelante — se decía —. Nadie será capaz de hacer lo que tú hagas. » « Nadie será capaz de
30 hacer lo que tú hagas. » Y seguía ascendiendo, aunque los muslos le escocían ya. « Subo porque no me importa caerme. »

[3] i.e. No eres bastante hombre.

« Subo porque no me importa caerme », se repetía, y al llegar a la mitad miró hacia abajo y vió que toda la gente del prado pendía de sus movimientos y experimentó vértigo y se agarró afanosamente al palo. No obstante, siguió trepando. Los músculos comenzaban a resentirse del esfuerzo, pero él continuaba subiendo. Era ya como una cucarachita a los ojos de los de abajo. El palo empezó a oscilar como un árbol mecido por el viento. Pero no sentía miedo. Le gustaba estar más cerca del cielo, poder tratar de tú al Pico Rando. Se le enervaban los brazos y las piernas. Oyó un grito a sus pies y volvió a mirar abajo.

— ¡Daniel, hijo!

Era su madre, implorándole. A un lado estaba la Mica, angustiada. Y Roque, el Moñigo, disminuído, y Germán, el Tiñoso, sobre quien acababa de recobrar la jerarquía, y el grupo de « los voces puras » y el grupo de « los voces impuras », y la Guindilla mayor y don José, el cura, y Paco, el herrero, y don Antonino, el marqués, y también estaba el pueblo, cuyos tejados de pizarra ofrecían su mate superficie al sol. Se sentía como embriagado; acuciado por una ambición insaciable de dominio y potestad. Siguió trepando sordo a las reconvenciones de abajo. La cucaña era allí más delgada y se tambaleaba con su peso como un hombre ebrio. Se abrazó al palo frenéticamente, sintiendo que iba a ser impulsado contra los montes como el proyectil de una catapulta. Ascendió más. Casi tocaba ya los cinco duros donados por « los Ecos del Indiano ». Pero los muslos le escocían, se le despellejaban, y los brazos apenas tenían fuerzas. « Mira, ha venido el novio de la Mica », « Mira, ha venido el novio de la Mica », se dijo, con rabia, mentalmente, y trepó unos centímetros más. ¡Le faltaba tan poco! Abajo reinaba un silencio expectante. « Niña, marica; niña, marica », murmuró y ascendió un poco más.

Ya se hallaba en la punta. La oscilación de la cucaña aumentaba allí. No se atrevía a soltar la mano para asir el galardón. Entonces acercó la boca y mordió el sobre furiosamente. No se oyó abajo ni un aplauso, ni una voz. Gravitaba sobre el pueblo el presagio de una desgracia. Daniel, el Mochuelo, empezó a descender. A mitad del palo se sintió exhausto, y entonces, dejó de hacer presión con las extremidades y resbaló rápidamente sobre el palo encerado, y sintió abrasársele las piernas y que la sangre saltaba de los muslos en carne viva.

De improviso se vió en tierra firme, rodeado de un clamor estruendoso, palmetazos que le herían la espalda y cachetes y besos y lágrimas de su madre, todo mezclado. Vió al hombre enlutado que llevaba del brazo a la Mica y que le decía, sonriente: « Bravo, muchacho ». Vió al grupo de los « voces impuras » alejarse cabizbajos. Vió a su padre, haciendo aspavientos y reconviniéndole y soltando chorros de palabras absurdas que no entendía. Vió, al fin, a la Uca-uca correr hacia él, abrazársele a las piernas magulladas y prorrumpir en un torrente de lágrimas incontenibles...

Luego, de regreso a casa, Daniel, el Mochuelo, cambió otra vez de parecer en el día y se confesó que no tenía ningún motivo para estar atribulado. Después de todo, el día estaba radiante, el valle era hermoso y el novio de la Mica le había dicho sonriente: « ¡Bravo, muchacho! »

XVIII

Como otras muchas mujeres, la Guindilla mayor despreció el amor mientras ningún hombre le propuso amar y ser amada. A veces, la Guindilla se reía de que el único amor de su vida hubiera nacido precisamente de su celo moralizador. Sin su afán de recorrer los montes durante las anochecidas de los domingos no hubiera soliviantado a los mozos del pueblo, y, sin soliviantar a los mozos del pueblo, no hubiera dado a Quino, el Manco, oportunidad de defenderla y sin esta oportunidad, jamás se hubiera conmovido el seco corazón de la Guindilla mayor, demasiado ceñido y cerrado entre las costillas. Era, la[1] de su primer y único amor, una cadena de causalidad y casualidad que si pensaba en ella la abrumaba. Son infinitos los caminos del Señor.

Los amores de la Guindilla y Quino, el Manco, tardaron en conocerse en el pueblo. Además, progresaron con una lentitud crispante. Era un paso definitivo, a la postre. Quino, el Manco, ya había pensado en ella, en la Guindilla, antes del incidente con los mozos. La Guindilla no era joven y él tampoco. Por otro lado, la Guindilla era enjuta y delgada y poseía un negocio en marcha; y un evidente talento comercial. Precisamente de lo que él carecía. Últimamente, Quino estaba

[1] i.e. la cadena de sucesos.

asfixiado por las hipotecas. Bien mirado, propiedad de él, lo que se dice de él, no restaba ni un hierbajo del huerto. Además, la Guindilla era delgada y tenía los muslos escurridos.[2] Vamos, al parecer. Naturalmente, ni él ni nadie vieron nunca los muslos a la Guindilla. En fin, la Guindilla mayor constituía para él una solución congruente y pintiparada.

Cuando Quino, el Manco, la defendió de los mozos en el puente no lo hizo con miras egoístas. Lo hizo porque era un hombre noble y digno y detestaba la violencia, sobre todo con las mujeres. ¿Que luego se enredó la cosa y la Guindilla le miró de este u otro modo, y le besó ardorosamente el muñón y él, al beso, sintió como el cosquilleo de un calambre a lo largo del brazo y se conmovió? Bien. Eslabones de una misma cadena. Incidencias necesarias para abordar un fin ineluctable. Designios de Dios.

El beso en la carne retorcida del muñón sirvió también para que Quino, el Manco, constatase que aún existía en su cuerpo la pujanza y la eficacia de la virilidad. Aún no estaba neutralizado como sexo; contaba todavía. Y se dió en pensar en eventualidades susceptibles de ser llevadas a la práctica. Y así nació la idea de introducir una flor cada mañana a la Guindilla, por debajo de la puerta de la tienda, antes de que el pueblo despertase.

Quino, el Manco, sabía que en esta ocasión había que obrar con tiento. El pueblo aborrecía a la Guindilla y la Guindilla era una puritana y la otra Guindilla un gato escaldado.[3] Tenía que actuar, pues, con cautela, sigilo y discreción.

Cambiaba de flor cada día y si la flor era grande introducía solamente un pétalo. Quino, el Manco, no ignoraba que una

[2] *See p. 94.*
[3] *From the proverb:* "Gato escaldado del agua fría huye." *Compare with* "A burnt child dreads the fire."

flor sin intención se la lleva el viento y una flor intencionada encierra más fuerza persuasiva que un filón de oro. Sabía también que la asiduidad y la constancia terminan por mellar el hierro.

5 Al mes, todo este caudal de ternuras acabó revertiendo, como no podía menos, en don José, el cura, que era un gran santo.

Dijo la Guindilla:

— Don José, ¿es pecado desear desmayarse en los brazos 10 de un hombre?

— Depende de la intención — dijo el párroco.

— Sin más intención que desmayarse, don José.

— Pero, hija, ¿a tus años?

— ¿Qué quiere?, señor cura. Ninguna sabe cuándo le va 15 a llegar la hora. El amor y la muerte, a traición.[4] Y si es pecado desear desmayarse en los brazos de un hombre, yo vivo empecatada, don José, se lo advierto. Y lo mío no tiene remedio. Yo no podré desear otra cosa aunque usted me diga que ése es el mayor pecado del mundo. Ese deseo puede más que yo.

20 Y lloraba.

Don José movía la cabeza de un lado a otro maquinalmente, como un péndulo.

— Es Quino, ¿verdad? — dijo.

El pellejo de la Guindilla mayor se ahogó en rubores.

25 — Sí, él es, don José.

— Es un buen hombre, hija; pero es una calamidad — dijo el cura.

— No importa, don José. Todo tiene remedio.

— ¿Qué dice tu hermana?

30 — No sabe nada aún. Pero ella no tiene fuerza moral para hablarme. Sería inútil que me diera consejos.

[4] i.e. El amor y la muerte llegan a traición.

Irene, la Guindilla menor, se enteró al fin:

— Parece mentira, Lola. ¿Has perdido el juicio? — dijo.

— ¿Por qué me dices eso?

— ¿No lo sabes?

— No. Pero tú tampoco ignoras que en casa necesitamos un hombre.

— Cuando lo mío con Dimas no necesitábamos un hombre en casa.

— Es distinto, hermana.

— Ahora la que ha perdido la cabeza has sido tú; no hay otra diferencia.

— Quino tiene vergüenza.

— También Dimas parecía que la tenía.

— Iba por tu dinero. Dimas duró lo que las cinco mil pesetas. Tú lo dijiste.

— ¿Es que crees que Quino va por tu persona?

La Guindilla mayor saltó ofendida:

— ¿Qué motivos tienes para dudarlo?

La Guindilla menor concedió:

— A la vista ninguno, desde luego.

— Además yo no he de esconderme como tú. Yo someteré mi cariño a la ley de Dios.

Le brillaban los ojos a la Guindilla menor:

— No me hables de aquello; te lo pido por la bendita memoria de nuestros padres.

Aún en el pueblo no se barruntaba nada del noviazgo. Fué preciso que la Guindilla y Quino, el Manco, recorrieran las calles emparejados, un domingo por la tarde, para que el pueblo se enterase al fin. Y contra lo que Quino, el Manco, suponía, no se marchitaron los geranios en los balcones, ni se estremecieron las vacas en sus establos, ni se hendió la tierra, ni se desmoronaron las montañas al difundirse la noticia. Apenas unas sonrisas incisivas y unas insinuaciones de doble sentido. Menos no podía esperarse.

Dos semanas después, la Guindilla mayor fué a ver de nuevo a don José.

5 — Señor cura, ¿es pecado desear que un hombre nos bese en la boca y nos estruje entre sus brazos con todo su vigor, hasta destrozarnos?

— Es pecado.

— Pues yo no puedo remediarlo, don José. Peco a cada 10 minuto de mi vida.

— Tú y Quino debéis casaros — dijo, sin más, el cura.

Irene, la Guindilla menor, puso el grito en el cielo al conocer la sentencia de don José:

— Le llevas diez años, Lola; y tú tienes cincuenta. Sé 15 sensata; reflexiona. Por amor de Dios, vuelve en ti antes de que sea tarde.

La Guindilla mayor acababa de descubrir que había una belleza en el sol escondiéndose tras los montes y en el gemido de una carreta llena de heno, y en el vuelo pausado de los 20 milanos bajo el cielo límpido de agosto, y hasta en el mero y simple hecho de vivir. No podía renunciar a ello ahora que acababa de descubrirlo.

— Estoy decidida, hermana. Tú tienes la puerta abierta para marchar cuando lo desees — dijo.

25 La Guindilla menor rompió a llorar, luego le dió un ataque de nervios, y, por último, se acostó con fiebre. Así estuvo una semana. El domingo había desaparecido la fiebre. La Guindilla mayor entró en la habitación de puntillas y descorrió las cortinas alborozada.

30 — Vamos, hermana, levántate — dijo —. Don José leerá hoy, en la misa, mi primera amonestación. Hoy debe ser para ti y para mí un día inolvidable.

La Guindilla menor se levantó sin decir nada, se arregló y marchó con su hermana a oír la primera amonestación. De regreso, ya en casa, Lola dijo:

— Anímate, hermana; tú serás mi madrina de boda.

Y, efectivamente, la Guindilla menor hizo de madrina de boda. Todo ello sin rechistar. A los pocos meses de casada, la Guindilla mayor, extrañada de la sumisión y mudez de Irene, mandó llamar a don Ricardo, el médico.

— Esta chica ha sufrido una impresión excesiva. No razona. De todos modos no es peligrosa. Su trastorno no da muestra alguna de violencia — dijo el médico. Luego le recetó unas inyecciones y se marchó.

La Guindilla mayor se puso a llorar acongojada.

Pero a Daniel, el Mochuelo, nada de esto le causó sorpresa. Empezaba a darse cuenta de que la vida es pródiga en hechos que antes de acontecer parecen inverosímiles y luego, cuando sobrevienen, se percata uno de que no tienen nada de inextricables ni de sorprendentes. Son tan naturales como que el sol asome cada mañana, o como la lluvia, o como la noche, o como el viento.

Él siguió la marcha de las relaciones de la Guindilla y Quino, el Manco, por la Uca-uca. Fué un hecho curioso que tan pronto conoció estas relaciones, sintió que se desvanecía totalmente su vieja aversión por la chiquilla. Y en su lugar brotaba como un vago impulso de compasión.

Una mañana la encontró hurgando entre la maleza, en la ribera del río:

— Ayúdame, Mochuelo. Se ha escondido aquí un malvís que casi no vuela.

Él se afanó por atrapar el pájaro. Al fin lo consiguió, pero el animalito, forcejeando por escapar, se precipitó insensatamente en el río y se ahogó en un instante. Entonces la Mariuca-

uca se sentó en la orilla y con los pies sumergidos en la corriente. El Mochuelo se sentó a su lado. A ambos les entristecía la inopinada muerte del pájaro. Luego la tristeza se disipó.

— ¿Es verdad que tu padre se va a casar con la Guindilla? — dijo el Mochuelo. 5

— Eso dicen.

— ¿Quién lo dice?

— Ellos.

— ¿Tú qué dices? 10

— Nada.

— Tu padre, ¿qué dice?

— Que se casa para que yo tenga una madre.

— Ni pintada querría yo una madre como la Guindilla — dijo el Mochuelo. 15

— El padre dice que ella me lavará la cara y me peinará las trenzas.

Volvió a insistir el Mochuelo:

— Y tú, ¿qué dices?

— Nada. 20

Daniel, el Mochuelo, presentía la tribulación inexpresada de la pequeña, el valor heroico de su hermetismo, tan dignamente sostenido.

La niña preguntó de pronto:

— ¿Es cierto que tú te marchas a la ciudad? 25

— Dentro de tres meses. He cumplido ya once años. Mi padre quiere que progrese.

— Y tú, ¿qué dices?

— Nada.

Después de hablar se dió cuenta el Mochuelo de que se 30 habían cambiado las tornas,[5] de que era él, ahora, el que no

[5] i.e. los papeles.

decía nada. Y comprendió que entre él y la Uca-uca surgía de repente un punto común de rara afinidad. Y que no lo pasaba mal charlando con la niña, y que los dos se asemejaban en que tenían que acatar lo que más convenía a sus padres 5 sin que a ellos se les pidiera opinión. Y advirtió también que estando así, charlando de unas cosas y otras, se estaba bien y no se acordaba para nada de la Mica. Y, sobre todo, que la idea de marchar a la ciudad a progresar, volvía a hacérsele ardua e insoportable. Cuando quisiera volver de la ciudad de 10 progresar, la Mica, de seguro, habría perdido el cutis y tendría, a cambio, una docena de chiquillos.

Ahora se encontraba con la Uca-uca con más frecuencia y ya no la rehuía con la hosquedad que lo hacía antes.

— Uca-uca, ¿cuándo es la boda?

15 — Para julio.

— Y tú, ¿qué dices?

— Nada.

— Y ella, ¿qué dice?

— Que me llevará a la ciudad, cuando sea mi madre, 20 para que me quiten las pecas.

— Y tú, ¿quieres?

Se azoraba la Uca-uca y bajaba los ojos:

— Claro.

El día de la boda, Mariuca-uca no apareció por ninguna 25 parte. Al anochecer, Quino, el Manco, se olvidó de la Guindilla mayor y de todo y dijo que había que buscar a la niña costara lo que costase. Daniel, el Mochuelo, observaba fascinado los preparativos en su derredor. Los hombres con palos, faroles y linternas, con los pies embutidos en gruesas botas claveteadas 30 que producían un ruido chirriante al moverse en la carretera.

Daniel, el Mochuelo, al ver que se pasaba el tiempo sin que los hombres regresaran de las montañas, se fué llenando de ansiedad. Su madre lloraba a su lado y no cesaba de decir: «Pobre criatura.» Por lo visto no era partidaria de dar a la Uca-uca una madre postiza. Cuando Rafaela, la Chancha, la mujer del Cuco, el factor, pasó a la quesería diciendo que era probable que a la niña la hubiera devorado un lobo, Daniel, el Mochuelo, tuvo ganas de gritar con toda su alma. Y fué en ese momento cuando se confesó que si a la Uca-uca le quitaban las pecas, le quitaban la gracia y que él no quería que a la Uca-uca le quitaran las pecas y tampoco que la devorase un lobo.

A las dos de la madrugada regresaron los hombres con los palos, las linternas y los faroles y la Mariuca-uca en medio, muy pálida y desgreñada. Todos corrieron a casa de Quino, el Manco, a ver llegar a la niña y a besarla y a estrujarla y a celebrar la aparición. Pero la Guindilla se adelantó a todos y recibió a la Uca-uca con dos sopapos, uno en cada mejilla. Quino, el Manco, contuvo a duras penas una blasfemia, pero llamó la atención a la Guindilla y le dijo que no le gustaba que golpeasen a la niña y doña Lola le contestó irritada que «desde la mañana era ya su madre y tenía el deber de educarla». Entonces Quino, el Manco, se sentó en una banqueta de la tasca y se echó de bruces sobre el brazo que apoyaba en la mesa, como si llorara, o como si acabara de sobrevenirle una gran desgracia.

XIX

Germán, el Tiñoso, levantó un dedo, ladeó un poco la cabeza para facilitar la escucha, y dijo:

— Eso que canta en ese bardal es un rendajo.

El Mochuelo dijo:

5 — No. Es un jilguero.

Germán, el Tiñoso, le explicó que los rendajos tenían unas condiciones canoras tan particulares, que podían imitar los gorjeos y silbidos de toda clase de pájaros. Y los imitaban para atraerlos y devorarlos luego. Los rendajos eran pájaros 10 muy poco recomendables, tan hipócritas y malvados.

El Mochuelo insistió:

— No. Es un jilguero.

Encontraba un placer en la contradicción aquella mañana. Sabía que había una fuerza en su oposición, aunque ésta fuese 15 infundada. Y hallaba una satisfacción morbosa y obscura en llevar la contraria.

Roque, el Moñigo, se incorporó de un salto y dijo:

— Mirad; un tonto de agua.

Señalaba a la derecha de la Poza, tres metros más allá 20 de donde desaguaba El Chorro. En el pueblo llamaban tontos a las culebras de agua. Ignoraban el motivo, pero ellos no husmeaban jamás en las razones que inspiraban el vocabulario del valle. Lo aceptaban, simplemente, y sabían por eso que aquella culebra que ganaba la orilla a coletazos espasmódicos era un tonto de agua. El tonto llevaba un pececito atravesado en la boca. Los tres se pusieron en pie y apilaron unas piedras.

Germán, el Tiñoso, advirtió:

— No dejarle subir. Los tontos en las cuestas se hacen un aro y ruedan más de prisa que corre una liebre. Y atacan, además.

Roque, el Moñigo, y Daniel, el Mochuelo, miraron atemorizados al animal. Germán, el Tiñoso, saltó de roca en roca para aproximarse con un pedrusco en la mano. Fué una mala pisada o un resbalón en el légamo que recubría las piedras, o un fallo de su pierna coja. El caso es que, Germán, el Tiñoso, cayó aparatosamente contra las rocas, recibió un golpe en la cabeza, y de allí se deslizó, como un fardo sin vida, hasta la Poza. El Moñigo y el Mochuelo se arrojaron al agua tras él, sin titubeos. Braceando desesperadamente lograron extraer a la orilla el cuerpo de su amigo. El Tiñoso tenía una herida enorme en la nuca y había perdido el conocimiento. Roque y Daniel estaban aturdidos. El Moñigo se echó al hombro el cuerpo inanimado del Tiñoso y lo subió hasta la carretera. Ya en casa de Quino, la Guindilla le puso unas compresas de alcohol en la cabeza. Al poco tiempo pasó por allí Esteban, el panadero, y lo transportó al pueblo en su tartana.

Rita, la Tonta, prorrumpió en gritos y ayes al ver llegar a su hijo en aquel estado. Fueron unos instantes de confusión. Cinco minutos después, el pueblo en masa se apiñaba a la puerta del zapatero. Apenas dejaban paso a don Ricardo, el médico; tal era su anhelante impaciencia. Cuando éste salió, todos los ojos le miraban, pendientes de sus palabras:

— Tiene fracturada la base del cráneo. Está muy grave. Pidan una ambulancia a la ciudad — dijo el médico.

De repente, el valle se había tornado gris y opaco a los ojos de Daniel, el Mochuelo. Y la luz del día se hizo pálida y macilenta. Y temblaba en el aire una fuerza aún mayor que la de Paco, el herrero. Pancho, el Sindiós, dijo de aquella fuerza que era el Destino, pero la Guindilla dijo que era la voluntad del Señor. Como no se ponían de acuerdo, Daniel se escabulló y entró en el cuarto del herido. Germán, el Tiñoso, estaba muy blanco y sus labios encerraban una suave y diluída sonrisa.

El Tiñoso sirvió de campo de batalla, durante ocho horas, entre la vida y la muerte. Llegó la ambulancia de la ciudad con Tomás, el hermano del Tiñoso, que estaba empleado en una empresa de autobuses. El hermano entró en la casa como loco y en el pasillo se encontró con Rita, la Tonta, que salía despavorida de la habitación del enfermo. Se abrazaron madre e hijo de una manera casi eléctrica. La exclamación de la Tonta fué como un chispazo fulminante.

— Tomás, llegas tarde. Tu hermano acaba de morir — dijo.

Y a Tomás se le saltaron las lágrimas y juró entre dientes como si se rebelara contra Dios por su impotencia. Y a la puerta de la vivienda las mujeres empezaron a hipar y llorar a gritos, y Andrés, « el hombre que de perfil no se le ve », salió también de la habitación, todo encorvado, como si quisiera ver las pantorrillas de la enana más enana del mundo. Y Daniel, el Mochuelo, sintió que quería llorar y no se atrevió a hacerlo porque Roque, el Moñigo, vigilaba sus reacciones sin pestañear, con una rigidez despótica. Pero le extrañó advertir que ahora todos querían al Tiñoso. Por los hipos y gemiqueos se diría que Germán, el Tiñoso, era hijo de cada una de las mujeres del pueblo. Mas a Daniel, el Mochuelo, le consoló, en cierta manera, este síntoma de solidaridad.

Mientras amortajaban a su amigo, el Moñigo y el Mochuelo fueron a la fragua.

— El Tiñoso se ha muerto, padre — dijo el Moñigo. Y Paco, el herrero, hubo de sentarse a pesar de lo grande y fuerte que era, porque la impresión lo anonadaba. Dijo, luego, como si luchase contra algo que le enervara:

— Los hombres se hacen; las montañas están hechas ya.

El Moñigo dijo:

— ¿Qué quiere decir, padre?

— ¡Que bebáis! — dijo Paco, el herrero, casi furioso, y le extendió la bota de vino.

Las montañas tenían un cariz entenebrecido y luctuoso aquella tarde y los prados y las callejas y las casas del pueblo y los pájaros y sus acentos. Entonces, Paco, el herrero, dijo que ellos dos debían encargar una corona fúnebre a la ciudad como homenaje al amigo perdido y fueron a casa de las Lepóridas y la encargaron por teléfono. La Camila estaba llorando también, y aunque la conferencia fué larga no se la quiso cobrar. Luego volvieron a casa de Germán, el Tiñoso. Rita, la Tonta, se abrazó al cuello del Mochuelo y le decía atropelladamente que la perdonase, pero que era como si pudiese abrazar aún a su hijo, porque él era el mejor amigo de su hijo. Y el Mochuelo se puso más triste todavía, pensando que cuatro semanas después él se iría a la ciudad a empezar a progresar y la Rita, que no era tan tonta como decían, habría de quedarse sin el Tiñoso y sin él para enjugar sus pobres afectos truncados. También el zapatero les pasó la mano por los hombros y les dijo que les estaba agradecido porque ellos habían salvado a su hijo en el río, pero que la muerte se empeñó en llevárselo y contra ella, si se ponía terca, no se conocía remedio.

Las mujeres seguían llorando junto al cadáver y, de vez en cuando, alguna tenía algún arranque y besaba y estrujaba 5 el cuerpecito débil y frío del Tiñoso, en tanto sus lágrimas y alaridos se incrementaban.

Los hermanos de Germán anudaron una toalla a su cráneo para que no se vieran las calvas y Daniel, el Mochuelo, experimentó más pena porque, de esta guisa, su amigo 10 parecía un niño moro, un infiel. El Mochuelo esperaba que a don José, el cura, le hiciese el mismo efecto y mandase quitar la toalla. Pero don José llegó, abrazó al zapatero y administró al Tiñoso la Santa Unción sin reparar en la toalla.

Los grandes raramente se percatan del dolor acerbo y 15 sutil de los pequeños. Su mismo padre, el quesero, al verle, por primera vez después del accidente en vez de consolarle, se limitó a decir:

— Daniel, para que veas en lo que acaban todas las diabluras. Lo mismo que le ha ocurrido al hijo del zapatero 20 podría haberte sucedido a ti. Espero que esto te sirva de escarmiento.

Daniel, el Mochuelo, no quiso hablar, pues barruntaba que de hacerlo terminaría llorando. Su padre no quería darse cuenta de que cuando sobrevino el accidente no intentaban 25 diablura alguna, sino, simplemente, matar un tonto de agua. Ni advertía tampoco que lo mismo que él le metió la perdigonada en el carrillo la mañana que mataron el milano con el Gran Duque, podría habérsela metido en la sien y haberle mandado al otro barrio. Los mayores atribuían las desgracias 30 a las imprudencias de los niños, olvidando que estas cosas son siempre designios de Dios y que los grandes también cometen, a veces, imprudencias.

Daniel, el Mochuelo, pasó la noche en vela, junto al muerto. Sentía que algo grande se velaba dentro de él y que en adelante nada sería como había sido. Él pensaba que Roque, el Moñigo, y Germán, el Tiñoso, se sentirían muy solos cuando él se fuera a la ciudad a progresar, y ahora resultaba que el que se sentía solo, espantosamente solo era él, y sólo él. Algo se marchitó de repente muy dentro de su ser: quizá la fe en la perennidad de la infancia. Advirtió que todos acabarían muriendo, los viejos y los niños. Él nunca se paró a pensarlo y, al hacerlo ahora, una sensación punzante y angustiosa casi le asfixiaba. Vivir de esta manera era algo brillante y, a la vez, terriblemente tétrico y desolado. Vivir era ir muriendo día a día, poquito a poco, inexorablemente. A la larga, todos acabarían muriendo: él, y don José, y su padre, el quesero, y su madre, y las Guindillas, y Quino, y las cinco Lepóridas, y Antonio, el Buche, y la Mica, y la Mariuca-uca, y don Antonino, el marqués, y hasta Paco, el herrero. Todos eran efímeros y transitorios y a la vuelta de cien años no quedaría rastro de ellos sobre las piedras del pueblo. Como ahora no quedaba rastro de los que les habían precedido en una centena de años. Y la mutación se produciría de una manera lenta e imperceptible. Llegarían a desaparecer del mundo todos, absolutamente todos los que ahora poblaban su costra y el mundo no advirtiría el cambio. La muerte era lacónica, misteriosa y terrible.

Con el alba, Daniel, el Mochuelo, abandonó la compañía del muerto y se dirigió a su casa a desayunar. No tenía hambre, pero juzgaba una medida prudente llenar el estómago ante las emociones que se avecinaban. El pueblo asumía a aquella hora una quietud demasiado estática, como si todo él se sintiera recorrido y agarrotado por el tremendo frío de la muerte. Y los árboles estaban como acorchados. Y el

quiquiriquí de los gallos resultaba fúnebre, como si cantasen con sordina o no se atreviesen a mancillar el ambiente de duelo y recogimiento que pesaba sobre el valle. Y las montañas enlutaban, bajo un cielo plomizo, sus formas colosales. Y hasta en las vacas que pastaban en los prados se acentuaba el aire cansino y soñoliento que en ellas era habitual. 5

Daniel, el Mochuelo, apenas desayunó regresó al pueblo. Al pasar frente a la tapia del boticario divisó un tordo picoteando un cerezo silvestre junto a la carretera. Se reavivó en él el sentimiento del Tiñoso, el amigo perdido para siempre. Buscó el tirachinas en el bolsillo y colocó una piedra en la badana. Luego apuntó al animal cuidadosamente y estiró las gomas con fuerza. La piedra, al golpear el pecho del tordo, produjo un ruido seco de huesos quebrantados. El Mochuelo corrió hacia el animal abatido y las manos le temblaban al recogerlo. Después reanudó el camino con el tordo en el bolsillo. 10 15

Germán, el Tiñoso, ya estaba dentro de la caja cuando llegó. Era una caja blanca, barnizada, que el zapatero había encargado a una funeraria de la ciudad. También había llegado la corona encargada por ellos con la leyenda que dispuso el Moñigo: « Tiñoso, tus amigos Mochuelo y Moñigo no te olvidarán jamás. » Rita, la Tonta, volvió a abrazarle con énfasis, diciéndole, en voz baja, que era muy bueno. Pero Tomás, el hermano colocado en una empresa de autobuses, se enfadó al ver la leyenda y cortó el trozo donde decía « Tiñoso », dejando solo: « tus amigos Mochuelo y Moñigo no te olvidarán jamás ». 20 25

Mientras Tomás, cortaba la cinta y los demás le contemplaban, Daniel, el Mochuelo, depositó con disimulo el tordo en el féretro, junto al cadáver de su amigo. Había pensado que su amigo, que era tan aficionado a los pájaros, 30 le agradecería, sin duda, desde el otro mundo, este detalle. Mas Tomás, al volver a colocar la corona fúnebre a los pies del cadáver, reparó en el ave, incomprensiblemente muerta junto a su hermano. Acercó mucho los ojos para cerciorarse 5 de que era un tordo lo que veía, pero después de comprobado no se atrevió a tocarlo. Tomás se sintió recorrido por una corriente supersticiosa.

— ¿Qué... quién... cómo demonios está aquí esto? — dijo.

10 Daniel, el Mochuelo, después del enfado de Tomás por lo de la corona, no se atrevió a declarar su parte de culpa en esta nueva peripecia. El asombro de Tomás se contagió pronto a todos los presentes que se acercaban a contemplar el pájaro. Ninguno, empero, osaba tocarlo.

15 — ¿Cómo hay un tordo ahí dentro?

Rita, la Tonta, buscaba una explicación razonable en el rostro de cada uno de sus vecinos. Pero en todos leía un idéntico estupor.

— Mochuelo, ¿sabes tú...?

20 — Yo no sé nada. No había visto el tordo hasta que lo dijo Tomás.

Andrés, « el hombre que de perfil no se le ve », entró en aquel momento. Al ver el pájaro se le ablandaron los ojos y comenzó a llorar silenciosamente.

25 — Él quería mucho a los pájaros; los pájaros han venido a morir con él — dijo.

El llanto se contagió a todos y a la sorpresa inicial sucedió pronto la creencia general en una intervención ultraterrena. Fué Andrés, « el hombre que de perfil no se le ve », quien 30 primero lo insinuó con voz temblorosa.

— Esto... es un milagro.

Los presentes no deseaban otra cosa sino que alguien

expresase en alta voz su pensamiento para estallar. Al oír la sugerencia del zapatero se oyó un grito unánime y desgarrado, mezclado con ayes y sollozos:

— ¡Un milagro!

Varias mujeres, amedrentadas, salieron corriendo en busca de don José. Otras fueron a avisar a sus maridos y familiares para que fueran testigos del prodigio. Se organizó un revuelo caótico e irrefrenable.

Daniel, el Mochuelo, tragaba saliva incesantemente en un rincón de la estancia. Aun después de muerto el Tiñoso, los entes perversos que flotaban en el aire seguían enredándole los más inocentes y bien intencionados asuntos. El Mochuelo pensó que tal como se habían puesto las cosas, lo mejor era callar. De otro modo, Tomás, en su excitación, sería muy capaz de matarlo.

Entró apresuradamente don José, el cura.

— Mire, mire, don José — dijo el zapatero.

Don José se acercó con recelo al borde del féretro y vió el tordo junto a la yerta mano del Tiñoso.

— ¿Es un milagro o no es un milagro? — dijo la Rita, toda exaltada, al ver la cara de estupefacción del sacerdote.

Se oyó un prolongado murmullo en torno. Don José movió la cabeza de un lado a otro mientras observaba los rostros que le rodeaban.

Su mirada se detuvo un instante en la carita asustada del Mochuelo. Luego dijo:

— Sí que es raro todo esto. ¿Nadie ha puesto ahí ese pájaro?

— ¡Nadie, nadie! — gritaron todos.

Daniel, el Mochuelo, bajó los ojos. La Rita volvió a gritar, entre carcajadas histéricas, mientras miraba con ojos desafiadores a don José:

— ¡Qué! ¿Es un milagro o no es un milagro, señor cura?

Don José intentó apaciguar los ánimos, cada vez más excitados.

— Yo no puedo pronunciarme ante una cosa así. En realidad es muy posible, hijos míos, que alguien, por broma o con buena intención, haya depositado el tordo en el ataúd y no se atreva a declararlo ahora por temor a vuestras iras. — Volvió a mirar insistentemente a Daniel, el Mochuelo, con sus ojillos hirientes como puntas de alfileres. El Mochuelo, asustado, dió media vuelta y escapó a la calle. El cura prosiguió: — De todas formas yo daré traslado al Ordinario de lo que aquí ha sucedido y de cómo ha sucedido. Pero os repito que no os hagáis ilusiones. En realidad, hay muchos hechos de apariencia milagrosa que no tienen de milagro más que eso: la apariencia. — De repente cortó, seco: — A las cinco volveré para el entierro.

En la puerta de la calle, don José, el cura, que era un gran santo, se tropezó con Daniel, el Mochuelo, que le observaba a hurtadillas, tímidamente. El párroco oteó las proximidades y como no viera a nadie en derredor, sonrió al niño, le propinó unos golpecitos paternales en el cogote, y le dijo en un susurro:

— Buena la has hecho, hijo; buena la has hecho.

Luego le dió a besar su mano y se alejó, apoyándose en la cachaba, a pasitos muy lentos.

XX

Es expresivo y cambiante el lenguaje de las campanas; su vibración es capaz de acentos hondos y graves y livianos y agudos y sombríos. Nunca las campanas dicen lo mismo. Y nunca lo que dicen lo dicen de la misma manera.

Daniel, el Mochuelo, acostumbraba a dar forma a su corazón por el tañido de las campanas. Sabía que el repique del día de la Patrona sonaba a cohetes y a júbilo y a estupor desproporcionado e irreflexivo. El corazón se le redondeaba, entonces, a impulsos de un sentimiento de alegría completo y armónico. Al concluir los bombardeos, durante la guerra, las campanas también repicaban alegres, mas con un deje de reserva, precavido y reticente. Había que tener cuidado. Otras veces, los tañidos eran sordos, opacos, obscuros y huecos como el día que enterraron a Germán, el Tiñoso, por ejemplo. Todo el valle, entonces, se llenaba hasta impregnarse de los tañidos sordos, opacos, obscuros y huecos de las campanas parroquiales. Y el frío de sus vibraciones pasaba a los estratos de la tierra y a las raíces de las plantas y a la medula de los huesos de los hombres y al corazón de los niños. Y el corazón de Daniel, el Mochuelo, se tornaba mollar y maleable — blando como el plomo derretido — bajo el solemne tañer de las campanas.

Estaba lloviznando y tras don José, revestido de sobrepelliz y estola, caminaban los cuatro hijos mayores del zapatero, el féretro en hombres, con Germán, el Tiñoso, y el tordo dentro. A continuación marchaba el zapatero con el resto de sus familiares, y detrás, casi todos los hombres y las mujeres y los niños del pueblo con rostros compungidos, notando en sus vísceras las resonancias de las campanas, vibrando en una modulación lenta y cadenciosa. Daniel, el Mochuelo, sentía aquel día las campanas de una manera especial. Se le antojaba que él era como uno de los insectos que coleccionaba en una caja el cura de La Cullera. Se diría que, lo mismo que aquellos animalitos, cada campanada era como una aguja afiladísima que le atravesaba una zona vital de su ser. Pensaba en Germán, el Tiñoso, y pensaba en él mismo, en los nuevos rumbos que a su vida imprimían las circunstancias. Le dolía que los hechos pasasen con esa facilidad a ser recuerdos; notar la sensación de que nada, nada de lo pasado, podría reproducirse. Era aquella una sensación angustiosa de dependencia y sujeción. Le ponía nervioso la imposibilidad de dar marcha atrás en el reloj del tiempo y resignarse a saber que nadie volvería a hablarle, con la precisión y el conocimiento con que el Tiñoso lo hacía, de los rendajos y las perdices y los martines pescadores y las pollas de agua. Había de avenirse a no volver a oír jamás la voz de Germán, el Tiñoso, a admitir como un suceso vulgar y cotidiano que los huesos del Tiñoso se transformasen en cenizas junto a los huesos de un tordo, que los gusanos agujereasen ambos cuerpos simultáneamente, sin predilecciones ni postergaciones.

Se confortó un poco tanteando en su bolsillo un cuproníquel con el agujerito en medio. Cuando concluyese el entierro iría a la tienda de Antonio, el Buche, a comprarse un adoquín. Claro que a lo mejor no estaba bien visto que se endulzase así después de enterrar a un buen amigo. Habría de esperar al día siguiente.

Descendían ya la varga por su lado norte, hacia el pequeño camposanto del lugar. Bajo la iglesia, los tañidos de las campanas adquirían una penetración muy viva y dolorosa. Doblaron el recodo de la parroquia y entraron en el minúsculo cementerio. La puerta de hierro chirrió soñolienta y enojada. Apenas cabían todos en el pequeño recinto. A Daniel, el Mochuelo, se le aceleró el corazón al ver la pequeña fosa, abierta a su pies. En la frontera este del camposanto, lindando con la tapia, se erguían adustos y fantasmales, dos afilados cipreses. Por lo demás, el cementerio del pueblo era tibio y recoleto y acogedor. No había mármoles, ni estatuas, ni panteones, ni nichos, ni tumbas revestidas de piedra. Los muertos eran tierra y volvían a la tierra, se confundían con ella en un impulso directo, casi vicioso, de ayuntamiento. En derredor de las múltiples cruces, crecían y se desarrollaban los helechos, las ortigas, los acebos, la hierbabuena y todo género de hierbas silvestres. Era un consuelo, al fin, descansar allí, envuelto día y noche en los aromas penetrantes del campo.

El cielo estaba pesado y sombrío. Seguía lloviznando. Y el grupo, bajo los paraguas, era una estampa enlutada de estremecedor y angustioso simbolismo. Daniel, el Mochuelo, sintió frío cuando don José, el cura, que era un gran santo, comenzó a rezar responsos sobre el féretro depositado a los pies de la fosa recién cavada. Había, en torno, un silencio abierto sobre cien sollozos reprimidos, sobre mil lágrimas truncadas y fué entonces cuando Daniel, el Mochuelo, se volvió, al notar sobre el calor de su mano el calor de una mano amiga. Era la Uca-uca. Tenía, la niña, un grave gesto adosado a sus facciones pueriles, un ademán desolado de impotencia y resignación. Pensó el Mochuelo que le hubiera gustado estar allí solo con el féretro y la Uca-uca y poder llorar a raudales sobre las trenzas doradas de la chiquilla; sintiendo en su mano el calor de otra mano amiga. Ahora, al ver el féretro 5 a sus pies, lamentó haber discutido con el Tiñoso sobre el ruido que las perdices hacían al volar, sobre las condiciones canoras de los rendajos o sobre el sabor de las cicatrices. Él se hallaba indefenso, ahora, y Daniel, el Mochuelo, desde el fondo de su alma, le daba, incondicionalmente, la razón. 10 Vibraba con unos acentos lúgubres la voz de don José, esta tarde, bajo la lluvia, mientras rezaba los responsos:

— *Kirie, eleison. Christe, eleison. Kirie, eleison. Pater noster qui es in caelis...*[1]

A partir de aquí, la voz del párroco se hacía un rumor 15 ininteligible. Daniel, el Mochuelo, experimentó unas ganas enormes de llorar al contemplar la actitud entregada del zapatero. Viéndole en este instante no se dudaba de que jamás Andrés, «el hombre que de perfil no se le ve», volvería a mirar las pantorrilas de las mujeres. De repente, era un 20 anciano tembloteante y extenuado, indiferente. Cuando don José acabó el tercer responso, Trino, el sacristán, extendió una arpillera al lado del féretro y Andrés arrojó en ella una peseta. La voz de don José se elevó de nuevo:

— *Kirie, eleison. Christe, eleison. Kirie, eleison. Pater* 25 *noster qui es in caelis...*

Luego fué el Peón quien echó unas monedas sobre la arpillera, y don José, el cura, que era un gran santo, rezó otro responso. Después se acercó Paco, el herrero y depositó veinte céntimos. Y más tarde, Quino, el Manco, arrojó otra 30 pequeña cantidad. Y luego Cuco, el factor, y Pascualón, el

[1] *Lord, have mercy. Christ, have mercy. Lord, have mercy. Our father who is in heaven...*

del molino, y don Ramón, el alcalde, y Antonio, el Buche, y Lucas, el Mutilado, y las cinco Lepóridas, y el ama de don Antonino, el marqués, y Chano y todos y cada uno de los hombres y las mujeres del pueblo y la arpillera iba llenándose de monedas livianas, de poco valor, y a cada dádiva, don José, el cura, que era un gran santo, contestaba con un responso, como si diera las gracias.

— *Kyrie, eleison, Christe, eleison. Kirie, eleison. Pater noster qui es in caelis...*

Daniel, el Mochuelo, aferraba crispadamente su cuproníquel, con la mano embutida en el bolsillo del pantalón. Sin querer, pensaba en el adoquín de limón que se comería al día siguiente, pero, inmediatamente, relacionaba el sabor de su presunta golosina con el letargo definitivo del Tiñoso y se decía que no tenía ningún derecho a disfrutar un adoquín de limón mientras su amigo se pudría en un agujero. Extraía ya lentamente el cuproníquel, decidido a depositarlo en la arpillera, cuando una voz interior le contuvo: « ¿Cuánto tiempo tardarás en tener otro cuproníquel, Mochuelo? » Lo soltó compelido por un sórdido instinto de avaricia. De improviso rememoró la conversación con el Tiñoso sobre el ruido que hacían las perdices al volar y su pena se agigantó de nuevo. Ya Trino se inclinaba sobre la arpillera y la agarraba por las cuatro puntas para recogerla, cuando Daniel, el Mochuelo, se desembarazó de la mano de la Uca-uca y se adelantó hasta el féretro:

— ¡Espere! — dijo.

Todos los ojos le miraban. Notó Daniel, el Mochuelo, en sí, las miradas de los demás, con la misma sensación física que percibía las gotas de la lluvia. Pero no le importó. Casi sintió un orgullo tan grande como la tarde que trepó a lo alto de la cucaña al sacar de su bolsillo la moneda reluciente, con

el agujerito en medio, y arrojarla sobre la arpillera. Siguió el itinerario de la moneda con los ojos, la vió rodar un trecho y, luego, amontonarse con las demás produciendo, al juntarse, un alegre tintineo. Con la voz apagada de don José, el cura, que era un gran santo, le llegó la sonrisa presentida del Tiñoso, desde lo hondo de su caja blanca y barnizada. 5

— *Kirie, eleison, Christe, eleison. Kirie, eleison. Pater noster qui es in caelis...*

Al concluir don José, bajaron la caja a la tumba y echaron mucha tierra encima. Después, la gente fué saliendo lentamente del camposanto. Anochecía y la lluvia se intensificaba. Se oía el arrastrar de los zuecos de la gente que regresaba al pueblo. Cuando Daniel, el Mochuelo, se vió solo, se aproximó a la tumba y luego de persignarse dijo: 10

— Tiñoso, tenías razón, las perdices al volar hacen «Prrrr» y no «Brrrr». 15

Ya se alejaba cuando una nueva idea le impulsó a regresar sobre sus pasos. Volvió a persignarse y dijo:

— Y perdona lo del tordo.

La Uca-uca le esperaba a la puerta del cementerio. Le cogió de la mano sin decirle una palabra. Daniel, el Mochuelo, notó que le ganaba de nuevo un amplio e inmoderado deseo de sollozar. Se contuvo, empero, porque diez pasos delante avanzaba el Moñigo, y de cuando en cuando volvía la cabeza para indagar si él lloraba. 20 25

XXI

En torno a Daniel, el Mochuelo, se hacía la luz de un modo imperceptible. Se borraban las estrellas del cuadrado de cielo delimitado por el marco de la ventana y sobre el fondo blanquecino del firmamento la cumbre del Pico Rando
5 comenzaba a verdear. Al mismo tiempo, los mirlos, los ruiseñores, los verderones y los rendajos iniciaban sus melodiosos conciertos matutinos entre la maleza. Las cosas adquirían precisión en derredor; definían, paulatinamente, sus volúmenes, sus tonalidades y sus contrastes. El valle desper-
10 taba al nuevo día con una fruición aromática y vegetal. Los olores se intensificaban, cobraban densidad y consistencia en la atmósfera circundante, reposada y queda.

Entonces se dió cuenta Daniel, el Mochuelo, de que no había pegado un ojo en toda la noche, de que la pequeña y
15 próxima historia del valle se reconstruía en su mente con un sorprendente lujo de pormenores. Lanzó su mirada a través de la ventana y la posó en la bravía y aguda cresta del Pico Rando. Sintió entonces que la vitalidad del valle le penetraba desordenada e íntegra y que él entregaba la suya al valle en
20 un vehemente deseo de fusión, de compenetración íntima y total. Se daban uno al otro en un enfervorizado anhelo de mutua protección, y Daniel, el Mochuelo, comprendía que

dos cosas no deben separarse nunca cuando han logrado hacerse la una al modo y medida de la otra.

No obstante, el convencimiento de una inmediata separación le desasosegaba, enervando la fatiga de sus párpados. Dentro de dos horas, quizá menos, él diría adiós al valle, se subiría en un tren y escaparía a la ciudad lejana para empezar a progresar. Y sentía que su marcha hubiera de hacerse ahora, precisamente ahora que el valle se endulzaba con la suave melancolía del otoño y que a Cuco, el factor, acababan de uniformarle con una espléndida gorra roja. Los grandes cambios rara vez resultan oportunos y consecuentes con nuestro particular estado de ánimo.

A Daniel, el Mochuelo, le dolía esta despedida como nunca sospechara. Él no tenía la culpa de ser un sentimental. Ni de que el valle estuviera ligado a él de aquella manera absorbente y dolorosa. No le interesaba el progreso. El progreso, en verdad, no le importaba un ardite. Y, en cambio, le importaban los trenes diminutos en la distancia y los caseríos blancos y los prados y los maizales parcelados; y la Poza del Inglés, y la gruesa y enloquecida corriente del Chorro; y el corro de bolos; y los tañidos de las campanas parroquiales; y el gato de la Guindilla; y el agrio olor de las encellas sucias; y la formación pausada y solemne y plástica de una boñiga; y el rincón melancólico y salvaje donde su amigo Germán, el Tiñoso, dormía el sueño eterno; y el chillido reiterado y monótono de los sapos bajo las piedras en las noches húmedas; y las pecas de la Uca-uca y los movimientos lentos de su madre en los quehaceres domésticos; y la entrega confiada y dócil de los pececillos del río; y tantas y tantas otras cosas del valle. Sin embargo, todo había de dejarlo por el progreso. Él no tenía aún autonomía ni capacidad de decisión. El poder de decisión le llega al hombre cuando ya no le hace falta para nada; cuando ni un solo día puede dejar de guiar un carro o picar piedra si no quiere quedarse sin comer. ¿Para qué valía, entonces, la capacidad de decisión de un hombre, si puede saberse? La vida era el peor tirano conocido. Cuando 5 la vida le agarra a uno, sobra todo poder de decisión. En cambio, él todavía estaba en condiciones de decidir, pero como solamente tenía once años, era su padre quien decidía por él. ¿Por qué, Señor, por qué el mundo se organizaba tan rematadamente mal?

10 El quesero, a pesar del estado de ánimo de Daniel, el Mochuelo, se sentía orgulloso de su decisión y de poder llevar a cabo su decisión. Lo que no podían otros. La víspera habían recorrido juntos el pueblo, padre e hijo, para despedirse:

— El chico se va mañana a la ciudad. Tiene ya once 15 años y es hora de que empiece el grado.

Y el quesero se quedaba plantado, mirándole a él, como diciendo: « ¿Qué dice el estudiante? » Pero él miraba al suelo entristecido. No había nada que decir. Bastaba con obedecer.

20 Pero en el pueblo todos se mostraban muy cordiales y afectuosos, algunos en exceso, como si les aligerase no poco el saber que al cabo de unas horas iban a perder de vista a Daniel, el Mochuelo, para mucho tiempo. Casi todos le daban palmaditas en el cogote y expresaban, sin rebozo, sus espe- 25 ranzas y buenos deseos:

— A ver si vuelves hecho[1] un hombre.

— ¡Bien, muchacho! Tú llegarás a ministro.[2] Entonces daremos tu nombre a una calle del pueblo. O a la Plaza. Y tú vendrás a descubrir la lápida y luego comeremos todos 30 juntos en el Ayuntamiento. ¡Buena borrachera ese día!

[1] *Do not translate* **hecho**.
[2] i.e. Tú llegarás a ser ministro.

Y Paco, el herrero, le guiñaba un ojo y su pelo encarnado despedía un vivo centelleo.

La Guindilla mayor fué una de las que más se alegraron con la noticia de la marcha de Daniel, el Mochuelo:

— Bien te viene que te metan un poco en cintura, hijo. La verdad. Ya sabes que yo no tengo pelos en la lengua. A ver si en la ciudad te enseñan a respetar a los animales y a no pasear en cueros por las calles del pueblo. Y a cantar el «Pastora Divina» como Dios manda. — Hizo una pausa y llamó: — ¡Quino! Daniel se va a la ciudad y viene a despedirse.

Y bajó Quino. Y a Daniel, el Mochuelo, al ver de cerca el muñón, se le revivían cosas pasadas y experimentaba una angustiosa y sofocante presión en el pecho. Y a Quino, el Manco, también le daba tristeza perder aquel amigo y para disimular su pena se golpeaba la barbilla con el muñón reiteradamente y sonreía sin cesar:

— Bueno, chico... ¡Quién pudiera hacer otro tanto...! Nada... lo dicho — En su turbación Quino, el Manco, no advertía que no había dicho nada. — Que sea para tu bien.

Y después, Pancho, el Sindiós, se irritó con el quesero porque mandaba a su hijo a un colegio de frailes. El quesero no le dió pie para desahogarse:

— Traigo al chico para que te diga adiós a ti y a los tuyos. No vengo a discutir contigo sobre si debe estudiar con un cura o con un seglar.

Y Pancho se rió y soltó una palabrota y le dijo a Daniel que a ver si estudiaba[3] para médico y venía al pueblo a sustituir a don Ricardo, que ya estaba muy torpe y achacoso. Luego le dijo al quesero, dándole un golpe en el hombro:

— Chico, como pasa el tiempo.

[3] *In direct address this would be,* "A ver si estudias para médico y vienes al pueblo a sustituir a don Ricardo, que ya está . . .

Y el quesero dijo:

— No somos nadie.

Y también el Peón estuvo muy simpático con ellos y le dijo a su padre que Daniel tenía un gran porvenir en los libros si se decidía a estudiar con ahinco. Añadió que se fijasen en él. También salió de la nada. Él no era nadie y a fuerza de puños y de cerebro había hecho una carrera y había triunfado.

Y tan orgulloso se sentía de sí mismo, que empezó a torcer la boca de una manera espasmódica, y cuando ya se mordía casi la negra patilla se despidieron de él y le dejaron a solas con sus muecas, su orgullo íntimo y sus frenéticos aspavientos.

Don José, el cura, que era un gran santo, le dió buenos consejos y le deseó los mayores éxitos. A la legua se advertía que don José tenía pena por perderle. Y Daniel, el Mochuelo, recordó su sermón del día de la Virgen. Don José, el cura, dijo entonces que cada cual tenía un camino marcado en la vida y que se podía renegar de ese camino por ambición y sensualidad y que un mendigo podía ser más rico que un millonario en su palacio, cargado de mármoles y criados.

Al recordar esto, Daniel, el Mochuelo, pensó que él renegaba de su camino por la ambición de su padre. Y contuvo un estremecimiento. Le anegó la tristeza al pensar que a lo mejor, a su vuelta, don José ya no estaría en el confesionario ni podría llamarle « gitanón », sino en una hornacina de la parroquia, convertido en un santo de corona y peana. Pero, en ese caso, su cuerpo corrupto se pudriría junto al de Germán, el Tiñoso, en el pequeño cementerio de los dos cipreses rayano a la iglesia. Y miró a don José con insistencia, agobiado por la sensación de que no volvería a verle hablar, accionar, enfilar sus ojillos pitañosos y agudos.

Y, al pasar por la finca del Indiano, quiso ponerse triste

al pensar en la Mica, que iba a casarse uno de aquellos días, en la ciudad. Pero no sintió pesadumbre por no poder ver a la Mica, sino por la necesidad de abandonar el valle sin que la Mica le viese y le compadeciese y pensase que era desgraciado. 5

El Moñigo no había querido despedirse porque Roque bajaría a la estación a la mañana siguiente. Le abrazaría en último extremo y vigilaría si sabía ser hombre hasta el fin. Con frecuencia le había advertido el Moñigo:

— Al marcharte no debes llorar. Un hombre no debe 10 llorar aunque se le muera su padre entre horribles dolores.

Daniel, el Mochuelo, recordaba con nostalgia su última noche en el valle. Dió media vuelta en la cama y de nuevo atisbó la cresta del Pico Rando iluminada por los primeros rayos del sol. Se le estremecieron las aletillas de la nariz al 15 percibir una vaharada intensa a hierba húmeda y a boñiga. De repente, se sobresaltó. Aún no se sentía movimiento en el valle y, sin embargo, acababa de oír una voz humana. Escuchó. La voz le llegó de nuevo, intencionadamente amortiguada: 20

— ¡Mochuelo!

Se arrojó de la cama, exaltado, y se asomó a la carretera. Allí abajo, sobre el asfalto, con una cantarilla vacía en la mano, estaba la Uca-uca. Le brillaban los ojos de una manera extraña. 25

— Mochuelo, ¿sabes? Voy a La Cullera a por la leche.[4] No te podré decir adiós en la estación.

Daniel, el Mochuelo, al escuchar la voz grave y dulce de la niña, notó que algo muy íntimo se le desgarraba dentro del pecho. La niña hacía pendulear la cacharra de la leche sin 30 cesar de mirarle. Sus trenzas brillaban al sol.

[4] = Voy a La Cullera por la leche.

— Adiós, Uca-uca — dijo el Mochuelo. Y su voz tenía unos trémolos inusitados.

— Mochuelo, ¿te acordarás de mí?

Daniel apoyó los codos en el alféizar y se sujetó la cabeza con las manos. Le daba mucha vergüenza decir aquello, pero era ésta su última oportunidad.

— Uca-uca... — dijo, al fin. — No dejes a la Guindilla que te quite las pecas, ¿me oyes? ¡No quiero que te las quite!

Y se retiró de la ventana violentamente, porque sabía que iba a llorar y no quería que la Uca-uca le viese. Y cuando empezó a vestirse le invadió una sensación muy vívida y clara de que tomaba un camino distinto del que el Señor le había marcado. Y lloró, al fin.

Cuestionario

SUPPLEMENTARY MATERIAL

QUESTIONS

and

STUDY LISTS OF IDIOMS, DECEPTIVE COGNATES, ETC.

The questions can serve as the basis for oral practice in Spanish, discussion of the novel or simply as a way for the student to check his understanding of the reading.

Whenever possible, the expressions in the corresponding study lists were used in the questions and, in many cases, it will be necessary to make use of them in the answers.

The purpose of the study lists of idioms and deceptive cognates is to provide a convenient study aid for some of the words, idioms and phrases that frequently cause difficulty. An attempt has been made to put the more common expressions into the earlier lists. An effort was also made to incorporate the expressions in the lists for the chapters in which they were used most frequently. Complete consistency in following these principles was not always practicable.

It should be pointed out that the words are often used in the text before they appear in the lists.

I

QUESTIONS

A. (1-4.15)[1]

1. ¿Lamentaba Daniel que las cosas hubiesen sucedido* como sucedieron*?
2. ¿Cuántos años tiene Daniel?
3. ¿Quién era Ramón y qué hacía?
4. ¿Qué era « progresar » para el padre de Daniel, el Mochuelo?
5. Sin embargo* ¿qué pensaba Daniel sobre esto?
6. ¿De cuántos años constaban los estudios de Bachillerato?
7. Cuando Daniel piensa en* estas cosas, ¿dónde está?
8. ¿Qué sucedería* a las nueve en punto de la mañana?
9. ¿Quién era el Moñigo?
10. ¿Harían falta muchos años para ser como Paco? ¿Qué hacía él?
11. ¿Con qué se conformaría el Mochuelo?

B. (4.16-7)

1. ¿Qué le había dicho su madre?
2. ¿Es la idea de grandeza del Mochuelo la misma que la de su madre?
3. ¿Hacía* mucho tiempo que Daniel conocía el proyecto de su padre?
4. ¿Por qué lo conocía?
5. ¿Tiene Daniel muchos hermanos?

[1] Los números entre paréntesis corresponden a las páginas y líneas del texto.

* Cf. Study Lists of Idioms, Deceptive Cognates, etc.

6. Explique las ideas de los padres de Daniel sobre la marcha de éste.
7. ¿Cuántos años hacía* que había tenido lugar la escena de las págs. 6-7?
8. ¿Cuántos años tendría Daniel entonces?
9. Al* terminar el primer capítulo, ¿cree Ud. que, a pesar de su brevedad, tiene los elementos esenciales para despertar interés?

STUDY LIST[2]

suceder	to happen 1.1
de . . . manera	in . . . way 1.1-2 (*compare* **de . . . modo** *and* **de . . . forma,** *used with the same meanings*)
sin embargo	however, nevertheless 1.2
el que	the fact that 1.9
efectivamente	indeed 1.10
estudiar para	to study to become 1.11
a fin de cuentas	after all 2.9
pensar en	to think of 2.17-18
al + *inf.*	on, upon, when +*pres. part.* 3.12-13
volver a + *inf.*	*verb* + *again* (e.g. **volvió a hacerlo** he did it again) 4.24
hacía *with time expressions*	for, ago, before 5.6
ya no	no longer 6.30

II

QUESTIONS

A. (9.-14.11)

1. ¿Qué decían de Roque, el Moñigo, las Guindillas y la madre de Daniel?

[2] Los números corresponden a los de las páginas y líneas del texto.

2. El que el padre de Roque bebiera ¿quería decir* que fuera un malvado?
3. Dé Ud. los nombres de los familiares de Roque.
4. ¿Cuáles son los rasgos característicos de la Sara?
5. Describa Ud. al Moñigo.
6. ¿Qué hacía Sara a veces* para castigar a Roque?
7. ¿Le mete miedo* con ello?
8. Y al Mochuelo, ¿le metió miedo*?
9. ¿Qué consecuencias deduce Ud. de este incidente en cuanto al carácter de los personajes?

B. (14.12-18)

1. ¿Por qué admiraba el Mochuelo al Moñigo?
2. ¿Qué sucedió en una romería?
3. ¿Cuántos años tenía* entonces el Moñigo?
4. ¿Qué hacía a menudo* Paco el herrero?
5. ¿Cree Ud. que Paco es bueno? ¿Por qué?
6. ¿Cuál es la verdadera razón por la que a las Guindillas y a otros no les gusta Paco?
7. ¿Qué opinión tiene don José, el cura, del herrero a pesar de censurarle?
8. ¿Por qué paseó Paco la Virgen por el pueblo?
9. A juzgar por la reacción de las Guindillas y las Lepóridas ¿qué piensa Ud. de ellas?

STUDY LIST

a menudo — often 9.8-9
querer decir — to mean 9.16
de cuando en cuando — from time to time 9.18; *see also* **de vez en cuando** 20.22
tener la culpa — to be guilty 10.4
a veces — sometimes, at times 10.9
en efecto — indeed 10.12

por lo menos	at least 10.12
claro que	of course 10.16
tener . . . años	to be . . . years old 11.5
saber *in pret.*	to find out 11.31
de nuevo	again 12.11
meterle miedo a uno	to frighten 13.9

III

QUESTIONS

A. (19-22.30)

1. ¿Dónde había nacido Daniel?
2. ¿Por qué no tenían razón su padre y el cura?
3. ¿Dónde solían sentarse Roque y Daniel en verano? ¿Para qué?
4. ¿Qué le gustaba* al Mochuelo?
5. ¿Recuerda Ud. lo que se veía a lo lejos?
6. ¿Qué son esas « rachas de ruido y velocidad » que la civilización enviaba de cuando en cuando*?
7. ¿Qué ideas se le ocurrían al Moñigo a veces de noche*?
8. ¿Hay algo que le da miedo al Moñigo?
9. ¿Por qué no quiere que la Sara se entere*?
10. ¿Cuándo regresaban al pueblo los niños?

B. (22.31-26)

1. ¿Regresaban más temprano en verano que en invierno?
2. ¿Por dónde regresaban?
3. ¿Qué solían hacer en la Poza del Inglés?
4. En los « buenos tiempos », ¿qué les daba Quino por cinco céntimos?
5. ¿Iba mucha gente a la tasca de Quino?
6. Describa Ud. el pueblo. ¿Cuántas cosas puede Ud. nombrar?
7. ¿Dónde estaba la iglesia?

8. ¿Bastan* los edificios para hacer un pueblo? ¿Qué es lo que lo hace?
9. ¿Cree Ud. que es una lástima* que un pueblo sea tan individualista? ¿Es un vicio o una virtud?
10. ¿Qué virtudes tenía el pueblo?

STUDY LIST

cada cual	each one 20.12
gustarle a uno	to like (i.e., to be pleasing to one) 20.19
por todas partes	everywhere 20.24
según	according to, etc. 20.25
puede que	maybe, perhaps 22.2
enterarse de	to find out about, be aware of 22.9
de día	in the day-time 22.32; *note also* **ya de noche** when it was already night 22.20
varga arriba	up the slope 24.17; *note also* **varga abajo** down the slope 25.3
desde luego	of course 26.11
en cuanto a	as for, as to 26.16-17
bastar	to be enough 26.17
es lástima	it is too bad 26.20

IV

QUESTIONS

A. (27-29.26)

1. ¿Cuándo pensó el padre del Mochuelo el nombre de éste?
2. ¿Qué hacía su padre frente a* la chimenea?
3. ¿Cuántos años contaba entonces el Mochuelo?

4. ¿Por qué no le hicieron daño* los leones a Daniel?
5. ¿A qué olía la casa? ¿Por qué?
6. ¿Cuándo se distanció su padre de Daniel?
7. ¿Cómo era el carácter del quesero antes y después de esto?
8. ¿Para qué quería ahorrar?

B. (29.27-32)

1. ¿Qué es lo que no podía comprender el Mochuelo?
2. ¿Qué ignoraban* los padres de casi todos los chicos?
3. ¿Cuándo dejó el Mochuelo de* llamarse Daniel?
4. ¿Quién es don Moisés?
5. ¿Por qué le llamaban « Peón »?
6. Y a Daniel, ¿por qué le llamaban « Mochuelo »?
7. Pese a todo* ¿qué nombre tenía fuera de casa?
8. ¿Por qué luchó en balde* el padre de Daniel?

STUDY LIST

frente a	facing 27.11
contar . . . años	to be . . . years old 27.15
hacer daño	to do harm 28.12
darse cuenta de	to realize 29.6-7
a pesar de	in spite of 29.9
ignorar	not to know 30.12
dejar de	to cease, leave off 30.20
todo cuanto	all that 31.6
digno de	worthy of 31.7
dar en	to hit on 31.18
pese a	in spite of 31.20
en balde	in vain 31.29

V

QUESTIONS

A. (33-38.8)

1. ¿Cuáles son las características de la Guindilla mayor?
2. ¿Qué decía de ella Antonio, el Buche?
3. ¿Cree Ud. que los escrúpulos de conciencia de la Guindilla son justificados?
4. ¿Cuántos años tiene la Guindilla mayor? (Recuerde Ud. que Daniel tiene ahora once años).
5. ¿Cuántas Guindillas había?
6. ¿Qué había sido su padre?
7. ¿Quién se hizo cargo* de la casa cuando murió el padre?
8. ¿Cómo eran las relaciones entre las tres hermanas?
9. No obstante* ¿a dónde iban siempre juntas?
10. ¿Por qué se echaba de menos* a la Guindilla del medio?

B. (38.9-42)

1. Después de la muerte de Elena ¿qué se estableció en el pueblo?
2. ¿Quién vino con el director?
3. ¿Hay algo de irónico en el título de la tesis ficticia de Ramón?
4. ¿Cómo se llamaba el oficial del Banco?
5. ¿Por qué se enojó la Guindilla mayor con su hermana?
6. ¿Qué le respondió la Guindilla menor?
7. ¿A dónde fueron la Guindilla menor y Dimas? ¿Quién lo anunció?
8. ¿Qué le sucedió a la Guindilla mayor cuando se enteró de la desgracia? ¿Qué hizo después?
9. Ya que* se consideraba deshonrada, ¿qué hizo después de hablar con el cura?

STUDY LIST

por otra parte	on the other hand, moreover 33.5
no obstante	however, nevertheless, in spite of 34.1
ni siquiera	not even 34.2
dar vueltas a	to turn over, keep going over 34.26
no es difícil	it is not unlikely 36.4
hacerse cargo de	to take charge of 36.25-26
echar de menos	to miss 38.7
al fin y al cabo	after all 39.17; *note also* **al fin** 21.17 *and* **al cabo** 64.16 finally
cuatro	a few 39.24
tardar (*time expression*) **en**	to take (time) to 40.24
la desgracia	misfortune 40.28
ya que	since 42.10

VI

QUESTIONS

A. (43-46.19)

1. ¿Para qué sirven* los ojos antes de la Primera Comunión?
2. ¿Era Daniel tan amigo de Germán como de Roque?
3. ¿Qué tenía Germán desde muy niño*?
4. ¿Cuántos hijos tenía el padre de Germán?
5. ¿A quién llamaban « el hombre que de perfil no se le ve »? ¿Por qué?
6. ¿Le gustaban los pájaros a Andrés?
7. Cuando llamaron a quintas a la primera pareja de mellizos, ¿qué sucedió?
8. ¿Por qué creyó la Guindilla mayor que tenía que* intervenir?
9. ¿Cuál era el verdadero interés de la Guindilla en estos casos?

B. (46.20-51)

1. ¿Qué le dió la Guindilla al padre de Germán?
2. ¿Hay algún indicio para pensar que la amistad de Roque con Germán no era completamente desinteresada?
3. Describa Ud. alguno de los accidentes que sufrió Germán por su afición a los pájaros.
4. ¿Cuál era el principal valor que el Tiñoso tenía para el Moñigo?
5. Explique Ud. la forma en que el Moñigo utilizaba a Germán.
6. ¿Quién llevaba la razón* en estas peleas?
7. ¿Cómo terminaban?

STUDY LIST

sí (*emphatic*)	indeed, *or not translated* 43.1; *note also* **sí que** indeed
servir para	to be good for 43.7-8
desde muy niño	from the time one was very young 43.20
por supuesto	of course 43.21
tener que	to have to 45.22
a la vuelta de	after 46.27
tratarse de (*impersonal*)	to be a question of, deal with 47.11
o bien	or 47.22
seguir + *pres. part.*	to continue 48.10
eso sí	however 50.4
hay	there is, are 50.5
llevar (la) razón	to be right 51.15-16

VII

QUESTIONS

A. (52-57.20)

1. ¿Qué lugares respectivos les correspondían a los muchachos en la pandilla?
2. Indique la habilidad especial de cada uno de ellos.
3. ¿Qué hacían los domingos por la tarde?
4. ¿Hacían otro tanto* durante las vacaciones?
5. Además del corro de bolos, ¿encontraban entretenimiento los niños en otra parte*?
6. ¿A qué estudiantes prefería el maestro?
7. ¿Dónde les gustaba bañarse a los tres amigos?
8. ¿Cómo nadaban?
9. ¿En qué consistió la simpleza de Daniel?

B. (57.21-60)

1. ¿Qué contestó la madre del Mochuelo cuando éste le preguntó dónde llevaban las vacas la leche?
2. Cuando el Mochuelo se acordó de la estampa de la vaca, ¿qué acababan de* hacer los niños?
3. ¿Qué les dijo luego* el Moñigo a los otros dos?
4. ¿Cuándo había muerto la madre del Moñigo?
5. ¿Cómo afectó a Daniel lo que el Moñigo les dijo?
6. ¿Cómo miró a su madre?

STUDY LIST

de antemano	beforehand 52.2
en cualquier parte	anywhere 52.21
en otra parte	elsewhere 53.3
(no) servir de nada	to be good for nothing 53.25
al fondo	in the background 55.9
otro tanto	the same thing, as much 55.26

de frente	forward, in front 57.4
luego	then, soon, later 57.27
acordarse de	to remember 57.31
acabar de	to have just 57.32
en vez de	instead of 59.3
lo + *adj. or adv.* **que**	how + *adj. or adv.* 60.27-28

VIII

QUESTIONS

A. (62-65.13)

1. ¿Qué ocurrió a los* tres meses y cuatro días de la fuga de la Guindilla menor?
2. ¿Regresó Dimas con ella?
3. ¿Por qué era tan codiciada la compañía de Cuco, el factor?
4. ¿Estaba alegre Irene o, antes bien*, lloraba?
5. ¿Había sido aquél un buen día?
6. ¿Cuál fué la reacción de Lola?
7. ¿Qué hizo Irene después de entrar?
8. ¿Qué le dijo a su vez* Lola?

B. (65.14-70)

1. Después de cerrar la puerta ¿qué hizo la Guindilla mayor?
2. ¿Por qué dice la Guindilla mayor de Dimas que es « lo mismito que el otro Dimas »?
3. ¿Siente remordimiento de haberlo dicho? ¿Por qué?
4. ¿Qué ha de* hacer la Guindilla menor al día siguiente*?
5. ¿Por qué bajó la Guindilla mayor a la tienda?
6. ¿Tiene la gente del pueblo curiosidad por el regreso de Irene? ¿Cómo se demuestra?
7. ¿Qué se oyó a las diez?
8. ¿Qué hizo la Guindilla mayor para que se fuera* Paco?

STUDY LIST

a (*time expression*) **de**	(*time expression*) after 62.2
a su vez	in turn 62.6
antes bien	rather 63.12
por favor	please 63.30
al día siguiente	on the following day 66.13-14
haber de	must, to have to, to be to 66.23
dar vergüenza	to make ashamed 66.28
vamos	well, come on now 67.14
está bien	it's all right 67.16
volverse	to turn, return, become 68.13
al cabo de	after 68.24
irse	to go away 69.27

IX

QUESTIONS

A. (71-75.4)

1. ¿Cuánto tiempo ha pasado desde el principio de la novela hasta el momento con que empieza este capítulo?
2. ¿Qué se veía frente a la cama de Daniel?
3. ¿No tenían manzanas los niños? ¿Por qué las robaban?
4. ¿Cuántos años estuvo Gerardo, el Indiano, fuera del pueblo?
5. ¿Quién era más listo, el Indiano o sus hermanos? En cambio* ¿quién era más rico?
6. ¿Vino solo al pueblo Gerardo?
7. ¿Ayudó el Indiano a sus hermanos? ¿Cómo?
8. ¿Qué lengua hablaba la mujer de Gerardo?
9. ¿Venía Gerardo muchas veces por el pueblo?

B. (75.5-82)

1. ¿Le gustaba el pueblo a la Mica?
2. Cuando nació el Mochuelo, ¿cuántos años tenía ya la Mica?
3. ¿Quién saltó primero la tapia? ¿Qué iban a hacer los tres amigos?
4. ¿Cree Ud. que Daniel interpreta bien el consejo de don José?
5. ¿Dónde estaban Gerardo, su mujer y la Mica?
6. ¿Tenía miedo Daniel?
7. ¿Quién se sube al árbol?
8. ¿Por qué dejó el Moñigo de zarandear el árbol?
9. ¿Quién debe de* venir en el coche?
10. ¿Qué hace la Mica cuando encuentra a los muchachos en el jardín?
11. ¿Qué prometen hacer los chicos en lo sucesivo*?
12. Lo que hace el Moñigo con las manzanas, ¿sirve para ilustrar algo que ya ha anticipado el autor? (*See p. 72.1-19*).

STUDY LIST

a lo largo de	along, in the course of 71.15
no . . . más que	only 72.25-26
en cambio	on the other hand 73.6
a partir de	from, to start from 74.7
por no	if it were a question of not 74.32
es decir	that is to say 75.19-20
de pronto	suddenly 77.21-22
deber de	must 78.16
Conque	So (*beginning a sentence*) 79.9
perderse	to disappear 80.6
en lo sucesivo	from then on, in the future 80.18
¿Qué te pasa?	What's the matter with you? 82.2

X

QUESTIONS

A. (83-88.7)

1. ¿Por qué tenía Daniel que realizar* cada día las mismas proezas que el Moñigo?
2. ¿Qué les decía el Moñigo una y otra vez*?
3. ¿Causaba esto alguna reacción en el Mochuelo?
4. ¿Llovía mucho o poco en el valle?
5. Describa Ud. los efectos de la lluvia en el valle.
6. ¿Qué hacían durante los días de lluvia?
7. ¿Dónde se hallaban* los niños?
8. ¿Cómo adquirió Daniel una idea de la fuerza del Moñigo?
9. ¿Por qué no quiso* el Moñigo hacer más flexiones?

B. (88.8-92)

1. ¿Cómo acababan siempre sus tertulias?
2. ¿Qué es lo que abochornaba cada vez más* a Daniel?
3. Resuma Ud. la historia de la cicatriz de Roque.
4. ¿Cuántos años hacía que había ocurrido?
5. ¿Qué regàló don Antonino al pueblo?
6. ¿Por qué hablaron media hora cada uno el alcalde y el cura?
7. ¿De qué discuten los niños?
8. Si Daniel tuviera una cicatriz, ¿qué podría tal vez dilucidar?

STUDY LIST

realizar to carry out 83.8
una y otra vez again and again 83.9-10
hallarse to be 84.1-2
de momento for the moment 84.3
patas arriba (*coll.*) upside down 84.6; *see also* **boca abajo** face down 86.14

cada vez más	more and more 84.18
acertar a	to succeed in, hit upon 84.22
a media voz	in a low voice 85.6
ya lo creo	I'll say! 85.29
no querer *in pret.*	to refuse 86.19

XI

QUESTIONS

A. (93-98.24)

1. ¿Cuándo dejó Roque de admirar a Quino, el Manco?
2. ¿Le importaba* a la Josefa la salud de la Mariuca?
3. ¿Cuándo lloraba a solas* la Josefa? ¿Dónde? ¿Por qué?
4. Haga Ud. una descripción de Quino y su mujer.
5. ¿Le gustó a la Josefa que Quino se casase con* la Mariuca? ¿Por qué se casó con* ella Quino?
6. ¿Por qué quería la Guindilla que don José dijese otra misa?
7. ¿Qué hizo la Josefa el día de la boda?
8. ¿Vivió muchos meses la Mariuca?
9. ¿Cuántos años tenía entonces Daniel?
10. De regreso* de la Poza del Inglés, ¿qué solían hacer los muchachos?

B. (98.25-105)

1. ¿Le gustaba a Quino charlar con los niños?
2. ¿Por qué se levantaba Roque y se llevaba* a sus dos amigos?
3. ¿Cómo perdió la mano Quino?
4. ¿Quién es la Mariuca-uca? ¿Por qué tiene ese nombre?
5. ¿Hacía poco tiempo que Daniel conocía a* la Mariuca-uca?
6. ¿Quería la madre de Daniel a la niña? ¿Y Daniel?
7. ¿Por qué se puso* encarnado Daniel?
8. ¿Qué dijo la Mariuca-uca de la Mica?
9. ¿Por qué se sonrió Daniel en la oscuridad?

STUDY LIST

importarle a uno	to matter 93.12
a solas	alone 93.15
casarse con	to marry 94.16
por eso	therefore 97.5
por lo visto	evidently 97.11
de regreso (de) (a)	on the way back (from) (to) 98.14
llevarse	to carry off, away 99.3
al contrario	on the contrary, not at all 100.17
conocer *in pret.*	to become acquainted with, meet 101.6
ponerse	to become 105.5
por el contrario	on the contrary 105.7-8
llevar años a	to be older than 105.14

XII

QUESTIONS

A. (106-111.28)

1. ¿A dónde se había marchado* el tío Aurelio?
2. ¿Qué clima le sentaba* mejor?
3. ¿Por qué sintió Daniel un estremecimiento al leer la carta?
4. ¿Qué era el Gran Duque?
5. Describa Ud. lo que pasaba siempre que* se abría la veda.
6. ¿Había perdices en el valle?
7. Según Germán, ¿era cierto lo que contaba el padre de Daniel?
8. ¿Qué comía el Gran Duque?
9. ¿Le gusta a la madre de Daniel tener el Gran Duque en casa? ¿Por qué?
10. ¿Se enfadó el padre? ¿Qué dijo?

B. (111-117)

1. ¿A qué hora salieron?
2. ¿Qué llevaba Daniel?
3. ¿Por qué se olvidó Daniel de la perra?
4. ¿Dónde estaba Daniel mientras esperaban?
5. Resuma Ud. la escena de la caza del milano.
6. ¿Por qué se enfrió el entusiasmo del padre?
7. ¿Qué se puso a* hacer el padre cuando supo que la herida no era nada?
8. ¿Cree Ud. que Daniel querría tener una cicatriz? ¿Por qué?
9. ¿Tuvo razón el padre de Daniel al decir que el Gran Duque no era « un huésped de lujo »? ¿Por qué?

STUDY LIST

marcharse	to go away, leave 106.2
sentarle (bien)	to agree with; —— **mal** not to agree with or suit 106.3
de	as 106.5
dar para mucho	to go a long way 106.6
en punto	exactly, on time 107.28
de todas (las) maneras	anyway 107.29
dar con	to find, hit 110.13
siempre que	whenever 111.14
darle a uno	to hit 115.13
ponerse a	to begin to 115.24
de acuerdo	agreed 116.28

XIII

QUESTIONS

A. (118-123.3)

1. ¿Qué acababa de averiguar Daniel?
2. Explique la relación entre esto y el robo de las manzanas. ¿Qué comprendió entonces el Mochuelo?
3. ¿Qué intentó al principio* Daniel?
4. ¿Se fijaba* el Mochuelo si la Mica estaba o no en el pueblo? ¿Cómo lo sabe Ud.?
5. ¿Reparaban* sus amigos en la Mica? ¿Cuál es la diferencia?
6. ¿Cómo salió un día la conversación sobre la Mica?
7. ¿Por qué dice el Mochuelo que la Mica no olerá mal nunca?
8. ¿Qué responde el Moñigo?
9. ¿Quién es más idealista, Roque o Daniel?

B. (123.4-128)

1. ¿Le preocupaba a Daniel la diferencia de edad?
2. ¿Hablaba Daniel mucho con la Mica?
3. ¿Qué pasó una mañana de verano cuando Daniel iba a misa?
4. ¿Cuántos años tenía entonces la Mica?
5. ¿Hacía mucho tiempo desde el incidente de las manzanas? ¿Cuánto?
6. ¿Qué oyó Daniel de repente*?
7. ¿Qué le dijo la Mica?
8. ¿Por qué se puso* Daniel el traje nuevo al anochecer*?
9. ¿Con quién se encontró al volver?
10. Dé Ud. una idea de lo ocurrido entre los niños.

STUDY LIST

al principio — at first 119.20
fijarse en — to notice, observe 122.3-4

reparar en	to notice 123.20
tener diecinueve (años) para veinte	to be nineteen, going on twenty 124.14
de repente	suddenly 124.23
tornar a + *inf.*	*verb* + *again* (e.g. **tornó a hacerlo** he did it again) 125.23
al anochecer	at dusk, night-fall 125.29
ponerse	to put on 125.29
a lo mejor	perhaps 126.29
de prisa	quickly 127.18
en medio de	in the middle of 127.22

XIV

QUESTIONS

A. (129-134.13)

1. ¿Tenían los niños la culpa de lo que decían de ellos?
2. ¿A quiénes no les agradaba la forma que ellos tenían de pasar el tiempo?
3. ¿Quién comprendía a los niños?
4. ¿De quién era* el gato?
5. ¿Era el gato una ventaja económica para los niños? ¿De qué se aprovechaban*?
6. ¿Cuál fué la reacción de don José?
7. Vamos a ver*, ¿quién llevó la lupa a la escuela?
8. ¿Qué hicieron primero con ella los niños?
9. Cuente Ud. lo del* gato.
10. ¿Qué piensa Daniel de lo que hizo el maestro? ¿Qué piensa Ud.?

B. (134.14-138)

1. ¿Cuál es la diferencia básica entre lo del* gato y lo ocurrido en el túnel?
2. ¿Qué era preciso* hacer?
3. ¿De quién fué la idea?
4. ¿Qué detalle descuidaron?
5. ¿Quién tuvo ganas de* toser primero?
6. ¿Por qué cedieron las risas instantáneamente?
7. ¿Dónde estaban los calzones?
8. ¿Por qué escandalizaron al pueblo?
9. ¿Qué castigo les impuso el maestro?

STUDY LIST

en seguida	at once, immediately 129.10
en cuanto	as soon as 130.2
aprovechar(se de)	to take advantage of 130.2-3
ser de	to belong to (*also*, to be from) 130.9
(vamos) a ver	let's see 130.12-13
valer la pena	to be worth while 131.7-8
echar(se) a	to begin to 132.14
detenerse	to stop 132.24
cuanto antes	as soon as possible 134.9
lo de	the business of 134.14
ser preciso	to be necessary 136.4
tener ganas de	to feel like, want to 137.16-17
¡claro!	of course 138.22

XV

QUESTIONS

A. (140-144.21)

1. ¿Qué llevaba* diez años diciendo don Moisés?
2. ¿Es lo mismo un maestro que un quesero o un herrero? ¿Por qué?
3. ¿Qué pasó entre Camila y don Moisés?
4. ¿Cuándo expuso Roque sus proyectos a Daniel? ¿Qué eran éstos?
5. ¿Por qué quiere el Moñigo que se casen la Sara y el Peón?
6. ¿Es guapa la hermana del Moñigo?
7. Refiera Ud. el proyecto del Mochuelo.
8. ¿Cómo saben que el Peón quemará la carta?
9. ¿Quién escribió la carta? ¿Qué decía?

B. (144.22-150)

1. ¿Qué estaba haciendo la Sara cuando Daniel y el Tiñoso llegaron?
2. ¿Por qué respondía el Moñigo atropelladamente?
3. ¿Dónde están los niños durante la escena que sigue?
4. ¿Qué es lo primero que dijo el maestro al ver a la Sara?
5. ¿Se había puesto de acuerdo* la gente del pueblo sobre quién era el que mejor hablaba?
6. ¿Qué hizo después don Moisés para que se le pusiera roja la cara a la Sara?
7. ¿Por qué quería la Sara recordar algo bonito que decir?
8. ¿Se figura* Ud. el motivo por el que el Moñigo sintió deseos de arrojar un ladrillo a su hermana?
9. ¿Se hicieron novios pronto la Sara y don Moisés? ¿Cuánto tiempo lo fueron?
10. ¿Cambió la situación del Moñigo en la escuela? ¿Y la de Daniel?
11. ¿Qué pasó el día de Nochebuena?

STUDY LIST

llevar . . . años	to spend, be . . . years 140.2-3
decir que sí, que no	to say yes, no 141.6
en tanto	while 141.15
parecerse	to resemble each other 141.26
figurarse	to imagine 142.2
hace . . . años que + *pres. ind.*	has been ——ing for . . . years 142.14
¡qué va!	of course not 142.20
tener miedo de	to be afraid of 143.21
de otro modo	otherwise 144.7-8
¡ojo!	be careful 145.25
ponerse de acuerdo	to come to an agreement 146.22-23
hacerse	to become 149.22

XVI

QUESTIONS

A. (151-155.23)

1. ¿Cómo era el estilo oratorio de don José?
2. ¿Le hacían mucho caso* durante el sermón?
3. ¿Qué decían los detractores de don José?
4. Y Daniel, ¿qué pensaba?
5. ¿Qué aseguraba la Guindilla mayor?
6. ¿Cuál era la opinión de don Ramón sobre la gente del valle?
7. ¿De qué se preocupaban* más?
8. El día que don José se rasgó la sotana, ¿qué dijo?
9. ¿Qué se decidió hacer?
10. ¿Por qué saltó la Guindilla como si la pinchasen?

B. (155.24-160)

1. ¿Qué llevará a cabo* la comisión?
2. ¿Dónde se reunían* para el cine?
3. ¿Tuvo éxito*?
4. Cuando una tarde se dió la luz, ¿qué pasó?
5. ¿Cómo tuvo lugar la segunda crisis?
6. ¿Por qué quemaron el proyector?
7. ¿Qué hizo la Guindilla mayor?
8. ¿Tienen razón los mozos al querer castigar a la Guindilla? ¿Por qué?
9. ¿Quién la salvó?
10. Antes de echar a correr carretera adelante*, ¿qué hizo la Guindilla?

STUDY LIST

de arriba abajo	from top to bottom 151.6
hacer caso	to pay attention 151.8-9
por lo tanto	therefore 151.12
preocuparse de	to worry (about) 152.18-19
llevar a cabo	to carry out 155.25-26
el éxito	success 156.3
apenas	hardly 156.3
por otro lado	on the other hand 156.13
hay que	it is necessary 156.21
reunirse	to meet 157.31
dejar caer	to drop 159.16
carretera adelante	on down the highway 160.11

XVII

QUESTIONS

A. (161-166.27)

1. ¿Qué es lo que no le perdonaba Daniel a la Guindilla?
2. ¿Por qué?
3. ¿Cuántos niños formaban parte del coro al principio?
4. ¿Qué le dijo la Guindilla a Roque al poco rato*?
5. ¿Fueron excluídos Germán y Daniel?
6. ¿Cuántos niños quedaron?
7. Describa lo ocurrido a la salida.
8. ¿Por qué se detuvo en seco la Guindilla al día siguiente?
9. ¿Estaba contento Daniel el día de la Virgen por más que* tuviese que cantar en el coro?

B. (166.28-174)

1. ¿Qué hizo Daniel instintivamente mientras escuchaba el sermón?
2. Resuma Ud. el sermón de don José.
3. Daniel recibió dos obsequios por haber cantado, ¿cuáles fueron?
4. ¿Estába sola la Mica?
5. ¿A dónde fué Daniel por la tarde?
6. ¿Qué había en el centro del prado?
7. ¿Cree Ud. que Daniel subió sólo por el dinero?
8. ¿Quién gritó?
9. ¿Quién corrió hacia él?
10. De regreso a casa, ¿estaba triste Daniel?

STUDY LIST

por encima de	over 161.15
por su lado	on his own 161.19
al poco rato	after a little while 162.11

a estas alturas	at this stage 163.7
por lo bajo	secretly 163.19-20
llamar la atención	to scold 163.21.22
a lo lejos	at a distance 165.25
de ordinario	ordinarily 165.26
por más que	however much, although 166.4
guardar	to put away 170.1
cogerse de las manos	to take each other's hands 170.14-15
tratar de tú	to be on intimate terms with, i.e., to address with **tú** 172.9

XVIII

QUESTIONS

A. (175-179.2)

1. Explique la relación entre el amor de la Guindilla y su « celo moralizador ».
2. ¿Supo pronto la gente del pueblo que existían estos amores?
3. ¿Había pensado Quino en la Guindilla antes del incidente?
4. ¿De qué carecía* Quino que la Guindilla poseía?
5. Bien mirado*, ¿se puede decir que Quino sólo tenía propósitos egoístas?
6. ¿Qué hizo Quino para expresar su amor a la Guindilla?
7. ¿Qué es lo que puede más que* la Guindilla?
8. Resuma la conversación entre las dos hermanas.
9. ¿Hubo una gran reacción en el pueblo?

B. (179.3-184)

1. ¿Cuántos años le lleva la Guindilla a Quino?
2. Cuando la Guindilla mayor le dice a su hermana que está decidida a casarse, ¿qué le pasa a ésta?
3. ¿Quién hizo de* madrina de boda?

4. ¿Causó esto algún cambio en Daniel?
5. ¿De qué se dió cuenta Daniel después de la conversación con la Uca-uca?
6. ¿Qué sucedió el día de la boda?
7. Cuando los hombres regresaron, ¿qué hizo la Guindilla mayor?
8. ¿Por qué lloró Quino?

STUDY LIST

a la postre	at last, finally 175.16
carecer de	to lack 175.21
bien mirado	thinking it over carefully 176.1
al parecer	apparently 176.4
dar(se) en	to take to 176.19
no poder menos (de)	not to be able to help 177.6
poder más que	to be stronger than 177.19
parece mentira	it seems impossible 178.2
tener vergüenza	to be ashamed 178.12
hacer de	to act as 180.5
de todos modos	in any case 180.10
no pasarlo mal	not to have a bad time 183.2-3. *Note also* **pasarlo bien** *means* "to have a good time"

XIX

QUESTIONS

A. (185-189)

1. ¿En qué llevó Daniel la contraria* a Germán?
2. ¿Por qué se pusieron de pie*?
3. ¿Qué le sucedió a Germán?
4. ¿Qué hicieron los otros dos niños?

5. ¿Qué dijo el médico?
6. Después del accidente, ¿cuántas horas vivió Germán?
7. ¿A dónde encargaron la corona los niños? ¿Quién les dijo que la encargaran?
8. ¿Por qué se puso más triste Daniel?
9. ¿Qué hicieron los hermanos de Germán?
10. ¿De qué no se daba cuenta el padre del Mochuelo?

B. (190-195)

1. ¿Dónde pasó la noche Daniel?
2. ¿Qué pensaba?
3. ¿A dónde se dirigió* por la mañana temprano?
4. ¿Qué hizo Daniel al volver?
5. ¿Qué había hecho el hermano de Germán con la corona?
6. ¿Qué vió Tomás junto al* cadáver de su hermano?
7. ¿Quién lo había puesto allí?
8. Relate la escena que siguió.
9. ¿Cree Ud. que don José sospecha quién puede ser el autor del « milagro »?

STUDY LIST

llevar la contraria	to oppose 185.16
incorporarse	to sit up 185.17
más allá de	beyond 185.19-20
ponerse en (de) pie	to stand up 186.4
dejar paso a	to let go through, by 186.30
servir de	to serve as 187.12
en adelante	in the future 190.3
a la vez	at the same time 190.12
dirigirse a	to turn to, go to, address 190.27
en voz baja	in a low voice 192.24
junto a	next to 192.31
en alta voz	aloud 194.1

XX

QUESTIONS

A. (196-198.21)

1. Explique Ud. cómo es el lenguaje de las campanas.
2. ¿Qué relación observa Daniel entre las campanas y su corazón?
3. ¿Cómo sonaban el día de la Patrona?
4. Y durante la guerra, ¿sonaban lo mismo que* el día de la Patrona?
5. ¿Cómo sonaban ahora, después de la muerte del Tiñoso?
6. ¿Qué se le antojaba a* Daniel que era él?
7. ¿En qué consistía aquella sensación angustiosa?
8. ¿Qué tenía Daniel en el bolsillo? ¿Para qué lo quería?
9. Describa el cementerio.

B. (198.22-202)

1. ¿Por qué se volvió el Mochuelo?
2. ¿Qué le hubiera gustado?
3. ¿Qué experimentó Daniel?
4. ¿Para qué extendió Trino la arpillera?
5. ¿Qué hizo la gente que estaba en derredor*?
6. ¿Qué lucha interior sostuvo Daniel?
7. ¿Qué hizo de improviso* con la moneda?
8. Luego de* concluir don José, ¿para qué se apróximó a la tumba Daniel?
9. ¿Quién estaba con él?

STUDY LIST

tener cuidado	to be careful 196.12
antojársele a uno	to take a notion, take it into one's head 197.10
lo mismo que	the same as 197.12

el suceso	happening, event 197.25
por lo demás	furthermore 198.13
en derredor de	around 198.17-18
darle a uno la razón	to agree with 199.9
sin querer	unwillingly 200.11-12
de improviso	unexpectedly, suddenly 200.20-21
lo alto	top 200.31
lo hondo	depth, bottom 202.6
luego de	after 202.14

XXI

QUESTIONS

A. (203-206.2)

1. Describa la escena inicial del capítulo.
2. ¿Había dormido bien Daniel?
3. ¿Qué comprendía Daniel?
4. ¿Cuándo saldría del valle?
5. ¿Qué estación del año era?
6. ¿Le importaba más el progreso que otras cosas? ¿Cuáles eran éstas?
7. ¿Cuándo le llega al hombre el poder de decisión?
8. ¿Por qué no decidía el Mochuelo ahora?
9. ¿Para qué habían recorrido el pueblo juntos Daniel y su padre?
10. ¿Cómo se mostraban todos?

B. (206.3-210)

1. ¿Se alegró la Guindilla mayor? ¿Qué le dijo a Daniel?
2. ¿Y Quino, el Manco?
3. ¿Por qué se irritó Pancho?
4. ¿Qué le dijo el Peón?

5. Dé Ud. una idea de lo que le dijo don José y de lo que sintió Daniel.
6. ¿Se puso triste al pensar en la Mica?
7. ¿Se despidió* de Roque? ¿Por qué?
8. ¿Qué oyó el Mochuelo desde su cama?
9. Cuando se asomó* a la ventana, ¿quién estaba abajo?
10. ¿Qué le dijo a la niña?
11. ¿Por qué se retiró de la ventana?

STUDY LIST

en torno a	around 203.1
hacerse la luz	to become light 203.1
venir bien	to fit, suit 206.5
¡Quién —ra *subj.*	I wish I . . . 206.17
a fuerza de	by dint of 207.6
despedirse de	to take leave of 207.10
advertirse a la legua	to be obvious 207.14
a su vuelta	on one's return 207.24
querer *in pret.*	to try 207.32
desgraciado	unhappy 208.4-5
dar media vuelta	to turn half way 208.13
asomarse a	to look out over, to show oneself in 208.22

Vocabulario

The vocabulary omits adverbs which are regularly formed with *-mente* on the basis of adjectives appearing in the vocabulary and regularly translated by adding *-ly* to the English adjective, e.g., *fácilmente* easily.

Any word which is exactly the same in spelling and meaning in both languages is omitted, e.g., *artificial.*

Exact cognates and easily recognizable diminutives or augmentatives which are translated by "little" or "big" are omitted. The past participles have no separate listings unless the translation is not the equivalent English past participle. Adjectives used as nouns (*el rico*, *la rica*, *los ricos*, *las ricas*) are not listed separately unless its translation presents special problems. The idioms and special phrases are listed under the essential and difficult words.

ABBREVIATIONS

adj.	adjective	*inf.*	infinitive
adv.	adverb	*m.*	masculine
aer.	aeronautics	*mus.*	music
anat.	anatomy	*n.*	neuter
art.	article	*obj.*	object
bot.	botany	*orn.*	ornithology
coll.	colloquial	*past part.*	past participle
com.	commerce	*pl.*	plural
comp.	compare	*pr.*	pronoun
dir.	direct	*pres. ind.*	present indicative
ecc.	ecclesiastical	*pres. part.*	present participle
e.g.	for example	*pret.*	preterite
f.	feminine	*s.*	singular
fig.	figurative	*subj.*	subjunctive
ind.	indirect	*transl.*	translation

A

a at, to, in, on, by, with, after, from; *used to indicate direct object or before infinitive and not translated;* **—** + *inf.* let's; **oler —** smell of, like; **sonar —** sound like; **— los . . . meses de** months after; **al** + *inf.* upon + *pres. part.* when + *pres. part.;* **al día siguiente** on the following day, until the following day

abajo low, below, downstairs; **más —** further down; **boca —** face down; **escalera —** down the stairs; **río —** down river; **varga —** down the slope; **pendiente —** down hill; **hacia —** down; **allí —** down there

abandonar to leave, abandon

abarcarse to be encompassed, to have limits

el **abasto: dar — a** to be enough, sufficient

abatido abject, downcast, knocked down

abatir to knock down

abierto *past. part. of* **abrir;** open

ablandarse to soften

abobado stupid

abochornar to make blush, shame

abofetear to slap in the face

el **abogado** lawyer

abonar to pay

abordar approach

aborrecer to abhor, detest

abrasar to set afire

abrazarse (a) to embrace

abreviar to cut short

abrir to open, open up; **—le a uno el alma en canal** to cut one's heart out

abrumar to overwhelm

abrupto, -a steep

absoluto, -a absolute; **en —** absolutely

absolver (ue) to absolve

absorbente absorbing

abstemio, -a abstemious

abstenerse de to abstain from

abstruso, -a abstruse, difficult to understand

absurdo, -a absurd

la **abuela** grandmother

abultado, -a massive, bulky

abultarse to enlarge, grow large

la **abundancia** abundance

abundante abundant

abusar de to abuse

el **abuso** abuse

acabar to finish, end up by; **—se** to be through, to come to an end; **— de** to have just

acaecer to happen, occur

acalorado, -a hot

acalorar to warm, heat

acallar to silence, quiet

acampar to encamp

acariciar to cherish, caress

acarrear to cause, entail

acartonado, -a like cardboard

acaso perhaps; **por si —** just in case, in case

acatar to respect, hold in awe

acceder to agree

el **acceso** attack

accidentado, -a rugged, with many ups and downs and curves

el **accidente** accident
accionar to act, gesticulate
el **acebo** holly
acechante watchful, with expectation
acechar to watch, be on watch, spy on
aceleradamente hastily, hurriedly
acelerarse to accelerate
el **acento** accent, tone
la **acentuación** accentuation
acentuar to exaggerate, accentuate
aceptar to accept
acerbo, -a bitter, sharp
acercar to bring near; **—se a** to approach
acertar (ie) to succeed; **— a** to succeed in, hit upon
el **ácido** acid, "acid stomach"
la **acitara** railing
aclarar to explain, clear up
acodado leaning on one's elbows
acodarse to lean on one's elbows
acogedor, -a welcoming
acoger to receive
acometer to attack, undertake
acomodado, -a settled down
acomodar to accomodate, suit
acompañar to accompany
acompasado, -a rhythmic, slow
acongojado, -a in distress
acongojar to distress
acontecer to happen
el **acontecimiento** event
acorcharse to get numb
acordar (ue) to agree; **—se** to be agreed; **—se de** to remember
acostar (ue) to put to bed; **—se** to go to bed
acostumbrado, -a usual
acostumbrar to be accustomed to, used to
acrecer to increase
acremente severely
la **acritud** acrimony
acrobático, -a acrobatic
la **actitud** attitude
activar to put into operation
activo, -a active
el **acto** act; **un — de contrición** act of contrition, a short prayer
la **actriz** actress
actual present-day
actuar to perform, act
acuciante goading, prodding
acuciar to spur, prod
acudir (a) to come to, come up
el **acuerdo** agreement; **de —** agreed; **ponerse de —** to come to an agreement
acumular to accumulate
acuoso, -a watery
acurrucarse to huddle
acusado, -a marked
acusador, -a accusing
acusar to acknowledge; **—se de** to confess
achacable ascribable
achacoso, -a ailing
adecuado, -a fitting
adelantar to move forward, advance; **—se** to move forward; **—se a** to outstrip
adelante forward; **carretera —** along, on down the highway; **en —** in the future
adelgazar to lose (weight)
el **ademán** gesture, attitude
además besides; **— de** besides, in addition to

adentrarse to come in
adherirse a (ie) to adhere to
adiós goodbye
adivinar to guess, anticipate, divine, find out
el **adjectivo** adjective
administrar administer
la **admiración** admiration
admirado, -a admiring
admirar to admire
admitir to admit, accept
la **admonición** admonition
la **adobadera** brick-form cheese mold
el **adoquín** hard candy, jaw breaker
adoptar to adopt, assume
adormilado dozing
adosado, -a set against
adquirir to acquire
adrede on purpose
aducir to add, adduce
adueñarse de to take possession of
adujo *pret.* **aducir**
adusto, -a solemn, grim, gloomy
adversario enemy, opposing
el **adversario** enemy, opponent
la **advertencia** remark, warning
advertir (ie) to point out, warn, notice; **—se a la legua** to be obvious
el **afán** labor, hard work, anxiety, eagerness, longing
afanado, -a busy
afanarse: — en to be busy with; **— por** to strive to
afanosamente laboriously, working hard
afanoso, -a hard
afectar to affect
el **afecto** affection
afectuoso, -a affectionate
afeitar to shave, trim
aferrar to grasp
afianzar to back, vouch for
la **afición** fondness, affection
aficionado, -a fond
alfiado, -a thin, sharp, sharp-pointed
afilar to sharpen; **—se** to sharpen
afinar to be more precise, go a little deeper
la **afinidad** affinity
la **afirmación** affirmation
afirmar to affirm
afrentar to affront, offend
agachar to lower, bow; **—se** to bend over
agarrado, -a clutching
agarrar to grab, grasp, hang on; **—se a** to seize
agarrotado, -a numbed, stiffened
agarrotar to bind
agazapar to crouch
agigantarse to become huge
agitado, -a excited
agitar to wave; **—se** to get excited
la **aglomeración** mass, agglomeration
agobiar to weigh down
la **agonía** agony, death struggle
el **agosto** August
agradable agreeable
agradar to be pleasing to
agradecer to be grateful, thankful (for)
agradecido, -a grateful
agrandar to enlarge
agredir to attack
agregar to add
agresivo, -a aggressive
agresor, -a aggressive
agriar to sour
agrio, -a sour, acrid

el **agua** *f.* water; **disolverse en — de borrajas** to come to nothing
aguantar to bear, stand, hold up, support, endure
aguardar to wait, wait for
el **aguardiente** crude type of brandy
agudo, -a sharp, acute, high
la **aguja** needle
agujereado, -a full of holes
agujerear to pierce
el **agujero** hole
ahí there; **¡— era nada!** it was no small thing!
ahilado, -a light, sharp
el **ahinco** zeal
ahito, -a full, stuffed
ahogado, -a choking, stifled
ahogarse to suffocate, drown, be drowned
el **ahogo** shortness of breath; **en pleno — ascendente** right as they puffed up-grade
ahora now
ahorrar to save
el **ahorro** saving
ahuecar to make deep (voice)
airado, -a angry
el **aire** air; **al — libre** in the open air; **al —** into the air; **no supo de qué lado le daba el —** he did not know whether he was coming or going
aislar to isolate
ajeno, -a other people's
ajustarse a to fit
al *contraction* of **a** + **el; —** + *inf.* on, upon, when + *pres. part.*
el **ala** *f.* wing
alabar to praise
el **alambre** wire
el **alarde** display
alargado, -a long
el **alarido** yell, howl
la **alarma** alarm
alarmante alarming
el **alba** *f.* dawn
el **albedrío** free will
los **albores** dawn, beginning
alborozado, -a overjoyed
el **alborozo** joy, merriment
el **alcalde** mayor
el **alcance** coverage; **al — de la mano** within reach
alcanzar to reach
la **alcoba** bedroom
la **aldea** village
ale come on, get going
alegrarse de, con be glad of
alegre glad, gay, joyful
la **alegría** gaiety
alejarse to move away
alelado, -a dumbfounded, stunned
la **aleta** wing, fender
aletear to flutter its wings
la **aletilla: — de la nariz** nostrils
el **alféizar** embrasure, window recess
el **alfiler** pin
la **algarabía** uproar, din
algo something, somewhat; **— así como si** somewhat as if; **— así como** something like, something such as
alguien somebody
algún *see* **alguno; — que otro** some . . . or other
alguno, -a some, a, an, an occasional, some . . . or other, any anyone
la **alianza** wedding ring (worn on right hand in Spain)
el **aliento** breath, spirit
aligerar to ease
el **alimento** food

aliviar to soothe
el **alma** *f.* soul, heart; **abrirle a uno el . . . en canal** to cut one's heart out
almacenar to store up
la **almadreña** wooden shoe
la **almohada** pillow
el **alquiler** rent
alrededor de around
los **alrededores** environs, vicinity
alterar to alter
alto high, lofty, tall, upper; **en lo —** upstairs, up above; **lo —** the top, up high; **en —** high, in the air; **la alta noche** in the middle of the night; **a lo —** up high; **en alta voz** aloud
la **altura** height, loftiness; **a estas alturas** at this stage
aludir to allude
el **alumbramiento** birth
alumbrar to give birth to
el **alumno** pupil, student
alzar to raise; **—se** to rise
allá there; **más — de** beyond; **más —** further on, beyond
allí there
el **ama** *f.* housekeeper
amable amiable
amar to love
amargar to embitter, spoil
amarrar to tie up, down, tie
la **ambición** ambition
el **ambiente** atmosphere
el **ámbito** limits
ambos, -as both
la **ambulancia** ambulancia
amedrentador, -a frightening
el **amedrentamiento** fright
amedrentar to frighten
la **amenaza** threat, menace
amenazador, -a menacing
amenazar to threaten, menace
la **amiga** friend
amigo, -a (de) friendly (to, with)
el **amigo** friend
la **amistad** friendship; **hacer —** to become friends
amistoso, -a friendly
amodorrado, -a drowsy
la **amonestación** admonishment, reading of the banns, the banns (announcement in church of impending marriage, usually on three consecutive Sundays before ceremony)
amontonarse to pile up
el **amor** love; **los amores** love affair; **por — de Dios** for goodness' sake
amoratado, -a purplish
amoratar to turn purple
amoroso, -a loving
amortajar to lay out, shroud
amortiguar to deaden, lessen, muffle
el **amparo** protection, shelter
amplio, -a ample, great
el **amuleto** amulet, charm
el **análisis** analysis
analizar to analyze
anciano, -a old
el **anciano** old man
ancho, -a wide, broad
la **anchura: de —** wide
andar to go, go on, walk, be, go around, move, run; **— por** to care for; **anda ésta** listen to this one
las **andas** litter, portable patform
el **andén** railway platform
Andrés Andrew

anegar to flood, overwhelm
anexo, -a annexed, next
el **ángel** angel
Ángel proper name
el **ángulo** angle, perspective
la **angustia** anguish, affliction
angustiar to distress
angustioso, -a afflicted, anguished
anhelante eager, panting
el **anhelo** yearning, longing
el **ánima** *f.* soul; **el día de las Ánimas Benditas** All Souls' Day
animado, -a excited
el **animal** animal, brute
animar to encourage; **—se** to cheer up
el **ánimo** mind, spirit
anoche last night
anochecer to grow dark
el **anochecer** dusk
la **anochecida** nightfall
anonadar to overwhelm
anormal abnormal
el ansia *f.* anxiety
ansiar to long for, yearn
la **ansiedad** anxiety
ansiosamente anxiously
ante before, in front of, in view of
anteanoche night before last
el **antebrazo** forearm
antemano: de — beforehand
el **antepasado** ancestor
anteponer to prefer
antes before, rather; **— de** before; **— bien** rather; **— (de) que** before, rather than
anticipar to anticipate
antiguo, -a old, former
la **antipatía** dislike, antipathy
antipático, -a disagreeable
la **antítesis** antithesis
antojarse: —le a uno to seem to one, for one to take a notion, to take it into one's head
el **antojo** passing fancy, whim
Antonino Anthony
Antonio Anthony
anudar to tie, knot; **— una toalla a** to wrap a towel around
anular: el dedo — ring finger
anunciar to announce
la **añadidura** addition; **por —** in addition, besides
añadir to add
el **añil** bluing
el **año** year; **años** age; **tener . . . años, ser de . . . años** to be . . . years old; **tener nueve años para diez** to be nine years old, going on ten; **a los . . . años** when . . . years old; **con sus . . . años** . . . years old; *see* **cumplir, llevar, contar**
añoso, -a old
apaciguar to pacify, calm
apagado, -a dull
apagar to put out; **—se** to go out, die away
apalear to beat, thrash
el **aparato** apparatus, appliance; **el — de cine, el — proyector** movie projector; **el — de radio** radio
aparatosamente in a spectacular fashion
aparatoso, -a showy
aparecer to appear, show up
aparentar to seem, appear, pretend
aparente apparent
la **aparición** apparition, appearance

la **apariencia** appearance
apartado, -a separated, to one side
apartar to move away; **—se (de)** to move away (from)
aparte (de) aside from
apasionado, -a passionate
el **apasionamiento** passion
la **apatía** apathy
apear to dissuade; **—se** to get down off, get off
apelar to have recourse to
apelmazado, -a compact, heavy
el **apellido** name, family name
apenas hardly, as soon as
apestar to stink
la **apetencia** appetite
el **apetito (de)** appetite (for)
apetitoso, -a appetizing, tasty
apilar to pile up
apiñarse to crowd
aplanar to overwhelm
aplastar to flatten
el **aplauso** applause
aplicar to apply
el **aplomo** self-possession, aplomb
apodar to nickname
el **apodo** nickname
apolillado, -a moth-eaten
aportar to bring
el **apóstol** apostle
apoyar to support, rest; **—se** to lean
apreciable estimable
apremiante urgent
aprender to learn
la **aprensión** apprehension
apresar to seize
aprestar to prepare
apresuradamente hastily
apresurarse to hurry
apretado, -a thick, tightly packed
apretar (ie) to squeeze, press
apretujar to squeeze
aprisa quickly
aprobar (ue) to approve
apropiado, -a appropriate
aprovechar to take advantage of
aproximarse to approach
apuesto, -a elegant
apuntar to point out, aim at
el **apunte** note
aquejar to afflict
aquel, -lla that
aquél,-lla that one, the former
aquello that, that thing; **— de** that matter of, that business of
aquí here; **de — que** hence; **a partir de —** from then on
arañar to scratch
el **árbol** tree
arcaico, -a archaic
el **arcón** chest
ardiente passionate
el **ardite: no importarle un —** not to give a hang for
el **ardor** ardor, heat, courage
ardoroso, -a burning, enthusiastic
arduo, -a hard, arduous
argüir to argue
argumentar to argue
el **arma** *f.* weapon
armar to stir up, cause, set up
la **armonía** harmony
armónico, -a harmonic
el **armonio** harmonium
el **aro** hoop
aromático, -a aromatic
la **arpillera** burlap
arrancar de to snatch from, pull out from
el **arranque** impulse

arrasar to demolish, rase
arrastrado, -a dragging
arrastrar to drag
arrebatar to snatch, carry off
el **arrebato** rage
arreglar to fix up
arremeter contra to attack
el **arrepentido** penitent
arrepentirse de (ie) to repent
el **arrepentimiento** repentance
arriar to lower (a flag)
arriba up, upstairs; **de —** (a) **abajo** from top to bottom; **boca —** face up; **varga —** up the slope; **río —** up river; **vía —** up the track; **patas —** upside down
arribar to arrive
el **arriendo: tomar en —** to rent
arriesgado, -a risky
arriesgarse to take a risk; **— a** + *inf.* to risk + *pres. part.*
arrimarse (a) to move toward, move close to, depend on
el **arrobo** ecstacy
arrojar to throw
arropar to wrap
el **arroz** rice
arrufar to wrinkle
la **arruga** wrinkle
arrugar to wrinkle
arrullar to lull to sleep, coo; **—se** to court, woo
el **arrumaco** caress
el **artefacto** contrivance, artifact
articular to articulate
el **artificio** artifice
asaltar to attack
el **asalto** assault, attack
asar to roast
ascendente ascending; **el rápido —** "up" train
ascender (ie) to rise, go up
el **asco** disgust
el **ascua** *f.* ember
asegurar to assert, guarantee, be sure of; **—se** to make sure of
asemejar to resemble
asentarse (ie) to settle
asentir (ie) to assent, agree
el **asesino** murderer
asfaltar to asphalt
el **asfalto** asphalt
asfixiar to asphyxiate
así thus, so, like that; **— de** so; **algo — como** something like; **— y todo** in spite of this; **una cosa —** such a thing; **— (es) que** so; **¡—!** there!
la **asiduidad** frequency, persistence
asignar to assign
asimilar to assimilate
asirse a to grasp
asistir a to attend, be present (at); **—le a uno la razón** to be (in the) right
el **asma** *f.* asthma
la **asociación** association
asomar to stick out, appear, show; **—se a** to show yourself in, lean out, over, look out over
asombrar to surprise
el **asombro** astonishment
el **asomo** trace
el **aspaviento** fuss, gesture, excitement
el **aspecto** aspect, appearance; **en este —** in this respect
áspero, -a rough, harsh

la **aspiración** aspiration
aspirar to aspire; **— a** to aspire
asqueroso, -a disgusting
el **asta** *f.* horn
la **astilla** chip; *see* **palo**
la **astucia** cunning
asumir to assume, take on
el **asunto** business, matter; **— concluído** that's that
asustar to frighten, startle; **—se** to be frightened
atacar to attack
atajar to interrupt
atañer to concern
el **ataque** attack; **entrarle, darle a uno un — de nervios** to have a nervous spell, hysterics
atar to tie
atarantarse to be stunned, paralyzed
el **atardecer** late afternoon
el **ataúd** coffin
atemorizar to frighten
la **atención** attention; **en — a** for, specially for; **en — a que** in view of the fact that
atender to take care of
atento, -a attentive
atisbar to observe
la **atmósfera** atmosphere
atmosférico, -a atmospheric
atónito, -a overwhelmed, aghast
atormentar to torment
atosigar to harrass
la **atracción** attraction
atractivo, -a attractive
el **atractivo** attraction
atraer to attract
atrapar to catch, trap
atrás back, previously, before; **lo de —** the back part
atravesar (ie) to cross, stick (as a bone in the throat), pierce
atreverse to dare
la **atribución** power (of office)
atribuir to attribute
atribular to grieve
el **atrio** atrium, space at entrance to church
atropellado, -a hasty
atroz huge (*coll.*)
aturdido, -a bewildered, confused
aturdir to bewilder
el **auditorio** audience
aullar to howl
aumentar to increase, augment
el **aumento: ir en —** to be on the increase, to increase
aún, aun yet, still, even; **mejor —** to be more exact
aunque although, even though
Aurelio Aurelius
la **ausencia** absence
ausentarse de to be absent from
ausente absent
el **auto** automobile, car
el **autobús** bus
autoconvencerse to convince oneself, talk oneself into
el **automóvil** automobile
la **autonomía** autonomy, independence
el **autor** author
la **autoridad** authority
autoritario, -a authoritarian
autorizar (a) to authorize
avanzar to advance
la **avaricia** avarice
Ave Hail
el **ave** *f.* bird
avecinarse to approach
la **avellana** hazel-nut, filbert

avenirse a to agree to, be reconciled to
aventajar to excel
la **aventura** adventure
aventurar to hazard
avergonzado, -a ashamed
avergonzarse (ue) to be ashamed
averiguar to find out
la **aversión** aversion
la **aviación** aviation, planes
el **aviador** aviator
aviado, -a: estar aviados to be in a mess; to get ready
aviarse to get ready
la **avidez** eagerness; **con —** avidly, eagerly
ávido, -a avid
el **avión** airplane
avisar to warn, inform
avivar to revive, arouse
la **axila** axilla, arm pit; **por las axilas** under the arms
el **ay** sigh
ayer yesterday
ayudar to help
el **ayuntamiento** town hall, town council, joining
el **azar** chance
azorar to excite, disturb; **—se** to get excited
el **azúcar** sugar
azul blue
azulado, -a bluish

B

la **baba** dribble, slobber; **caérsele a uno la —** to drool, slobber
el **bacilo** bacillus
el **bache** hole, rut
el **Bachillerato** bachelor's degree, secondary education
la **badana** leather
¡bah! bah!
bailar to dance
el **baile** dance
bajar to come down, go down, let down, lower
bajo under, beneath, in, with
bajo, -a low, lower; **por lo —** secretly
la **bala** bullet
balbucear to stammer
balbuciente stammering
el **balcón** balcony, large window with balcony
balde: en — in vain
el **baldón** insult
el **banco** bench, bank, school (of fish)
la **banda** edge, side
la **bandera** flag
el **bandolero** bandit
la **banqueta** stool
bañarse to bathe
la **bañera** bathtub
el **baño** bath, bathing, swim
barato, -a cheap
la **barba** chin
barbado, -a *see* **maizal**
bárbaro, -a barbarous
la **barbilla** chin
barbudo, -a bearded
el **barco** boat
el **bardal** thatched wall
barnizar to varnish
la **barriga** belly
el **barril** barrel
el **barrio** neighborhood; **el otro —** the other world
el **barro** clay
barruntar to conjecture, guess, detect
la **base** basis, base
la **Basi** *nickname for* **Basilia**
básico, -a basic
bastante enough

bastar (con) to be enough; **—se por sí solo** to be sufficient to oneself, be self-sufficient
basto, -a coarse, rough
la **batida: darles —** to beat them out into the open, go hunting (in a group) for
el **bautismo** baptism
bautizar to baptize
el **bazar** store, notion shop
beber to drink; **—se** to drink up
el **bedel** school employee (charged with maintaining order in halls, announcing end of class, etc.)
la **belleza** beauty
bendecir to bless
bendito saintly, blessed, holy
el **beneficio: en — de** for, to the benefit of
berrear to bellow
besar to kiss
el **beso** kiss
la **bestia** beast
el **biberón** nursing bottle
el **bíceps** biceps
el **bicho** stupid animal, creature (*coll.*)
bien well, all right, good, right, proper, very, properly, correctly, indeed; **o —** or; **— hombre** *see* **hombre; sacar con —** to pull out intact
el **bien** good; **para — o para mal** for good or for evil; **que sea para tu —** good luck, best wishes
la bienvenida welcome; **darle a uno la —** to welcome
bienvenido, -a welcome
el **bigote** mustache
la **bilis: tragar —** to swallow one's anger
el **billete** bill; **un — de cien** a hundred peseta note
el **bisturí** sharp-pointed surgical knife
el **Bizco** Squinty, Cross-eyed
blanco, -a white; **poner los ojos en —** to roll one's eyes back
el **blanco** target
blandir to brandish, wave
blando, -a bland, soft, gentle
blanquear to white-wash
blanquecino, -a whitish
la **blasfemia** blasphemy
la **bobada** foolish thing
bobalicón, -a silly
bobo, -a stupid, foolish
la **boca** mouth; **— abajo** face down; **— arriba** face up
la **bocaza** big mouth
la **boda**, las **bodas** wedding
la **bofetada** slap in the face
la **boina** beret
la **bolera** bowling alley
el **bolo** bowling pin; **los bolos** bowling; *see* **corro de bolos**
el **bolsillo** pocket
la **bomba** bomb
el **bombardeo** bombing
la **bombilla** light bulb
el **bombón** candy
bonito, -a fine, pretty
la **boñiga** cow dung
el **boñigazo: a — limpio** in a good clean fight with cow dung
boquiabierto, -a open-mouthed
borbotear to bubble, boil
el **borbotón** bubbling, bubble
el **borde** edge
la **borrachera** drunken carousing, spree

borracho, -a drunk, drunken
el **borracho** drunkard
la **borraja** borage; **disolverse en agua de borrajas** to come to nothing
borrar to erase, blot out
la **boruga** curds sweetened with sugar
el **bosque** woods, forest
la **bota** leather wine bag, boot
el **bote** can
la **botella** bottle
la **botica** drug store
el **boticario** druggist
la **bóveda** vault, dome
el **boxeador** boxer
bracear to struggle
el **bracero** day laborer
el **bracito** little arm
la **braga** panties (women's underwear)
el **bragazas** weakling, coward
bravío, -a wild
bravo, -a: ¡bravo! bravo, good
la **brazada** armful
el **brazo** arm; **al —** in one's arm; **no dar uno su — a torcer** to stand one's ground
breve brief, short
la **brevedad** brevity, short length
el **breviario** breviary
brillante brilliant, shining
brillar to shine
el **brinco: de un —** with a leap
la **brisa** breeze
la **broma** joke; **decir en —** to say jokingly; **por —** as a joke
brotar to spring forth, burst
bruces: de — face down
la **bruja** witch; **cosa de brujas** witchcraft
la **bruma** fog, mist
brusco, -a rough, brusque
el **bruto** brute, ignoramus
el **Buche** nickname (el **buche** crop [of bird])
buen *see* **bueno**
bueno, -a good; **bueno** well, that's it; **de buenas a primeras** suddenly; **¿qué dice de —?** What's the good news?; **buena la has hecho** now you've done it
el **buey** ox
bufar to snort, puff
el **bultito** little bump
el **bulto** bulk, (shapeless) form, swelling
bullir to boil, stir
el **burbujeo** bubbling
burlarse de to make fun of
burlón, -a joking
la **burra** donkey; stupid woman
la **busca: en — de** in search of
buscar to seek, look for, seek out, "ask for"
el **busto** bust

C

cabal complete, perfect
el **caballero** gentleman
el **cabello**, los **cabellos** hair
caber to fit, be contained, be room for, be possible
la **cabeza** head; **de —** head first; **traer de —** to drive crazy
cabizbajo, -a crestfallen, head hanging
el **cabo** end, corporal; **al — de** after; **al — de los años** after many years; **al —** finally; **estar al — de la calle** to know all about it;

llevar a — to carry out; **atar este —** to take care of this detail, tie up a loose end; *see* **fin**
el **cabotaje** coasting trade
la **cabra** goat
las **Cacas** nickname
la **cacería** hunt
la **cachaba** stick, staff
la **cacharra** jar, jug
cachazudo, -a slow, sluggard
el **cachete** punch in the face
cada each, every; **— cual** each, each one; **— vez más** more and more
el **cadáver** corpse, cadaver
la **cadena** chain; **picar en —** peel off, dive
la **cadencia** cadence
cadencioso, -a rhythmical
la **cadera** hip
caer to fall, show up, appear; **—se** to fall; **—le encima a uno** to happen to one; **dejar —** to drop; **—se de su peso** to be evident, self-evident
el **cagajón** horse or mule dung
caído, -a fallen, weighed down, heavy, drooping
la **caja** box, cash box, coffin
la **calabaza** pumpkin; **dar calabazas a** to jilt
el **calambre** cramp
la **calamidad** calamity, good-for-nothing
el **calcetín** sock
la **calidad** quality
cálido, -a warm
caliente warm
el **calor** heat, warmth; **hacer —** to be warm, hot (weather); **no producirle frío ni — a uno** *see* **frío**
caluroso, -a hot
la **calva** bald spot
el **calzado** footwear
los **calzones** pants, trousers
el **calzoncillo** underdrawers
callar to be silent, quiet
la **calle** street
la **calleja** side street
la **cama** bed
el **camastro** rickety old bed
la **cambera** path
cambiante changing
cambiar (de) to change, exchange
el **cambio** change; **en —** on the other hand; **a —** in exchange, instead
Camila Camille
caminar to walk
el **camino** road, path, journey, way; **— de** on the way to
la **camisa** shirt
la **camiseta** undershirt
la **camorra** quarrel, row
camorrista quarrelsome
la **campana** bell
la **campanada** ringing of a bell, stroke of a bell
el **campanario** bell tower
la **campanilla** bell
el **campeonato** championship
la **campiña** countryside
el **campo** field, territory, country; **el — visual** field of vision; **el — de batalla** battlefield
el **camposanto** cemetery
Camuñas: el Tío — goblin
el **canal: abrirle a uno el alma en —** to cut one's heart out
el **canalla** cur
la **canaria** canary
el **canario** canary
candente red hot
el **candidato** candidate
el **cangrejo** crab

el **canguelo** fear; **quedarle —** (*coll.*) to be afraid
la **canícula: en plena —** right in the hottest weather
canoro, -a singing
cansado, -a tired
cansarse de to get tired (of)
cansino, -a tired
cantar to sing
la **cántara** jug
el **cántaro** jug
la **cantarilla** earthern jug
el **cántico** canticle, song
la **cantidad** quantity, amount
el **canto** song
el **caño** pipe, spout
caótico, -a chaotic
la **capacidad** capacity
el **caparazón** shell
capaz capable, able
la **capital** capital, big city
capitanear to lead
el **capítulo** chapter
el **capote** bullfighter's cape
el **capricho** whim, will, caprice
caprichoso, -a capricious
la **captura** capture
la **cara** face; **— de vinagre** sour face; **poner mala —** not to receive well; **de — a** facing; **echarle en — a uno** to reproach one for, to throw in one's face; **costar un ojo de la —** to cost a mint
el **caracol** snail
el **carácter** character; **escribir con caracteres tipográficos** to print
característico, -a characteristic
¡caramba! confound it! gosh!
la **carantoña: hacer (muchas) carantoñas** to fawn on (excessively), to make faces, amuse
la **carbonilla** cinders
carburar to ignite, run
la **carcajada** burst of laughter
la **cárcel** jail
carecer de to lack
la **carencia** lack
la **carga** lead, charge, attack
cargado, -a loaded
el **cargador: el — de muelle** stevedore
el **cargo** office, position; **hacerse — de** to take charge of
Caridad Charity (proper name)
la **caridad** charity
el **cariño** affection, love; **coger — a** to develop affection for
cariñoso, -a affectionate
la **carita** little face
el **cariz** appearance
Carmen Carmen (proper name)
carnal carnal, bodily
la **carne** flesh, meat; **— viva** raw flesh
la **carnicera** the butcher (*f.*); owner of the butcher shop (*f.*); butcher's wife
la **carnicería** slaughter, meat market
carnoso, -a fleshy
caro, -a expensive
carraspear to clear one's throat noisily
el **carraspeo** clearing of the throat
la **carrera** course, career, running, race; **— de sacos** sack race; **— de cintas** ribbon race (contestants on bicycles try to hook with a stick rings tied to ribbons; the one who collects the most ribbons is the winner)

la **carreta** cart
la **carretera** highway
el **carrillo** cheek
el **carro** cart
la **carta** letter
el **cartón** cardboard
el **cartucho** cartridge, paper cone or bag
la **casa** house, home; **a —** to the house, home; **en —** at home; **en — de** in the house of; **— de vecinos** tenement house
casarse (con) to marry
el **caserío** group of houses, hamlet
casi almost
Casilda Casilda
la **casita** cottage
el **caso** point, case, situation, problem; **en estos casos** in, under these circumstances; **hacer —** to pay attention; **si es —** perhaps, if anything; **en tal —** in such a case; **el — es** the fact is; **en todo —** in any case
la **casta** caste
el **castaño** chesnut tree
castigar to punish
el **castigo** punishment
Castilla Castile
castrense military
la **casualidad** chance
Catalina Catherine
Cataluña Catalonia
la **catapulta** catapult
la **catarata** waterfall, cataract
la **catástrofe** catastrophe
la **cátedra** professorship
católico, -a Catholic
catorce fourteen
el **cauce** river bed; *fig.* direction
el **caudal** abundance
la **causa** cause, reason; **por — de** because of
la **causalidad** cause and effect
causar to cause
la **cautela** caution
cautelosamente cautiously
cauto, -a cautious
cavar to dig
cavernoso, -a cavernous
cavilar to ponder
la **caza** hunting; **de —** hunting; **a la — de** hunting
el **cazador** hunter
cazar to hunt
el **cebo** bait
ceder to give up, give way
celebrar to celebrate; **—se** to take place
el **celo** zeal
el **cementerio** cemetery
la **cena** supper
el **cencerro** cowbell
la **ceniza** ash, ashes
la **censura** censorship
censurar to censure, criticize
el **centelleo** flashing; **despedir un vivo —** to sparkle, to flash
la **centena** hundred; **una — de años** a century
el **centenar** hundred
el **centímetro** centimeter
el **céntimo** cent, one hundredth of a peseta
centrar to center, focus
el **centro** center
ceñido, -a tight
el **ceño** brow
la **cerca** fence
cerca near; **de —** at close range; **— de** near, about; **ni de — ni de lejos** not in the least
cercenar to clip, trip
cerciorarse de to ascertain

el **cerco** enclosure
el **cerdo** pig
el **cerebro** brain
el **cerezo** cherry tree
el **cero** zero; **ser un — a la izquierda** to be of no account
cerrado, -a close, closed, enclosed; **baile —** indoor dance
cerrar (ie) to close, close off, to shut up; **—se** to close up; **— con llave** to lock
cesar to cease; **— de** + *inf.* to cease + *pres. part.*; **sin —** incessantly, without stopping
el **cese** cessation, end
la **cicatriz** scar
el **ciclón** cyclone
ciego, -a blind
el **cielo** sky, heaven; **ver los cielos abiertos** to see the light, see the way out
cien one hundred
la **ciencia: a — cierta** with certainty
ciento, -a one hundred; **de — en viento** once in a blue moon
cierto certain, right, sure, true; **lo — es** it is certain, what is certain is; **estar en lo —** to be right; **por —** certainly
la **cifra** figure
la **cigüeña** stork
la **cima** summit; **dar — a** to complete
el **cimiento** foundation
cinco five
cincuenta fifty
el **cine** movie (theatre); **hacer —** to show movies
cinegético, -a hunting, for hunting, of a hunter
cinematográfico, -a motion-picture, movie
la **cinta** tape, ribbon; **carrera de —** *see* **carrera**
la **cintura** waist; **meter en —** to hold in check
el **ciprés** cypress
circuir to surround
la **circulación** circulation
el **círculo** circle
circundante surrounding
la **circunstancia** circumstance
circunstancial provisional
el **cirio** wax candle
la **ciudad** city
la **civilización** civilization
el **clamor** outcry, plaint
claro, -a light, clear, plainly, of course; **— que** of course
la **clase** kind
clasificar to classify; **—se** to place
clavar to nail, fasten
clavetear to stud
el **clavo** nail; **dar en el —** to hit the nail on the head
el **claxon** horn
la **clemencia** clemency
el **cliente** client
la **clientela** customers
el **clima** climate
el **cloqueo** clucking
cluac-cluac clack-clack
cobrar to acquire, get, collect
el **cocido** stew, "a good meal"; **comer el — antes de las doce** to anticipate, eat dinner before noon, do something before the proper time
el **Coco** bogeyman
el **coche** car
cochino, -a stingy, filthy
el **codazo** nudge; **dar codazos** to nudge
codiciar to covet

el **codo** elbow
la **codorniz** quail
coger to catch, take, pick, grab; **— cariño a** to develop affection for
el **cogote** back of the neck
el **cohete** skyrocket
cohibir to restrain
la **coincidencia** coincidence
coincidir to coincide
la **cojera** lameness
cojo, -a lame
la **cola** tail
colarse to slip in
coleccionar to collect
la **colecta** collection
el **colegio** school, boarding school; **— de frailes** religious school
el **coletazo: a coletazos** wiggling
colgado, -a hanging; **— de** hanging from
colgante hanging
colgar (ue) to hang
colindante neighboring
colocar to place, employ, put
la **colonia** cologne
el **color** color; **a todo —** in full color
colorado, -a red
colosal colossal
el **coloso** colossus
la **columna** column
la **comadre** neighbor woman
la **comarca** region
la **comedia** comedy, play
comedido, -a polite
el **comedimiento** moderation, good manners; **extremar el —** to go beyond the bounds of good manners
comentar to comment
el **comentario** commentary; **andar en comentarios** to talk
comenzar (ie) to begin
comer to eat; **—se** to eat up; **comérselo con su pan** to take the consequences oneself, be one's own affair; **— de lado** to take diagonally, pick off the opponent's man diagonally (chess)
comercial commercial
comerciar to trade
el **comercio** trade, commerce, business
cometer to commit, do
cómico, -a comic
la **comida** meal
la **comisión** commission, board
la **comisura** corner of the mouth
como like, as, just as, since, as to, as though, something like, so to speak; **— que** as if; **— si nada** as if nothing happened; **— el que más** as well as the next one, as anybody
cómo how, why, "how come?"; **¿— son?** what are they like?
la **cómoda** chest of drawers
cómodamente comfortably
cómodo, -a convenient
compacto, -a compact
compadecer to pity
la **compañera** companion
el **compañero** companion
la **compañía** company
el **compartimiento** compartment
compartir to share
el **compás** beat, measure
la **compasión** pity, compassion
compasivo, -a compassionate
compeler to compel
la **compenetración** compenetration
la **compensación** compensation, return

la **competencia** competition
la **competición** competition
la **complacencia** complacency, pleasure
complacer to please
complejo, -a complex
completo, -a complete
la **complexión** constitution
complicar to complicate
el **cómplice** accomplice
la **complicidad** complicity
el **componente** component
componer to compose
la **compostura** composure, modesty
comprar to buy
comprender to understand; **compréndelo** bear it in mind
comprensible comprehensible
la **comprensión** comprehension
comprensivo, -a understanding
la **compresa** compress
la **comprobación** verification
comprobar (ue) to check, verify
comprometido, -a awkward
el **compromiso** embarrassment
compungido, -a sorrowful
compungirse to feel remorse
comulgar to take communion
común common
comunicar to communicate
la **Comunión** Communion
con with
concebible conceivable
concebir (i) to conceive
conceder to concede
concentrar to concentrate
concéntrico, -a concentric
concerniente a concerning; **lo — a** what concerns
concernir to concern
la **concesión** concession
la **conciencia** conscience, consciousness; **a — de que** knowing that, conscious that
concienzudo, -a conscientious, thorough
el **concierto** concert
concluir to finish, conclude; **— +** *pres. part.* to end by
concreto, -a concrete, specific
concurrido, -a (de) crowded (with)
el **concurso** contest
la **concha** shell
la **condecoración** decoration
la **condición** condition, status, capability; **a — (de)** with the condition of; **estar en condiciones de** to be in a proper state to, be ready to
conducir to lead, take
la **conducta** conduct
la **coneja** female rabbit
el **conejo** rabbit
la **conferencia** long-distance telephone call
confesar (ie) to confess
la **confesión** confession
el **confesonario** confessional
confiado, -a confiding, unsuspecting
la **confianza** confidence
la **confidencia** confidence
la **confluencia** confluence
conformarse con to be satisfied with
confortador, -a comforting
confortar to comfort, console
confundirse to fuse, become confused
la **confusión** confusion
confuso, -a confused
congestionar to congest

congestivo, -a congested, overcrowded
el **conglomerado** conglomerate
congruente opportune, congruent
la **conjetura** conjecture
conjeturar to conjecture
conmigo with me
la **conminación** threat of punishment
conminar to threaten
conmover (ue) to shake, stir
el **conmutador** switch
conocer to be, become acquainted with, know, learn; **— por** to know as
el **conocimiento** knowledge, consciousness
conque so
conquistar to conquer
la **consanguinidad** consanguinity
consciente conscious
la **consecución** obtaining, attainment
la **consecuencia** consequence; **a — de** as a consequence of, because of
consecuente consistent, consequent
consecutivo, -a consecutive
conseguir (i) to obtain, bring about, succeed in
el **consejo** advice, a piece of advice
consentir (ie) to consent
conservar to conserve, keep
considerable tremendous
la **consideración** consideration
considerar to consider
consigo with oneself, himself, herself, themselves
consiguiente consequent
la **consistencia** consistency
consistir to consist
consolador, -a consoling, comforting
consolar (ue) to console
la **constancia** constancy
constante constant
constar de to consist of
constatar to notice, observe
la **consternación** consternation
constitucional constitutional
constituir constitute
consubstancial a consubstantial with, of the same substance as
el **consuelo** consolation
consultar to consult
consumido, -a emaciated
consumir to consume
el **contacto** contact
el **contador** meter
contagiar to infect (with); **—se** to infect; **—se de** to be infected with
contagioso, -a contagious
contar (ue) to tell, count; **— . . . años** to be . . . years old
la **contemplación** contemplation
contemplar to contemplate
contener to hold back; **—se** to refrain, hold back
el **contenido** contents
contento, -a happy
el **contento** contentment
contestar to answer
la **contextura** contexture
contigo with you
la **contingencia** contingency,
la **continuación: a —** later on, after
continuar to continue
contra against
la **contradicción** contradiction
contraer to contract
la **contramedida** countermeasure

contraponer to oppose
contrapuesto, -a contrasting
contrario, -a: al — not at all, to the contrary; **por el —** on the contrary; **llevar la contraria a** to oppose
contrastar to contrast
el **contraste** contrast
el **contratiempo** misfortune, contretemps
contristar to sadden
controlar to control
la **controversia** controversy
la **contumacia** stubborness, contumacy
contundente impressive, forceful
el **convecino** neighbor
convencer to convince
el **convencimiento** conviction
convenir to suit
convergir to converge
la **conversacion** conversation
convertir (ie) to convert, transform
convidar to invite, treat
convincente convincing
convocar to call together, summon
el **convoy** train
convulsivamente convulsively
cooperar to cooperate
el **corazón** heart; **de todo —** with all my heart
el **cordero** lamb
el **cordón** cord
corito, -a naked
el **coro** choir
la **corona** wreath, halo
la **corporación** corporation, association
la **corpulencia** corpulence, huge size
corpulento, -a corpulent
el **corral** yard
la **correa: tener —** to have a tough hide, take a kidding good-naturedly
el **correctivo** corrective
corregir (i) to correct
correr to run; **— menos** to run less swiftly
corresponder to correspond
corrido: de — unhaltingly, fluently
la **corriente** current; **la — de fondo** undercurrent
el **corro** group or circle of people; **el — de bolos** bowling grounds, green
corroborar to corroborate
corroer to corrode
corromper to corrupt
corrupto, -a corrupt, rotten
cortar to cut, cut off, cut short, interrupt
el **corte** cut, cutting
la **cortina** curtain
corto short; **en —** shortly; *see* **reírse**
la **cosa** thing, affair, matter, situation; **cualquier —** just any old thing; **— de** matter of; **la — pública** public affairs; **cuatro cosas** a few things; **es — decidida** it's all settled; **¡Qué cosas tiene!** The things you say!; **otra —** something else; **no . . . otra — que** only, nothing but; **charlar de unas cosas y otras** chatting about this and that
coser to sew; **cosido a los pantalones** close to his side
la **cosita** little thing
cósmico, -a cosmic
las **cosquillas** ticklishness; **hacerle —** (*coll.*) to scare

el **cosquilleo** tickling
la **costa: a — de** at the expense of
el **costado** side
costar (ue) to cost; **costara lo que costara** cost what it may
la **costilla** rib
costoso, -a expensive, costly
la **costra** crust
la **costumbre** custom, habit; **como de —** as usual; **tener por —** to be accustomed
cotidiano, -a daily
la **cotilla** talker, gossip
cotizar to value
el **cráneo** cranium, skull
crear to create
crecer to grow
crecido, -a big
la **creencia** belief
creer to believe, think; **ya lo creo** I'll say!; **Eso crees tú** That's what you think!
la **crema** cream
la **cresta** crest, peak
el **creyente** believer
la **cría** fledgling
la **criada** maid
el **criado** servant
criar to raise, bring up, nurse, breed, grow; **—se** to be brought up
la **criatura** baby
el **cri-cri** chirp
crispadamente jerkily, nervously, tensely
crispante aggravating
crispar to clench, to cause to twitch
el **cristal** window (pane), glass
cristalino, -a crystalline
cristiano, -a Christian; **todo —** everybody
Cristo Christ
el **criterio** judgment
cronométrico, -a chronometric
crujir to rustle
la **cruz** cross; **ponerse en —** to stretch out his arms (like a cross); **hacerse cruces** to cross oneself (sometimes to ward off evil or to protect oneself from something or someone strange and different)
cruzar to cross; **—se con** to meet, encounter
la **cuadra** stable
el **cuadrado** square, quadrate
la **cuadrilla** band
la **cuajada** curd
el **cual**, la **cual**, los **cuales**, las **cuales**, lo **cual** which, who, whom, that
¿cuál? what?, which?
la **cualidad** quality, characteristic
cualquier *apocopated form of* **cualquiera** any; **— día** on any day; **— cosa** just any old thing
cuando when, at the time of; **de — en —** from time to time
¿cuándo? when?
cuanto all that; **todo —** all that; **en — a** as for, as to; **en —** as soon as; **en — que** in as much as; **— antes** as soon as possible
¿cuánto? how much?
cuarenta forty
la **cuarta** span (of a hand); **perdigón de —** heavy bird shot
cuarto fourth; room; quarter hour; **cuatro cuartos** a few pennies; **cuartos** money

cuatro four, a few
cuatrocientos, -as four hundred
la **cubierta** cover, top
el **cubo** pail
cubierto, -a *past. part. of* **cubrir**
cubrir to cover
la **cucaña** greased pole
la **cucaracha** cockroach
cuclillas: ponerse en — to squat
el **cuclillo** cuckoo
cuco, -a crafty
el **cuco** cuckoo; **— (de luz)** glowworm; **feo como un — de luz** ugly as the devil; **el Cuco** nickname
cuchar to fertilize (with compost and manure)
cuchichear to whisper
el **cuchicheo** whisper
la **cuchillada** slash
el **cuchitril** hole, corner
el **cuello** neck, collar
la **cuenta** count, account; **Eso quédalo de mi — = déjalo de mi —** leave that up to me; **tener en —** to take into account; **darse — (de)** to realize; **en resumidas cuentas** in short; **por la — que tiene** for what he has at stake; **a fin de cuentas** after all
el **cuero: en cueros vivos** stark naked; **en cueros** naked
el **cuerpecillo, cuerpecito** small body
el **cuerpo** body
la **cuesta** slope
la **cuestión** question, problem
el **cuidado** care; **¡cuidado!** look out! careful; **tener —** to be careful; **traerle a uno sin —** not to worry, bother
cuidadoso, -a careful
cuidar to take care of
la **culebra** snake
la **culpa** guilt, fault; **tener la —** to be guilty, blame
culpable guilty
la **cultura** culture
La **Cullera** name of a town
la **cumbre** summit
el **cumplimiento** fulfilment
cumplir to perform; **— el año** to be a year old; **— . . . años** to be . . . years old
la **cuneta** ditch
el **cuproníquel** cupronickel, coin worth twenty-five *céntimos*
el **cura** priest; species of bird (popular name for small lively bird which nests in stone walls. Common in north of Spain)
curar to cure; **—se** to get better
la **curiosidad** curiosity
curioso, -a curious, tidy, neat
el **curso** course, school year
la **curva** curve
el **cutis** complexion
cuyo, -a of which, whose

Ch

la **Chancha** sow (used as nickname)
el **Chano** nickname for **Luciano**
chapuzar to duck (in the water), take a dip
la **charanga** brass band
el **charco** puddle

la **charla** talk, chatter
charlar to chat
el **charlatán** chatterbox
el **chasquido** cracking, swish, snapping
chato, -a flat-nosed, blunt; **la Chata** nickname
la **chica** girl
el **chico** boy; *pl.* children, boys
chillar to shriek
el **chillido** sharp peeping
chillón, -a loud
la **chimenea** fireplace, smoke-stack
la **chiquilla** little girl
el **chiquillo** "kid", small boy
la **chiribita** spark
chirriante squeaky, creaking
chirriar to squeak
el **chispazo** flying spark
chisporrotear to spark, sputter
¡chist! sh, hush
chocar (con) to collide (with)
el **choque** clash, collision
el **chorro** stream; **a chorros** in streams, streaming
chupar to suck
el **chupete** lollipop
el **churro** fritter

D

la **dádiva** gift
Damián Damian
Daniel Daniel
dañar to hurt
dañino, -a harmful
el **daño**: **hacer —** to do harm
dar to give, hit; **— a** to face; **— por** to consider as; **—se por** to be considered as; **— (en)** to hit (on); **— con** to find, hit; **—se** to apply; **— para mucho** to go a long way; **—se cuenta de** to realize; **— vueltas a** to turn around; **—se en** to take to; **— a luz** to give birth; **ya os daré yo** you'll "get" it, I'll "give" it to you
de from, of, as, about, with, for, than, by, in; **más —** more than; **— noche** at night; **— no ser por** if it were not for
debajo de under, beneath, below; **por —** beneath, under, below
deber must, have to, ought to; **— de** must; **—se a** to be due to
el **deber** duty
debido, -a due, proper
débil weak, slight
la **debilidad** weakness
decadente decadent, destructive
decantar to decant
decepcionar to disappoint
decidido, -a decided, having decided
decidir to decide; **—se (a)** to make up one's mind, decide (to)
decir to say, tell, call; **al — de** according to; **es —** that is to say; **lo que se dice** what is called; **un —** a manner of speaking, saying; **querer —** to mean; **ya decía yo** that's what I thought; **— que sí, que no** to say yes, no; **el buen —** proper style
la **decisión** decision
declarar to declare
el **dedo** finger; **el — anular** ring finger
deducir to deduce

el **defecto** defect, lack
defectuoso, -a defective
defender (ie) to defend; **—se** to get along, look after oneself
la **defensa** defense
la **deficiencia** deficiency
deficiente deficient
la **definición** definition, distinctness
definido, -a definite
definir to define, show characteristics
definitivo, -a definitive, final; **en definitiva** in short
defraudar to defraud, disappoint
degenerar to degenerate
la **dehesa** pasture land, cattle farm
dejado, -a listless
dejar to leave, let, allow, leave alone; **déjalo** let it drop, forget it; **— de** to cease, leave off, leave alone, stop; **— caer** to drop; **—se caer** to drop; *see* **paso**
el **deje** tone
del *contraction of* **de + el**
delante in front; **hacia —** forward; **por —** ahead; **— de** in front of
delator, -a revealing
la **delgadez** slenderness
delgado, -a slender
delicado, -a delicate
la **delicia** delight
delimitar to delimit
demás other, rest of; **los —** others; **por lo —** furthermore; **lo —** the rest
demasiado, -a too, too much, too many
demoledor, -a destructive, demolishing
el **demonio** devil; **llevarle los demonios a uno** to be fit to be tied; **¿qué — de . . .?** What in the devil kind of . . .?; **¿por qué demonios?** why in the devil?; **a demonios** like the devil; **¿cómo demonios?** how the devil?
la **demora** delay
la **demostración** demonstration
demostrar (ue) to demonstrate
denodado, -a brave
la **densidad** density
denso, -a dense
el **dentista** dentist
dentro within; **— de** within, inside; **por —** inside; **muy — de** very deep within
la **dependencia** dependency
depender de to depend on
deportivo, -a sporting
depositar to deposit
el **depósito** depositing
la **depresión** depression
deprimente depressing
deprimido, -a depressed
el **derecho** law; **el Derecho Canónico** canon law
derecho, -a right; **la derecha** the right hand; **por la derecha** on the right; **a la derecha de** to the right of; **tener —** to have the right
derramarse to pour, flow
el **derredor: en su —** around him; **en — (de)** around
derretirse (i) to melt, thaw
derrumbarse to crumble
desafiador, -a defiant, challenging
desafiar to challenge
desafinar to sing, play out of tune

desaforadamente in a disorderly fashion
desaforado, -a disorderly, outrageous
desagradable disagreeable
desagradecido, -a ungrateful
el **desagrado** displeasure
desaguar to empty
desahogarse to let oneself go, unburden himself
el **desahogo** outlet
desalado, -a hasty, anxious, eager
desaparecer to disappear
desarrollar to develop, take place; **—se** to develop; **muy desarrollado** well-developed, prominent
desasosegar to disturb, worry
el **desasosiego** anxiety
el **desastre** disaster
desatado, -a wild
desatinado, -a foolish
desayunar to eat breakfast
la **desazón** displeasure, annoyance
desazonador, -a annoying, unpleasant
desazonar to displease, upset
desbocado, -a running away
desbordado, -a overflowing, excessive
descansar to rest, be relieved, relaxed
descargar to discharge, strike
descarnado, - thin, bony
descartar to reject
descender (ie) to descend
descentrado, -a off center
el **descoco** insolence
descolgarse de (ue) to slip down
descomedido, -a excessive
descompuesto, -a angry
desconcertar to disconcert
desconfiado, -a suspicious
desconocido, -a strange, unknown
la **desconsideración** inconsiderateness
desconsiderado, -a inconsiderate
descontar to figure in advance
descorazonador, -a discouraging
descorrer to open (curtain)
describir to describe
la **descripción** description
el **descubrimiento** discovery
descubrir to discover, uncover, unveil
descuidar to neglect
el **descuido** carelessness, inattentiveness
desde since, after, from, from the time of, from . . . on; **— hace, hacía** for; **— entonces** since then, from then on; **— (muy) niño** from the time he was (very) young; **— que** since, after; **— luego** of course
el **desdén** disdain, scorn
desdeñable contemptible, to be scorned
el **desdoblamiento** unfolding, splitting into two
desear to want, desire
desembarazarse to free oneself
el **desembolso** expenditure
desempeñar to carry out
desencajar to dislocate; **ojos desencajados** with eyes bulging, popping, out of their sockets
el **desencanto** disenchantment

desengañarse not to fool oneself, undeceive oneself
desentenderse de (ie) to free oneself of, pay no attention to
el **deseo** desire, wish
deseoso, -a desirous
desertarse de to give up
la **desesperación** despair, desperation
desesperado, -a desperate
desesperar to despair; **—se** to despair
desfigurar to alter
desfilar to parade, file by, pass by
desfondado, -a bottomless, deep
desgajarse to come loose
desganado, -a indifferent
desgarrado, -a tearing, rending
desgarrar to tear, tear apart
desglosar to detach (as a page)
la **desgracia** misfortune, disgrace
desgraciado, -a unhappy
desgranarse to drop (from the bunch), come loose (as beads), roll
desgreñado, -a dishevelled
deshabitar to abandon
deshacer to break up, wear away, tear up; **—se de** to get rid of
deshinchar to deflate
la **deshonra** dishonor
deshonrado, -a dishonored
la **desidia** indolence
el **designio** design, plan
desigual unfair, unequal
la **desilusión: dar —** to disappoint
desinflar to deflate
desinsectar to fumigate
desintegrar to disintegrate
desinteresado, -a disinterested
desistir de to stop, leave off
desleír (i) to diffuse
deslindar to define
deslizarse to slide
deslumbrador, -a dazzling
desmayado, -a languid, apathetic
desmayarse to faint
desmedido, -a excessive
desmedrado, -a run-down
desmelenado, -a dishevelled
desmentir (ie) to belie, contradict
desmenuzar to examine closely, linger over the details of
desmoronarse to crumble
desnudar to undress, strip
desnudo, -a naked
la **desolación** desolation
desolado, -a desolate
desordenado, -a disorderly, wild
la **desorientación** confusion
despachar to sell, wait on
el **desparpajo** impudence
desparramar to scatter
despavorido, -a frightened, terrified
el **despecho** spite
la **despedida** farewell
despedir (i) to say good-bye, discharge; **—se de** to take leave of
despellejar to skin, flay
despeñarse por to plunge over
despertar (ie) to awaken; **—se** to wake up
despiadado, -a merciless
despierto, -a wide awake, lively, awakened

desplazar to displace; **—se** to move, go off to
desplomar to topple, fall down; **—se** collapse
desplumar to pluck
despótico, -a despotic
el **despotismo** despotism
despreciar to despise, scorn
el **desprecio** scorn
desprender to detach
despreocupado, -a carefree. unconcerned
desproporcionado, -a disproportionate
después afterward, later, after; **— de** after
destacar to stand out
el **destello** sparkle, flash
destemplado, -a disagreeable
la **destemplanza** lack of moderation
destinar to destine
el **destino** destiny
la **destreza** skill
destrozar to break to pieces, destroy
destruir to destroy
desvalido, -a helpless
desvanecer to dispel; **—se** to disappear
la **desvergüenza** shamelessness
desviar to turn aside, switch
el **detalle** detail; **con —** in detail
detener to stop; **—se** to stop
el **detenimiento** thoroughness
detentar: detentaba una cierta similitud con had a certain slight resemblance to
la **determinación** determination
determinado, -a determined, certain
determinar to determine
detestable detestable
detestar to detest
la **detonación** detonation
detonante detonating, loud
detrás behind; **(por) — de** behind
el **devaneo** loafing, flirtatious
la **devoción: no es santo de mi —** I'm not very keen on him
el **devocionario** prayer book
devolver (ue) to return, restore
devorar to devour
el **día** day; **el — festivo** holiday; **de —** (in the) daytime; **cualquier —** on any day, almost any time; **un — y otro —** day in and day out; **el — de fiesta** holiday; **al — siguiente** on the following day; **— a —** day by day; **todo el — de Dios** the whole blessed day; **en su —** in his younger days, in his day
el **diablo** devil; **mandar al —** to throw away; **¡qué —!** What the devil! **¿qué diablos?** what in the devil?
la **diablura** deviltry
diabólico, -a diabolic
diario, -a daily
dibujar to draw, sketch; **—se** to appear
el **diciembre** December
la **dicha** happiness
dicho, -a *past. part. of* **decir; propiamente —** properly speaking; **lo —** remember what I told you, just what I said
dictar to dictate

didáctico, -a didactic (as a teacher)
diecinueve nineteen
diecisiete seventeen
el **diente** tooth; **entre dientes** under his breath
diez ten; ten cents
la **diferencia** difference
diferenciar to differenciate
diferente different
difícil difficult; **— de** difficult to; **no es —** it is not unlikely
la **dificultad** difficulty
difuminarse to fade away
difundir to diffuse, spread
difunto, -a dead, deceased
difuso, -a diffuse, vague
la **dignidad** dignity, worth
dignamente in such a dignified, fitting way
digno, -a worthy, dignified
dilatado, -a vast, extensive
dilucidar to elucidate, clear up
diluído, -a weak
diluir to dilute, die out
diluviar to pour
el **diluvio** deluge
Dimas Dymas (the good thief)
la **dimensión** dimension, dimensions
diminuto diminutive, tiny
el **dinero** money
diñar: —la (*coll.*) to kick the bucket
Dios God; **—mío** dear God, my goodness; **como — manda** in the normal way, as it should be; **¡por —!** for goodness sake!; **por — bendito que . . .** goodness knows that . . .
la **dirección** direction
directo, -a direct
el **director** manager, director
dirigir to direct; **—se a** to address oneself to, to go to, to turn to; **—se la palabra** to speak to each other
discernir (ie) to discern
disconforme disagreeing
el **disconforme** the one not in agreement, dissenter
la **discreción** discretion
discreto, -a discreet, modest
disculpar to pardon
discurrir to flow, ramble
la **discusión** discussion
discutir to argue
diseminar to scatter, disseminate
la **disensión** dissension
disfrutar (de) to enjoy
disgregado, -a disintegrated, torn
disgustar to be displeased, be displeasing
el **disgusto** annoyance, unpleasantness
disimuladamente slyly
disimular to disguise, dissemble
el **disimulo** dissembling; **con —** on the sly
disipar to dissipate
dislocarse to slip
disminuir to diminish
disolverse to dissolve
el **disparate** foolish remark; **decir disparates** to talk foolishly
disparar to shoot
el **disparo** shot
disperso, -a scattered, dispersed
disponer to prepare; **— de** to have at one's disposal; **—se a** to get ready

disponible available
la **disposición** attitude
dispuesto, -a willing, ready; **bien —** favorable
disputar to dispute; play (a game)
la **distancia** distance; **a . . . de —** away
distanciar to put at a distance; **—se** to move away
distante distant
distender to distend
distinguir to distinguish, pick out
distinto, -a (de, a) distinct, different (from)
distraer to distract, divert, amuse
distribuir to distribute
la **disyuntiva** dilemma
la **diversión** diversion
divertir (ie) to amuse
dividir to divide
divino, -a divine
divisar to espy, glimpse, catch sight of
doblar to round, go, come around, bend, fold
doble double
doce twelve; **las —** noon, lunch time
la **docena** dozen
dócil docile
doler (ue) to pain, grieve
el **dolor** grief, pain
doloroso, -a painful, pitiful
doméstico, -a domestic
dominar to handle, control, dominate; **—se** to control oneself
el **domingo** Sunday; **los domingos** on Sunday, on Sundays
dominical Sunday
el **dominio** dominion
don Spanish title used before masculine Christian names (formerly given only to noblemen, now more widely used)
el **don** gift
el **donante** donor
donar to donate
el **donativo** gift, donation
donde where
¿dónde? where?
doña Spanish title used before Christian names of women (*see also* **don**)
dorado, -a golden
dormir (ue) to sleep; **—se** to fall asleep
dos two; **a cada — por tres** every second
doscientos two hundred
dubitativo, -a dubious, doubting
la **ductilidad** ductility, flexibility
la **duda** doubt
dudar to doubt, hesitate; **— de** to doubt; **a no —** without a doubt; **— si** + *inf.* to be undecided whether
dudoso, -a doubtful
el **duelo** duel, mourning
el **duende** goblin
la **dueña** owner
dulce sweet
el **dulce: en —** preserved
el **dúo** duet; **a —** in a duet, together
el **duque** duke; **gran —** grand duke; **el Gran Duque** eagle owl
durante during
durar to last; **— lo que** to last as long as

duro, -a hard, severe, stiff
el **duro** dollar (Spanish coin worth five pesetas)

E

e and (*used for* **y** *before a word beginning with the vowel sound* **i**)
ebrio, -a drunken
el **eco** echo; **"los Ecos del Indiano"** nickname for the brothers of *Gerardo el Indiano*
la **economía: las economías** economies, savings
ecónomico, -a economic
echar to cast, throw, impose; **— abajo** to knock down; **— de** to get out of, throw out of; **— a** to begin to; **— mano de** to resort to; **—se encima** to come down upon, to take upon oneself; **—se al hombro** to put on one's back; **— de menos** to miss
la **edad** age; **en — de merecer** young enough to be good for something; **en — de defenderse** old enough to get along by themselves
edificante edifying
el **edificio** building
educador, -a training, educating
educar to train, bring up
educativo, -a educative, educational
efectivamente indeed
el **efecto** effect; **en —** indeed
efectuar to carry out, effect
efervescente effervescent
la **eficacia** efficacy
la **eficencia** efficiency
efímero, -a ephemeral
el **efluvio** effluvium, exhalation
el **egoísmo** egoism
egoísta selfish
el **eje** axle, shaft
ejemplar exemplary
el **ejemplo** example
el **ejercicio** exercise
ejercitar to exercise
el (los; la, las; lo) *definite article sometimes omitted in translation* the, that, the one; **los** + *day of week* on; **la** *or* **las** + *number* o'clock; **lo** (*adj. or adv.*) **que** how . . .; **el, la** *used colloquially with proper names, and omitted in translation;* **— de** that of, the one from; **lo de** that which belonged to; **la de** the wife of; **— que** he who (whom), she who (whom), the one who, the one that, which, whom, that which, who, what, the fact that, that; **lo que duró** as long as . . . lasted
él him, he, it
elaborar to work, develop
elástico, -a supple, flexible
eléctrico, -a electric
el **elefante** elephant
la **elegancia** elegance
elegante elegant
elegir to choose
elemental elementary
el **elemento** member, element
Elena Helen
elevado, -a lofty
elevarse to rise
elogiar to praise
ella she, it, her
ello it; **por —** on account of this

ellos, -as they, them; **— tres** the three of them
emanar to emanate
embarazoso, -a embarrassing
embargar to paralyze, take hold of
embargo: sin — however, nevertheless
embelesar to fascinate, charm
embobar to be fascinated; **vivir embobado** to be a fool
emborrachar to intoxicate; **—se** to get drunk
embriagado, -a drunken, inebriated
embriagarse to get drunk
el **embrollo** awkward situation
embuchar to stuff
el **embuste** fraud
embutir to insert, stuff
emerger to emerge
el **emigrante** emigrant
emitir to emit, give out
la **emoción** emotion, excitement
emocional emotional
emocionante moving, thrilling
empalidecer to turn pale
empañado, -a muffled, dull
emparar to soak
emparejarse to pair off
empecatado, -a evil; **vivir —** to be guilty of sin
empedernido, -a hardened
empenachado, -a (de) tufted (with), topped with feathers (of)
empeñarse (en) to insist (on)
el **empeño** engagement, undertaking
emperejilar to dress up
empero but, however
empezar (ie) to begin
empingorotado, -a proud, haughty
el **empleado** employee
emplear to use, employ
emplumado, -a feathered
la **empresa** company
empujar to push
emular to emulate, try to equal or excel
en in, on, upon, at, under
la **enajenación** derangement
enajenado, -a enraptured
enamorado, -a in love
enamorarse to fall in love
enamoriscar to be slightly in love
enano, -a dwarf, dwarfish
encadenar to enchain
encajonar to box in; **—se** to squeeze into
encalar whitewash
encaminarse to set out
encandilar to dazzle
encantador, -a enchanting
el **encanto** enchantment
encararse con to face
encargar to order
encariñarse (por) to become fond (of)
encarnado, -a red
la **encarnadura** healing characteristics of flesh
la **encella** cheese mold
encender (ie) to light; **—se** to blush
encendido, -a bright, kindled, lighted, glowing
encerar to wax
encerrar (ie) to shut up, contain
encima on top, in addition; **— de** on, on top of, in spite of; **de . . . de** on top of; **por —** over; **por — de** over, above; *see* **quedar**

la **encina** evergreen oak
encinta pregnant
encoger: —se sobre sí mismo cringe
encogido, -a timid, bashful
encolerizar to anger
el **encono** rancor, ill will
encontrar (ue) to find; **—se (con)** to meet, find oneself, be
encorvado, -a curved
encorvarse to bend over
encrespar to stir up (waves)
el **encuentro** meeting
endeble feeble
la **endeblez** weakness
enderezar to straighten
endulzar to sweeten
endurecerse to become hard
enemigo, -a enemy; **— de** hostile to
el **energúmeno** wild, crazy person
enervar to weaken, enervate, lessen
enfadado, -a angry
enfadarse to get angry
el **enfado** annoyance, anger
el **énfasis** emphasis
la **enfermedad** illness
enfermizo, -a sickly
enfermo, -a sick, ill
enfervorizar to inspire
enfilar to line up
enfrente de opposite, in front of
enfriarse to cool off
enfurecerse to become enraged
enfurruñado, -a sulky
engañar to deceive
engolado, -a hollow, affected
engolar to make hollow (voice)
engordar to get fat, gain
engrasar to grease
enjaular to cage
enjugar to dry, assuage
enjuto, -a lean
el **enlace** linking
enloquecer to madden, drive crazy
enlutado, -a dressed in mourning
enlutar to dress in mourning
enmarañar to tangle
enmendar (ie) to correct, emend
la **enmienda** reform; **sin —** incorrigible
enojado, -a angry
enojar to anger; **—se** to get angry
el **enojo** anger
enojoso, -a annoying
enorme enormous
enredar to tangle up, complicate; **—se** to get involved
enroscar to curl
ensayar to rehearse
el **ensayo** rehearsal
enseñar to teach, show
los **enseres** household goods
ensombrecerse to grow gloomy
entablar to start
el **entarimado** floor
el **ente** being
enteco, -a weak, sickly
entender (ie) to understand, believe; **— de** to be a judge of, have knowledge of; **a mi —** in my opinion
el **entendimiento** understanding
entenebrecer to darken
enterarse (de) to be aware, find out (about)
enternecido touched

entero, -a whole, entire
enterrar (ie) to bury
el **entierro** burial
la **entonación** intonation, tones
entonar to intone
entonces then; **por —** at that time; **para —** by then; **por aquel —** then, at that time
entontecer to make foolish
entontecido, -a made foolishly gullible
entornado, -a ajar, partly closed
entornar to half close
la **entrada** entrance; **dar —** to admit
entrañable deeply felt
las **entrañas** entrails, heart
entrar to enter, begin; *see* **ataque; —le a uno el sueño** to get sleepy; **—le a uno un nerviosismo** to have a nervous spell, get excited
entre between, among, in; **por —** between, among
entreabierto, -a ajar
entreabrir to half open
entrecortado, -a intermittent, broken
entrechocar to clash
entrecruzarse to interweave
el **entredicho: estar en —** to be questioned
la **entrega** surrender
entregado, -a despondent, resigned
entregar to hand over; **—se** to yield
el **entremijo** a long, low slotted table used in cheese making
entretener to entertain, amuse
el **entretenimiento** entertainment, amusement
entrever to glimpse
entrevistar to have an interview
entristecer to sadden
entrometerse to meddle
el **entrometimiento** meddlesomeness, intrusion
enturbiar to stir up, muddy; *see* **miel**
entusiasmar to fill full of enthusiasm
el **entusiasmo** enthusiasm
envarar to benumb, stiffen
envejecer to grow old
la **envergadura** wing spread
el **envés** back (of the hand)
enviar to send
la **envidia** envy; **tener —** to be envious
envidiable enviable
envidioso, -a envious
envolver (ue) to involve, wrap
envuelto, -a *past part. of* **envolver**
el **episodio** episode
la **época** time
equilibrar to balance
el **equilibrio** equilibrium
equivaler to be equivalent
erguido, -a straight
erguir: — el busto to draw oneself up; **—se** to rise, to straighten up
erigir to erect; **—se** to be elevated, to be set up as
erizado, -a de bristling with
la **erosión** erosion
eructar to belch
esbelto, -a graceful, slender
esbozar to sketch, show very slightly

escabullirse to slip away
escaldado, -a scalded, wary
la **escalera** stairs, stairway
el **escalofrío** chill; **le entró un — por la espalda** a chill ran down his spine
escamotear to cause to disappear
escandalizar to scandalize, cause a scandal
escandaloso, -a scandalous; **una escandalosa** a woman who raises a fuss
la **escapada: hacer una —** to run off
escapar to escape; **— de** to escape from; **— a** to run away to; **—se** to run away, get away
el **escaparate** show window
escarbar to poke, scratch
escarmentar (ie) to learn by experience, learn a lesson
el **escarmiento** punishment
escarpado, -a steep
escaso, -a scant, little
la **escayola** plaster
la **escena** scene
el **escepticismo** scepticism
escéptico, -a skeptical
el **esclavo** slave
escocer (ue) to smart, annoy
escoger to choose
el **escolar** pupil
esconder to hide; **—se** to hide
el **escondrijo** hiding place
la **escopeta** shotgun
el **escozor** smarting
escribir to write
escrito written
el **escritor** writer
el **escrúpulo** scruple
escrupuloso, -a scrupulous, particular, fussy
escrutar scrutinize
la **escuadrilla** escadrille, squadron
escuálido, -a emaciated
la **escucha** listening
escuchar to listen, hear, listen to
escuchumizado, -a feeble
el **escudo** shield; escutcheon
la **escuela** school
escueto, -a unadorned
escurrido, -a narrow, skinny (hips); slippery
ese, -a that
ése, -a that, that one; **— sí que era** that really was; **un** (*noun*) **de ésos** one of those (*noun*)
la **ese** the letter **s**; **hacer eses** to zigzag, reel
esencial essential
esforzarse en (ue) to make an effort
el **esfuerzo** effort
el **eslabón** link
esmirriado, -a emaciated
eso that, that business; **por —** therefore, that way; **— no** not that; **— sí** however; **— es que** that fact is that; **¿no es —?** isn't that so?
el **espacio** space
la **espalda** shoulder, back; **en la —** behind one's back; **guardar las espaldas** to body-guard; **por la —** behind one's back
espantoso, -a frightful
el **espasmo** spasm, jerky movement
espasmódico, -a convulsive, spasmodic
especial special
la **especie** kind

el **espectador** spectator
espectral spectral
la **esperanza** hope
esperanzado, -a hopeful
esperar to hope, wait (for), expect; **no se hacía —** was not long in coming
el **esperpento** fright
espeso, -a thick, dense
la **espesura** thicket
espiar to spy on
la **espina** thorn
el **espíritu** spirit
esplendente splendid
espléndido, -a splendid
esponjoso, -a spongy
espontáneo, -a spontaneous
la **esposa** wife
espumoso, -a foamy
el **esqueleto** skeleton
la **esquina** corner
la **esquirla** splinter
esquivar to avoid
establecer to establish
el **establecimiento** establishment, place of business
el **establo** barn
la **estación** season, station
el **estado** state
estallar to burst
la **estampa** print, engraving, picture
el **estampido** crash, explosion
la **estancia** room
estar to be, be here, be home; **—se bien** to feel good
estático, -a static
la **estatua** statue
la **estatura** stature, height
el **este** east
este, -a this
éste, -a this, the latter
la **estela** wake, trail
estéril unable to bear children, sterile
la **esterilla** cheese mold
estético, -a aesthetic
estilizarse to become stylized, become even more slender
el **estilo** fashion, style; **al — de** in the style of
estimable estimable, sizeable
estimar to esteem, hold in esteem, consider; **—se en algo** to hold oneself in some esteem, have some esteem for oneself
estimulante stimulating
el **estío** summer
el **estipendio** stipend
estirar to stretch, draw
esto this, the latter, this one
estoico, -a stoic
la **estola** stole
el **estómago** stomach
estorbar to annoy
el **estorbo** annoyance
estornudar to sneeze
el **estrado** platform, stand; **el — de la música** bandstand
estrambótico, -a queer
el **estrato** stratum, layer
la **estrella** star
estrellado, -a starry, star-covered
estrellarse to crash
estremecedor, -a shivering
estremecer to shake; **—se** to shake, shiver
estremecido, -a moving
el **estremecimiento** shuddering
el **estribillo** refrain
el **estribo** stirrup; **perder los estribos** to fly off the handle, lose one's temper
la **estridencia** stridence, harshness
estridente strident, loud
estruendoso, -a noisy

estrujar to squeeze
el **estudiante** student
estudiar to study, study for; **— para** to study to become
el **estudio** study; **los estudios superiores** advanced studies; **tener estudios** to have studied
la **estupefacción** stupefaction
estupefacto, -a stupified
estúpido, -a stupid
el **estupor** stupor, amazement
eterno, -a eternal
el **eucalipto** eucalyptus
el **Evangelio** Gospel
la **evasión** evasion
la **eventualidad** eventuality
la **evidencia** evidence; **ponerle a uno en —** to make one conspicuous, embarrass
evidenciar to show clearly
evidente clear, evident, obvious
evitar to avoid
evocar to evoke, recall
la **exacerbación** aggravation
exacerbar to irritate, exacerbate
la **exactitud** exactness, punctuality
exactamente with certainty
exacto, -a exact
la **exageración** exaggeration
exagerar to exaggerate
exaltar to become excited
examinar to examine
exasperar to exasperate
excederse to go to extremes
excelso, -a sublime
la **excepción: a — de** with the exception of
excepcional exceptional
excesivo, -a excessive
el **exceso** excess
la **excitación** excitement
excitar to excite; **—se** to become excited
la **exclamación** exclamation
excluir to exclude
la **exclusión** exclusion
el **excremento** excrement
la **excursión** excursion
exento, -a free
exhalar to exhale, emit
exhaustivo, -a exhaustive
exhausto, -a exhausted
exigente exacting, exigent
exigir to demand, require, exact
existir to exist; **por no —** if it were a question of not existing
el **éxito** success
expansivo, -a expansive
expectante expectant
la **experiencia** experiment, experience
experimentar to feel
el **experimento** experiment, experience
el **experto** expert
la **explicación** explanation
explicar to explain; **—se** to understand, explain oneself
la **explosión** explosion
exponer to expound, reveal, expose
expresar to express
la **expresión** expression
expresivo, -a expressive
expuso *pret. of* **exponer**
el **éxtasis** ecstacy
extemporáneo, -a extemporaneous
extender (ie) to extend, stretch out, hand over
extenso, -a extensive
extenuar to weaken, extenuate
el **exterior** outside

extraer to pull, extract
extrañar to surprise; **—se** to be surprised
extraño, -a foreign, strange
extraviar to mislay, lose
extremado, -a extreme
Extremadura Extremadura (a region of Spain near the Portuguese border)
extremar to carry to the limit
la **extremidad** extremity; **las extremidades** arms and legs
el **extremo** extreme, end, point; *see* **tocarse**
extremoso, -a extreme, exaggerated
la **exuberancia** exuberance
exuberante exuberant

F

la **fábrica** factory
fabricar to make, manufacture
las **facciones** features
fácil easy
la **facilidad** ease, facility
facilitar to facilitate
el **factor** station agent
facturado by parcel post
la **facultad** faculty
la **faena** task
falso, -a false
la **falta** lack, fault; **hacer —** to be necessary
faltar to be lacking, be spared; **— a** to be absent from; **—le a uno** to need, to lack; **le faltó tiempo** she could not wait
fallar to fail, to pass judgment
fallecer to die
fallido, -a unsuccessful
el **fallo** failure
la **familia** family
el **familiar** member of the family
famoso, -a famous
el **fango** mud
el **fantasma** phanton
fantasmal phantasmal, spectral
el **fardo** bundle
la **farmacia** pharmacy
el **faro** lighthouse, lantern, headlight
el **farol** street light, lantern
fascinar to fascinate, bewitch
la **fase** phase
fastidiar to annoy, sicken
fatal fated
la **fatiga** fatigue
fatigarse to get tired
el **favor** favor; **por —** please
la **fe** faith
febril feverish
la **fecha** date; **por estas fechas** at this time
la **fecundación** fecundation
la **felicidad** happiness
felicitar to congratulate
felino, -a feline
feliz happy
el **fenómeno** phenomenon
feo, -a bad, ugly, dirty; **hace —** looks ugly
el **féretro** coffin
fermentar to ferment
feroz ferocious
férreo, -a ferrous, iron; *see* **vía**
ferviente fervent
el **festín** feast
la **festividad** holiday
festivo, -a: el día — holiday
ficticio, -a fictitious

la **fidelidad** faithfulness, fidelity
la **fiebre** fever
el **fiel** balance; **en el —** balanced, in balance
la **fiera** wild animal
fiero, -a fierce
la **fiesta** celebration, holiday; **— de guardar** holy day
el **fifiriche** weakling
la **figura** figure, shape
figurarse to imagine
fijar to fix, fasten, set; **—se (en)** to notice, observe, pay attention (to)
fijo, -a fixed
la **fijeza** firmness
el **filón** vein (in mine)
el **filósofo** philosopher
filtrarse to filter
el **fin** end, purpose; **en —** in short; **al — y al cabo** after all; **al —** finally; **a — de cuentas** after all
final final
el **final** end; **a finales de** at the end of
la **finalidad** purpose
el **financiero** financier
la **finca** property, farm
el **fingimiento** pretense
fingir to feign, pretend
fino, -a fine, slender
el **firmamento** firmament
firme firm
el **fisgón** busybody
físico, -a physical
la **fisonomía** physiognomy, a characteristic look
flaco, -a weak, thin
el **flaco** the weak spot
flanquear to flank
la **flaqueza** weakness
la **flexión** flection, push-up
flexionar to flex
la **flor** flower, compliment
flotar to float
la **fluidez** fluency
fluir to flow
el **flujo** flow
el **follaje** foliage, leaves
fomentar to encourage
la **fonda** inn
el **fondo** depth, background, bottom, back, rear, further end; **en el —** inside, basically; **de —** deep, bottom; **del —** in the rear; **al —** in the background
el **forastero** stranger, visitor from out of town
forcejear to struggle
el **forcejeo** struggle
la **forma** way, shape; **de todas formas** anyway, in any case; **de esta —** in this way; **de forma . . .** in a . . . way; **de otra —** otherwise
la **formación** formation
formar to form
formidable formidable, tremendous
fornido, -a robust
la **fortaleza** strength
la **fortuna** fortune
forzar (ue) to force
la **fosa** grave
fosco, -a dark, sullen
fosforescente phosphorescent
el **frac** full dress, swallow-tailed coat
el **fracaso** failure
fracturar to fracture
el **fragmento** fragment
el **fragor** din
la **fragua** forge
el **fraile** friar
franco, -a frank, clear
franquear to cross
la **frase** phrase, sentence

la **fraternidad** brotherhood
fraterno, -a fraternal, sisterly
la **frecuencia** frequency
frecuentar to frequent
frecuente frequent
la **fregona** kitchenmaid
el **frenesí** frenzy
frenético, -a frenetic, frantic
el **frente: — a** facing; **— por —** right opposite; **— por — de** face to face with; **de —** forward, in front, straight ahead
la **frente** forehead
fresco, -a fresh
el **fresco** (*coll.*) fish
el **frescor** freshness
frío, -a cold
el **frío** cold; **hacer —** to be cold; **no producirle a uno — ni calor** to be a matter of indifference to one
la **frivolidad** frivolity
la **fronda** foliage
frontal front
la **frontera** frontage
el **frontis** façade
la **fruición** enjoyment, fruition
fruncir to contract, pucker, wrinkle; **— el ceño** to frown
frustrar to frustrate
frutal fruit
el **fruto** fruit, products
el **fuego** fire; **hacer —** to shoot
la **fuente** fountain
fuera outside; **— de** outside, away from
fuerte strong, hard, vigorously
la **fuerza** force; **las fuerzas** strength; **a — de** by force of, by dint of
la **fuga** flight
el **fulano: Fulano, Fulana** So-and-so and So-and-so
fulminante sudden
fumar to smoke
fumoso, -a smoky
el **fundamento** *see* **saber; de —** fundamental, solid
fundir to smelt, melt down; **—se** to fuse
fúnebre funeral
la **funeraria** funeral parlor
furibundo, -a furious
furtivamente furtively
la **fusión** fusion

G

gacho, -a drooping; **con las orejas gachas** disconcerted, with hang-dog look
el **gaje** wages; **los gajes del oficio** the unpleasant things that go with a job
el **galardón** prize
la **galería** gallery, porch; **— de cristales** glass-enclosed gallery or porch
la **galleta** cracker
la **gallina** hen, chicken
el **gallito** bantam, bully
el **gallo** cock, bully
la **gana** desire; **tener ganas (de)** to feel like, want to; **con las ganas que** as heartily as
el **ganado** cattle, livestock
ganar to earn, win, gain, reach, win over, overcome; **ya era — algo** it was some improvement
el **gancho: el — de la lumbre** poker
la **gangosidad** nasality
la **garantía** guarantee
la **garganta** throat
el **garrote** club, cudgel
la **gasolina** gasoline

gastar to spend, wear, use up; **—se** to use up
el **gasto** expense
el **gatillo** trigger
el **gato** cat
gemebundo, -a full of groans
gemelo, -a twin
el **gemido** groan
el **gemiqueo** whining
gemir (i) to moan, groan
generar to generate
el **género** kind
la **generosidad** generosity
generoso, -a generous
la **gente** people
el **geranio** geranium
Gerardo Gerard
Germán Herman
la **gestación** gestation
la **gestión** step, measure, negotiations
el **gesto** grimace, expression; **poner un —** to make a face
gigante gigantic
gigantesco, -a gigantic
gimotear to whine
girar to turn
el **gitano** gypsy
el **gitanón** (*coll.*) scoundrel
el **gobernador** governor
el **goce** enjoyment
el **golfante** rascal, scoundrel
el **golfo** scoundrel, ragamuffin
la **golosina** tidbit, delicacy, treat
el **golpe** blow; **— de sangre** rush of blood
golpear to knock, beat, strike; **— en** knock on
la **gollería** delicacy, fancy thing
el **golpecito** tap
la **goma** elastic, rubber band
gordo, -a fat, stout; **lo —** the big event
el **gorgorito: hacer gorgoritos** to trill
gorjear to warble
el **gorjeo** warble, trill
la **gorra** cap
la **gota** drop
el **goterón** raindrop
la **gotita** little drop
gozar to enjoy; **—se en** to enjoy
el **gozo** joy
gozoso, -a joyful; **ser —** to be a pleasure
el **grabado** print, engraving
la **gracia** charm; **gracias** thanks; **dar gracias** to give thanks; **de —** gratuitously, for nothing
gracioso, -a gracious, comical
la **grada** step
el **grado: empezar el —** to begin to study for the degree
gran *apocopated form of* **grande**
grande great, big; **los grandes** grown ups
la **grandeza** greatness, grandeur
la **granizada** hailstorm
el **grano** pimple
el **granuja** scoundrel
gratis free
grato, -a pleasing
grave grave, serious, solemn
la **gravedad** gravity
gravitar to weigh, press
graznar to croak
la **grey** flock
la **grieta** crack
el **grillo** cricket
gris grey
gritar to cry, shout
el **grito** shout; **a gritos** shouting; **poner el — en el cielo** to raise the roof
grueso, -a thick, big

el **grueso** thickness
la **grulla** crane
el **gruñido** grunt, groan, grumble
el **grupo** group
guapo, -a pretty, good-looking
guardar to keep, guard, hold, put away
el **guardia** guard; **el — civil** policeman, member of national police force
la **guardia: La Guardia Civil** National Police Force
la **guarra** pig; **dar una —** punch in the nose
la **guerra** war; **dar —** to annoy
guiar to guide, drive
el **guijarro** pebble
el **guijo** pebble
la **guindilla** hot pepper; **las Guindillas** nickname
guiñar to wink
el **guiño** wink
la **guisa: de esta —** in this way
el **gusano** worm
gustar to be pleasing; **— de** to like; **le gusta a uno** one likes
el **gusto: tan a —** so pleased; **a —** willingly, gladly

H

haber to have, take place, be (*impersonal*); **— que** to be necessary, one must; **— de** must, to be to + *inf.*, have to; **hay** there is, there are; **yo no he de esconderme** I won't have to hide
la **habilidad** ability, skill
la **habitación** room
habitual habitual, usual
habituar to accustom
hablar to speak, talk
el **hachazo** blow with an ax
hacer to make, do, cause, bring about, "go" (i.e., make a sound); **— de** to act as; **— como si** to act as if; **hace** ago; **hace . . . que** to be . . . since; **hace diez años que necesita** for ten years he has needed; **hacía unos meses** a few months ago, before; **hacía seis años que** six years before, ago; **desde hacía** for; **—se** to become, get to be, take place, conform; **se hizo un silencio** *see* **silencio**
hacia toward
el **halago** flattery, caress
¡hale! get going!, come on!
hallar to find; **—se** to be
el **hambre** hunger; **tener —** to be hungry
hambriento, -a hungry
hartarse to be satiated, tire, get one's fill
hasta until, even, up to, as far as, to the point of, to, down to
el **haz** beam (of light)
la **hazaña** deed, feat, exploit
la **hebra** thread
hecho, -a *past. part. of* **hacer**
el **hecho** fact, event
heder (ie) to stink
la **hegemonía** hegemony, authority
helado, -a frozen
el **helecho** fern
la **hembra** female
henderse to cleave, split
la **hendidura** crack
el **heno** hay

hercúleo, -a herculean
la **herencia** inheritance; **en —** as an inheritance
la **herida** injury, wound
herido, -a wounded, hurt, injured, offended
herir (ie) to hurt, injure
la **hermana** sister
el **hermano** brother; **hermanos** brothers, brothers and sisters
hermético, -a tight-lipped
el **hermetismo** reserve
hermoso, -a beautiful
la **hermosura** beauty
heroico, -a heroic
la **herrada** bucket
el **herrero** blacksmith
el **hervidero** swarm
híbrido, -a hybrid
el **hielo** ice
la **hierba** grass, plant
la **hierbabuena** (*bot.*) mint
el **hierbajo** weed
el **hierro** iron; **los hierros** the iron parts
el **hígado** liver
la **hija** daughter
el **hijo** son; **— de vecino** everybody else; **hijos** children
el **hilo** beam (of light), thread; **un — de voz** a thin, little voice
hilvanar to outline, sketch
hincarse: hincándose en la panza thrusting itself into the belly
hipar to hiccough, whine
hipnótico, -a hypnotic
el **hipo** sob, sobbing
hipócrita hypocritical
la **hipoteca** mortgage
hipotético, -a hypothetical
hiriente sharply painful, piercing
híspido, -a bristly
histérico, -a hysterical
la **historia** history, story; **pasar a la —** to become a thing of the past
el **hocico** nose, (*coll.*) snout (of person)
el **hogar** fireplace, hearth, home, household
la **hoja** leaf
hola hello!
holandés, -a Dutch
holgazán, -a loafer, bum
el **hombre** man; **bien —** a real he-man; **— de Dios** my good man!; **Hombre del Saco** *an expression for* bogeyman; **todo un —** every inch a man
la **hombría** manliness
el **hombre** shoulder; **mirar por encima del —** to look down upon
el **homenaje** homage, testimonial
hondo, -a deep, bottom; **lo —** depth, bottom
la **hondonada** lowland, bottom land
honorífico, -a honorable
la **honra** honor
honrar to honor
la **hora** hour, time; **toda —** all hours; **la — de comer** dinner hour
el **horizonte** horizon
la **hornacina** niche
el **horno** oven
hosco, -a sullen, arrogant
la **hosquedad** arrogance
la **hostilidad** hostility
hoy today
hueco, -a deep, resounding, hollow
el **hueco** hole; **el — de la escalera** stair well

huele(n) *see* **oler**
la **huella** trace
huérfano, -a orphan; **— de** deprived of
la **huerta** orchard, vegetable garden
el **huerto** orchard
el **hueso** bone
el **huésped** guest
huesudo, -a bony
huidizo, -a fugitive, evasive
huir to flee
la **humanidad** mankind
humano, -a human
la **humedad** humidity, moisture, dampness
humedecerse to become moist
húmedo, -a damp, moist
humilde humble
humillar to humiliate, humble, lower
el **humo** smoke; **a — de pajas** (*coll.*) lightly, thoughtlessly; **malos humos** bad temper
el **humor** humor; **de buen —** in good humor; **de mal —** bad-humored
hundir to sink
húngaro, -a Hungarian, (*coll.*) gipsy
la **hura** hole, burrow
hurgar to poke
hurtadillas: a — stealthily, on the sly
hurtar to draw in, hide
el **hurto** theft
husmear (*coll.*) to pry into

I

idealista idealistic
idéntico, -a identical
idolatrado, -a adored
la **iglesia** church
ignorar not to know, to be ignorant of
igual same; **— que** the same as; **al — que** as, like; **es —** it's the same
ilícito, -a illicit
ilógico, -a illogical
iluminar illuminate
la **ilusión** pleasant anticipation; **hacerse ilusiones** to get ideas
ilustrar to illustrate
la **imagen** image
imaginar to imagine
imbécil idiot, fool
imbuir to imbue with
imitar imitate
la **impaciencia** impatience
impacientarse to grow impatient
impaciente impatient
el **impacto** impact
el **impedimiento** impediment
impedir to prevent
el **imperio** dominion, rule
impertérrito, -a dauntless, intrepid
la **impertinencia** impertinence
impetuoso, -a impetuous
implicar to imply, involve
implorar to implore
imponente imposing
imponer to impose; **imponerse a** to dominate, master
la **importancia** importance
importante important
importar to matter, make a difference; **¿te importa?** do you mind?
la **imposibilidad** impossibility
imposible impossible
la **imposición** imposition (of one's will)

la **impotencia** impotence
impotente helpless
impregnar to impregnate, saturate
imprescindible essential, indispensable
la **imprescindibilidad** indispensibility
la **impresión** impression; **— excesiva** shock
impresionante impressive
imprimir to impart
ímprobo, -a arduous
el **improperio** insult
impropio, -a (de) improper, unsuited (to)
improvisar to improvise
improviso: de — unexpectedly, suddenly
la **imprudencia** imprudence
imprudente imprudent
impuesto, -a *past. part. of* **imponer**
el **impuesto** tax
impulsivo, -a impulsive
impulsar to impel, throw
el **impulso** impulse; **a impulsos de** roused by
impunemente with impunity
impuro, -a impure
inabarcable huge
inacabable interminable
inanimado, -a lifeless
inapreciable inestimable
la **inasequibilidad** inaccessibility
inaudito, -a astounding, extraordinary
inaugurar inaugurate
incansable indefatigable, untiring
incapaz incapable, unable
el **incentivo** incentive
incesante incessant
la **incidencia** incidence, incident
el **incidente** incident
incisivo, -a incisive
incitante inviting, enticing
la **inclinación** inclination, leaning, bend
inclinar to incline, bow; **—se** to incline, be inclined, tend, bend, bow
incluso even
la **incoherencia** incoherence
incoherente incoherent
incómodo, -a uncomfortable
incompleto, -a incomplete
incomprensiblemente incomprehensibly
incondicionalmente unconditionally
inconfesado, -a implicit
inconsecuente inconsequent, inconsistent
el **inconveniente** obstacle, difficulty
incorporarse to sit up (from reclining position)
incontenible irrepressible
la **incredulidad** incredulity
increíble incredible
incrementar to increase
incrustar to sink
indagar to inquire, investigate
indeciso, -a uncertain, halting
indefectiblemente unfailingly
indefenso, -a defenseless
indefinible undefinable, unexpressible
la **independencia** independence
independiente independent
independizar to free, separate

indiano, -a person back in Spain after living and working in America
la **indicación** indication
indicar to indicate
el **índice** index
el **indicio** sign, indication
la **indiferencia** indifference
indiferente indifferent
indignarse to get indignant
indiscutible unquestionable
el **individualismo** individualism
individualista individualistic
el **individuo** individual
la **industria** business
ineluctable inevitable
inerte inert
inesperado, -a unexpected
inestable unstable, instable
inevitable inevitable, unavoidable
inexperto, -a inexpert
inexplicable inexplicable, unexplainable
inexpresado, -a unexpressed, tacit
inexpugnable inexpugnable, impregnable
inextricable inextricable
la **infamia** slander, infamy
la **infancia** childhood; **primera —** infancy
infantil children's
la **infelicidad** unhappiness
la **inferioridad** inferiority
inferir to infer
infestar to overrun, infest
infiel infidel
infinito, -a infinite, numberless
inflar to inflate; **—se** to inflate, be puffed up with pride
la **inflexión** inflection
la **influencia** influence
influir to influence; **— en** to influence, have an influence on
informe shapeless, formless
infundado, -a groundless
infundir to infuse, instil
ingente huge, enormous
la **ingenuidad** ingenuousness
la **Inglaterra** England
la **ingle** groin
inglés, -a English
el **inglés** Englishman
la **ingravidez** lightness
ingrávido, -a light
inhumano, -a inhuman
inicial initial
la **inicial** initial
iniciar to begin, start
inigualable unequalled
ininteligible unintelligible
ininterrumpido, -a uninterrupted
las **inmediaciones** environs, neighborhood
inmediato, -a immediate
inmenso, -a immense
la **inmersión** immersion
la **inminencia** imminency
inminente imminent
inmoderado, -a immoderate
la **inmoralidad** immorality
inmóvil motionless
la **inmovilidad** immobility
inocente innocent
inolvidable unforgettable
inoperante impracticable
inopinado, -a unexpected
inquebrantable unyielding
inquietante disturbing
inquietar to disturb, worry; **—se** to become disquieted, worry
inquieto, -a restless
la **inquina** aversion, dislike
inquirir to inquire
inquisidor, -a inquisitorial

insaciable insatiable
insatisfecho, -a unsatisfied
inscrito, -a inscribed
el **insecto** insect
insensatamente foolishly
las **insignias** insignia
la **insignificancia** insignificance
insignificante insignificant
la **insinuación** insinuation
insinuar to insinuate
la **insistencia** insistence; **con —** persistently
insistentemente insistently
insistir to insist
insobornable unshakeable
insólito, -a unusual
insoportable unbearable
la **inspiración** inhalation
inspirar to inspire
instalar to install
instantáneo, -a instantaneous
el **instante** instant, moment; **al —** right away, immediately
instintivo, -a instinctive
el **instinto** feeling, instinct
el **insulto** insult
la **insurrección** insurrection
íntegro, -a integral, whole
integrar to integrate, form, make up
la **inteligencia** intelligence
inteligente intelligent
intempestivo, -a untimely, ill-timed
la **intención** intention, intent, purpose
intencionadamente intentionally
intencionado, -a with intent, meaning; **bien —** well-intentioned
el **intendente** supervisor
intensificarse to intensify
intenso, -a intense
intentar to try, attempt
el **intento** attempt
interceptar to intercept, intervene in advance
el **interés** interest, concern
interesar to interest; **—se por** to take an interest in, be interested in
interior inner, internal
el **interior** interior, inside, soul
interiormente on the inside, inwardly
interlocutor interlocutor
internado, -a set back
internarse to move into
interno, -a internal
interponer to interpose; **—se** to interpose, stand between
interpretar to interpret
la **interrogación** question
interrogar to question, interrogate
interrumpir to interrupt
el **intervalo** interval
la **intervención** intervention
intervenir to intervene, intercede
la **intimidad** intimacy, privacy
íntimo, -a intimate
íntimamente deep inside
introducir to introduce
intuir to intuit, feel
intuyó *pret. of* **intuir**
inundar to inundate, flood
inusitado, -a unusual
inútil useless
inutilizarse to become useless
invadir to possess, overtake
invariablemente invariably
el **inventario** inventory
invernal (pertaining to) winter
inverosímil extraordinary, hard to believe

inversa: a la — on the contrary
el **invierno** winter
invitado, -a person invited, guest
invitar to invite
la **inyección** injection
ir to go, go on, be, suit; **— por** to go after; **—se** to go away; **ni le iba ni le venía** it did not matter to her, it was none of her business; **vamos** come on!, let's go! well; **vamos a** + *inf.* let's . . . ; **vaya** well; **¡qué va!** of course not; **vete con Dios** good-bye
la **ira** wrath
irguió *pret. of* **erguir**
irónico, -a ironical
irracional irrational
irreconciliable irreconcilable
irreductible irreductible, unyielding
irreflexivo, -a thoughtless
irrefrenable uncontrollable
irreprimible irrepressible
irritante irritating, annoying
irritar to irritate; **—se** to become irritated
la **isla** island
el **islote** small barren island; large jutting rock (in sea)
iterativo, -a iterative, repeated
el **itinerario** itinerary
izar to raise
izquierdo, -a left; **a la izquierda** left, on the left, to the left; **a mano izquierda** on the left

J

ja, ja ha, ha
el **jabón** soap
el **jadeo** panting
jamás never, not . . . ever
el **jaramugo** tiny fish (used as bait), minnow
el **jardín** garden
la **jaula** cage
la **jauría** pack
el **jefe** chief, head
la **jerarquía** hierarchy
el **jergón** mattress
Jesús Jesus
ji, ji, ji he, he, he, te-hee
el jilguero goldfinch, linnet
Job (*Bible*) Job; (*fig.*) a very patient man
José Joseph
Josefa Josephine
joven young
el **joven** youth, young person
la **joven** young person, girl
Juana Jane, Jean, Joan
el **júbilo** joy, jubilation
el **juego** game, set; **estar en —** to be at stake
el **jueves** Thursday; **del otro —** (*coll.*) so extraordinary
el **juez** judge
jugar to play; **— (a)** gamble, bet (on)
el **juicio** mind; **a — de** in the opinion of; **formar juicios temerarios** to make rash judgments; **Juicio Final** the Last Judgment; **perder el —** to lose one's mind
Julián Julian
julio July
la **junta** board, council; **Junta contra Animales Dañinos** town board for control of animal pests

juntarse to come together; **— con** to associate
junto: (**de**) **— a** close to, near
juntos, -as together
jurar to swear
júrídico, -a juridical, law
la **justicia** justice
la **justificación** justification
justificado, -a just, right (act)
justificar to justify
justo, -a just, exactly
la **juventud** youth
juzgar to consider, judge

K

el **kilo** kilo
el **kilómetro** kilometer

L

la (*f. s. art.*) the
la (*dir. obj. pr.*) her, it; (*sometimes ind. obj. pr.*) to her
el **labio** lip
la **labor** work, task, needlework
laborable work (day)
la **labranza** (piece of) farm land
lacio, -a *see* **maizal**
lacónico, -a laconic
ladear to tilt, lean
ladino, -a sly, crafty
el **lado** side; **a su —** beside him, her, by his, her side; **de —** sideways; **de otro —** on the other hand; **del otro — de** on the other side of; **por otro —** on the other hand; **por el otro —** on the other side; **por su —** on his own
ladrar to bark
el **ladrillo** brick
el **ladrón** thief
el **ladronzuelo** petty thief
la **lagartija** lizard
el **lago** lake
la **lágrima** tear
lamentar to deplore, regret; **—se de** to lament, mourn
el **lamento** lament
lamer to lick
la **lámpara** lamp, light
la **languidez** languor
lánguido, -a languid
lanzar to launch, throw, cast; **—se** to plunge oneself, throw oneself
la **lápida** tablet
el **lápiz** pencil
largarse (*coll.*) to beat it, sneak away
largo, -a long; **¡largo!** (**¡largo de aquí!**) get out of here!; **a la larga** in the long run; **a lo largo de** along, in the course of
la **lástima** (**de**) pity (for); **es lástima** (**que**) it is a pity (that)
lastimar to hurt, injure
lastimero, -a doleful
el **lastre** ballast, burden, handicap
la **lata** tin can
latente latent
el **latigazo** lash
el **latín** Latin; **saber —** (*coll.*) to be very shrewd
latir to beat, throb
el **lavabo** washstand
lavar to wash
la **lavativa** enema; **ponerse una —** to take an enema
le (*ind. obj. pr.*) him; to, for, in him, her, you, it

leal loyal
la **lectura** reading
la **leche** milk
lechero, -a (*adj.*) milk
el **lecho** bed
leer to read
el **légamo** slime
la **legua** league; **advertirse a la —** to be obvious
lejano, -a distant, remote
lejos far; **— de** far from; **a lo —** at a distance; **desde —** from a distance; **ni de cerca ni de —** not in the least
la **lengua** tongue, language; **mala —** (*coll.*) gossip, evil tongue
el **lenguaje** language
el **lengüetazo** lapping
la **lentitud** slowness; **con —** slowly
lento, -a slow
el **leñador** woodcutter
el **león** lion
leonino, -a leonine
las **Lepóridas** (*nickname*) "rabbit-faced"
les them, to them, you, to you
la **letanía** litany
el **letargo** lethargy
la **letra** letter, (*com.*) draft, handwriting
levantar to raise, lift; **—se** to rise, get up, stand up
levantisco, -a turbulent
leve slight
la **ley** law; **en buena —** for sure
la **leyenda** legend, inscription
liberarse to free oneself
la **libertad** liberty, freedom
el **libertinaje** libertinism
libre free
el **libro** book
el **licenciado: — en derecho** lawyer
la **liebre** hare
ligar to tie, bind
la **ligereza** speed, swiftness, tactlessness
ligeramente slightly
ligero, -a light; **a la ligera** lightly, quickly
lila silly
limitarse a + *inf.* to limit oneself to + *gerund*
el **límite** limit
el **limón** lemon
limpiar to clean; **—se** to wipe
límpido, -a limpid
limpio, -a clean; **sacar en —** to conclude clearly, find out
lindar con to adjoin
la **línea** line
la **linterna** lantern, flash-light
el **líquido** liquid
liso, -a smooth, even
listo, -a smart
la **lista** list
literalmente literally
liviano, -a light
lo (*n. art.*) the; **lo** + *m. sing. adj. corresponds to expressions of the following types in English*: **lo bueno** the good, what is good, goodness; **lo único** the only thing; **lo** + *adj. or adv.* + **que** how + *adj. or adv.;* **lo de** the business of, what concerned, the matter of; **lo que** *see* **que; lo mío** that business of mine
lo (*m. and n. obj. pr.*) it, him; **— que** *see* **el que**
el **lobo** wolf
el **lóbulo** lobe

el **local** quarters
localizar to locate
loco, -a crazy, insane, fool; **como un — desatado** madly; **volver —** to drive crazy
la **locomotora** engine, locomotive
la **locuacidad** loquacity
lógico, -a logical
lograr to attain, produce; — + *inf.* to succeed in + *inf.*
Lola nickname for **Dolores**
la **longevidad** longevity
los (*m. pl. art.*) the; *see* **el**
los (*m. obj. pr.*) them, you
la **losa** slab, flagstone
lozano, -a blooming
Lucas Luke
lucir to display
luctuoso, -a sad, gloomy
la **lucha** struggle
luchar to struggle; **— por** + *inf.* to struggle to + *pres. part.*
luego then, soon, later; **— de** after; **desde —** of course
el **lugar** village, place, room, space; **en — de** instead of; **tener —** to take place
lúgubre dismal, gloomy
el **lujo** luxury; **— de** excess of; **de —** de luxe
la **lumbre** fire
luminoso, -a bright
la **luminosidad** luminosity
la **luna** moon, plate glass; **— de miel** honeymoon
el **lunar** (*fig.*) stain, blot; spot
la **lupa** magnifying glass
el **lustre** luster, shine
el **luto** mourning
la **luz** light; **dar a —** to have a child, give birth to; **dar la —** to turn on the light; **hacerse la —** to become light; **poner la —** to put on the light

LL

la **llama** flame
llamar to call, attract; **—se** to be called; **—se como** to be named after; **— a quintas** draft for military service (in Spain male citizens are subject to military service in their twentieth year); **— la atención** to scold
el **llanto** weeping, crying
la **llanura** plain
la **llave** key
la **llegada** arrival
llegar (a) to reach, arrive, reach the point of; **— a** + *inf.* to come to, get to + *inf.*, succeed in + *gerund*
llenar (de) to fill, cover (with); **—se de** to get covered with
lleno, -a (de) full (of), covered (with)
llevar to wear, carry, bear, take, lead, to have been, have, be older than (by a certain number of days, months, years); **— por delante** (*fig.*) to mow down; **— de la mano, brazo** to take by the hand, arm; **—se** to carry away, carry off; **llevar . . . años** to spend, be . . . years; **llevar . . . años a** to be . . . years older than; *see* **razón**
llorar to weep, cry (for)
lloriquear to whimper, whine
llover (ue) to rain
lloviznar to drizzle
la **lluvia** rain
lluvioso, -a rainy

M

macilento, -a wan
macizo, -a solid, massive
el **macizo** flower bed
machamartillo: a — (*coll.*) firmly, thoroughly
el **macho** male
machorro, -a barren, sterile
la **madera** wood
la **madrastra** stepmother
la **madre** mother
la **madrina de boda** bridesmaid
la **madrugada** morning; **de —** early, at the break of day
madrugar to get up early
madurar to think out, mature
maduro, -a ripe
la **maestra** teacher's wife
el **maestro** teacher
magnífico, -a magnificent
magro, -a thin, lean, meager
magullar to bruise
el **maíz** corn
el **maizal** cornfield; **unos lacios y barbudos maizales** scrubby and poor cornfields
majestuoso, -a majestic
la **majuela** hawthorn
mal (*adv.*) badly; (*adj.*) *see* **malo**
el **mal** evil, harm, damage; **— menor** lesser of two evils
maldito, -a darn
maleable malleable
malear to damage, spoil
maleducado, -a badly brought up, badly behaved
malévolo, -a malevolent
la **maleza** thicket, underbrush
malhumorado, -a ill-humored
maliciosamente maliciously, mischievously, slyly
malo, -a bad, evil, "blessed"; **lo —** the trouble
el **malparto** miscarriage
malvado, -a wicked
el **malvado** evildoer
el **malvís** song thrush, redwing
mamar to suck, nurse
el **manantial** spring
la **manaza** big hand
mancillar spot, spoil
manco, -a one-handed, maimed
el **Manco** nickname
la **mancha** spot, stain
mandar to order, send, dominate (e.g., the countryside); **— llamar** to send for; **como Dios manda** *see* **Dios**
manejable manageable
la **manera** manner, way; **— de ser** ways; **a la — de** like; **de ... —** in ... way; **de cualquier —** in any old way; **de otra —** otherwise; **de todas maneras** anyway
manejar to manage
la **manía** mania
la **manifestación** declaration
manifestar to declare
la **mano** hand, foot (of animal); **a —** by hand; **abrir la —** to relax regulations; **de la —** by the hand; **echar — de** to resort to; **poner la — encima** to lay a hand on; **pasar la — por los hombros** to put one's arm over the shoulders
el **manojo** handful, bunch
manosear to handle
el **manotazo** slap
mantener to maintain, keep; **—se** to keep, stay

la **mantilla** mantilla (head shawl)
la **manzana** apple
el **manzano** apple tree
la **maña** craftiness, cunning
la **mañana** morning, tomorrow; **por la —** in the morning
la **máquina** locomotive, machine
maquinalmente mechanically
el (la) **mar** sea; **la —** (*fig.*) lots
maravilloso, -a wonderful, marvelous
maravillarse ante to wonder at, marvel at
marcado, -a marked
marcar to mark
el **marco** frame
la **marcha** departure, way, course, progress, leaving; **dar — atrás** to go back; **en —** going
marchar to go, march, walk, go away, leave, come along, get along; **—se** to go away, leave
marchitarse to wilt, wither
marearse to become seasick, dizzy
María Mary
Mariano Marion
el **marica** (*coll.*) sissy
el **marido** husband
la **Mariuca** nickname for **María**, Molly
la **Mariuca-uca** little Molly
el **mármol** marble
el **marqués** marquis
¡marramiau! meow
la **marrrana** (*coll.*) slut
el **martín pescador** kingfisher
el **martirologio** martirology
mas but
más more, most; **— que** more than; **— de** more than; **a — de** besides, in addition to; **no . . . más** no other; **no . . . más que** only; **como el que —** as well as the next one, as anybody; **por — que** however much, no matter how much, although; **sin —** simply; **sus — y sus menos** pros and cons, ups and downs
masa: en — en masse
mascullar (*coll.*) to mumble, mutter
masticar to chew
el **mástil** staff, pole
matar to kill; **—se** to kill oneself
mate dull, flat
materialmente literally
la **maternidad** maternity, motherhood
materno, -a maternal
matizado, -a full of nuances
matizar to elaborate
el **matón** bully
el **matrimonio** matrimony
matutino, -a matutinal, morning
el **maullido** meow
máximo, -a maximum
mayor greater, greatest, older, oldest, eldest; **los mayores** elders, grown-ups
la **mayoría** majority
me me, to me, for me, myself, to myself, for myself
mecánicamente mechanically
mecer to rock
la **medalla** medal
el **medallón** medallion
medianejo, -a fair to middling

mediante by means of
el **médico** doctor, physician
la **medida** measure, step; **a — que** as
medio, -a half, half a; **a medias** half
el **medio** means, medium, middle; **en — (de)** in the middle (of); **la del —** the middle one; **por —** in between
medir (i) to measure
médula medula, marrow
Méjico Mexico
la **mejilla** cheek
mejor better, best; **a lo —** perhaps; **— dicho** rather; **— aún** to be more exact
la **melancolía** melancholy
melancólico, -a melancholy
la **melena** long hair (falling over shoulders)
melodioso, -a melodious
meloso, -a honeyed, sweet
mellar to dent, make a dent in
mellizo, -a twin
membrudo, -a burly, husky
la **memoria** memory; **de —** by heart
la **mención** mention
el **mendigo** beggar
menor least, smallest, younger, youngest
menos except, less; **— que** less than; **— mal que** fortunately; **al —** at least; **echar de —** to miss; **por lo —** at least; **punto — que** a bit less than; of, to (in telling time); **sus más y sus —** pros and cons, ups and downs
el **menosprecio** underestimation, scorn, contempt
mentar (ie) to name, mention
la **mente** mind
mentir (ie) to lie
la **mentira** lie; **parece —** it hardly seems possible
el **mentón** chin
menudo, -a small, slight; **a —** often
la **mercancía** merchandise
mercantil commercial, mercantile; **profesor —** professor of business administration
el **mercurio** mercury
merecer to deserve
el **mérito** merit, worth, value
meritorio, -a meritorious
mermar to decrease, reduce
mero, -a mere
el **mes** month
la **mesa** table
mesar to tear, pull out (hair)
metafísico, -a metaphysical
meter to put, get into, strike; **—se en** to go into; **—se en vidas ajenas** to stick one's nose into other people's business; **— ruido** to make a noise; **— la nariz en todas las salsas** to stick one's nose into everything; **le metió la perdigonada** hit him with bird-shot
meticulosamente meticulously
la **metralla** shrapnel
el **metro** meter
la **mezcla** mixture
mezclar to mix
mezquino, -a skimpy, stingy
mi my
mí me
miau meow
mío, -a mine, of mine
Mica short for **Micaela**

Micaela proper name
microscópico, -a microscopic
el **miedo** fear; **dar —** to frighten; **meter —** to scare; **tener —** to be afraid
la **miel** honey; **enturbiar las mieles** to spoil the pleasure
el **miembro** limb
las **mientes** mind
mientras while, as long as
las **migas de pan** crumbs
mil thousand, a thousand, one thousand; **una y —** a thousand and one
el **milagro** miracle
milagroso, -a miraculous
el **milano** kite (bird of the hawk family)
militar military
el **millar** thousand
el **millón** million
millonario, -a millionaire
mimar to pamper
el **mimbre** wicker
mínimo, -a least, smallest; **lo más —** the slightest, the least bit
el **ministro** minister
la **minucia** trivial details
minucioso, -a minute, meticulous
minúsculo, -a small, tiny
el **minuto** minute
mío, -a my, mine, of mine
la **mira** aim, purpose
mirado, -a *past. part.* **mirar**; **bien mirado** thinking it over carefully
la **mirada** glance, looking
mirar to look (at), consider; **—se** to look at each other; **— por** to look after
el **mirlo** blackbird
la **misa** mass; **— mayor** High Mass; **— de ocho** eight o'clock mass; **ayudar a —** to serve at mass
la **miseria** misery, poverty; **tener —** to have lice
misericordioso, -a merciful
mismo, -a same, self (e.g., **él mismo** himself, etc.); (lo) **mismo . . . que** same . . . as; **lo mismito** the very same, very, own
el **misterio** mystery
misterioso, -a mysterious
la **mitad** half; **a la —** halfway through; **por la —** in the middle, in half
el **mixto** local train
el **moco** mucous; **— de pavo** (*coll.*) a small thing; **con los mocos colgando** with his nose dripping; **llorar a — tendido** (*coll.*) to cry like a baby
el **mocoso,** la **mocosa** brat
el **mochuelo** little owl; **Mochuelo** nickname
los **modales** manners
el **modelo** model
módico, -a moderate, reasonable
modificar to change
el **modo** mode, manner, way; **de este —** in this way; **de . . . modo** in a . . . way; **de — que** so that; **de todos modos** at any rate, anyhow; **de otro —** otherwise; **al —** in the manner; **en cierto —** in a way
la **modulación** modulation
modulado, -a sweet, harmonious
el **mohín** face, grimace, pouting
Moisés Moses
molestar to annoy, bother

molesto, -a annoyed, bothered
la **molicie** pleasure
el **molino** mill
mollar soft, tender
el **momento** moment, time; **al —** at once; **de —** for the moment; **no ver el —** not to be able to wait; **por momentos** gradually
la **moneda** coin
monótono, -a monotonous
monstruoso, -a monstrous
la **montaña** mountain
montar to set up, establish, mount
el **monte** mount, mountain, woods, woodland; **el Monte de los Olivos** Mount Olive
el **montículo** mount, hillock
el **montón** pile, heap, (*coll.*) lot, great deal
Moñigo nickname
la **moquita: sorber una —** to sniffle
la **mora** blackberry
la **moral** morals
moralizador, -a moralizing
mórbido, -a soft, delicate
morboso, -a morbid
mordaz mordant, biting
morder (ue) to bite
moreno, -a brown, dark brown
moribundo, -a moribund, dying
morir (ue, u) to die; **—se** to die
moro, -a Moorish
moroso, -a slow, tardy
la **mortaja** shroud
mortecino, -a dead, dying, weak, failing
mortificante mortifying
mortificar to mortify
la **mosca** fly
el **mostrador** counter (in a store)
mostrar (ue) to show; **—se** to act
el **mote** nickname
motejar to call names
el **motivo** motive, reason, cause
mover (ue) to move, shake, nod (head); **—se (de)** to change, move (from)
el **movimiento** movement
la **moza** girl, lass
el **mozo** youth, lad
la **muchacha** girl, young woman, (*coll.*) young person
el **muchacho** boy, fellow, (*coll.*) youth, young person
mucho, -a much, a lot, a great deal; **muchos** many; **por —** however much, no matter how much
la **mudez** prolonged silence
mudo, -a silent, mute
los **muebles** furniture
la **mueca** grimace
el **muelle** spring, dock
la **muerte** death
muerto, -a (*past part. of* **morir & matar**) dead
el **muerto** dead person, corpse
la **muestra** show, indication, sample
el **mugido** moo, lowing
la **mujer** woman, wife
la **mujerona** female (*derogatory*)
la **mujeruca** poor little woman
el **mulero** muleteer
múltiple multiple, manifold
multiplicar to multiply; **—se** to multiply
la **multitud** multitude, crowd
mullido, -a fluffy, soft
el **mundo** world; **todo el —** everybody

el **muñón** stump (of amputated limb)
la **muralla** wall, rampart
el **murmullo** murmur, whisper
murmurar to whisper, murmur, (*coll.*) gossip
el **muro** wall
el **mus** a Spanish card game
la **musculatura** muscular development
el **músculo** muscle
la **música** music
el **músico** musician
musitar to mumble, whisper
el **muslo** thigh
la **mutación** mutation
mutilado, -a crippled
el **mutilado** cripple
mutuo, -a mutual
muy very, very much; **—** + *noun* very much of a

N

nacer to be born
nacido, -a born; **el recién —** the new born
el **nacimiento** birth; crèche (Nativity scene)
nada nothing, not anything, anything, not at all; **— de . . .** no . . . at all; **— de particular** nothing special; **— que** + *inf.* nothing + *inf.*; **— más** + *inf.* immediately after; **para —** not at all
nadar to swim
la **nadería** trifle
nadie nobody, not anybody, no one, anybody
la **naranja** orange
la **naricita** little nose
la **nariz** nose; **las narices** nose; **¡narices!** nuts!
la **nata** cream
el **natural** temper, disposition
la **naturaleza** nature
la **naturalidad** naturalness
el **náufrago** shipwrecked person
la **navaja** folding knife
navegar to navigate
la **Navidad** Christmas, Christmas time; **las Navidades** Christmas
nebuloso, -a nebulous, vague
necesario, -a necessary
la **necesidad** need; **por —** of necessity
necesitar (de) to need, require
negar (ie) to deny, refuse
el **negocio** business, deal
negrear to turn black, be blackish
negro, -a black
el **negro** dirt
negruzco, -a blackish
la **nena** (*coll.*) baby (girl)
el **nervio** nerve, sinew; *see* **ataque**
nervioso, -a nervous; **poner —** to make nervous
el **nerviosismo** nervousness; **entrarle a uno un —** to have a nervous spell, get nervous
neutralizar to neutralize
la **nevada** snowfall
ni neither, nor, not even; **ni . . . ni** neither . . . nor; **ni (tan) siquiera** not even, nor even; **— una** not one
el **nicho** niche
el **nido** nest
nimio, -a small, negligible
ningún *see* **ninguno**
ninguno, -a no, not any, none, no one
niño, -a young

la **niña** girl
el **niño** boy, child; **desde muy —** from when he was very young; **desde —** from childhood
el **nivel** level
no not, no
la **nobleza** nobility
la **noche** night; **alta —** in the middle of the night; **de —** at night; **esta —** tonight; **de la — a la mañana** unexpectedly, suddenly; **hacerse de —** to become dark; **por la —** at night, in the night-time, in the evening; **todas las noches** every night; **ya de —** when it was already night
la **Nochebuena** Christmas Eve
el **nogal** walnut tree
nombrar to appoint, name
el **nombre** name; **poner — a** to give a name
los **nones** odd numbers
la **norma** norm, rule
el **norte** north
nos us, to us
nosotros, -as we; us
la **nostalgia** nostalgia, homesickness
la **nota** note, mark, grade
notar to notice, feel; **—se** to notice
la **noticia** news
notorio, -a notorious, noticeable
la **novedad** novelty
la **novela** novel
el **novelista** novelist
la **novia** fiancée, sweetheart
el **noviazgo** courtship
noviembre November
el **novio** fiancé, sweetheart; **los novios** bride and groom; **hacerse novios** to get engaged; **ser novios** to be engaged, go steady
la **nube** cloud
la **nuca** nape, back of neck
nuestro, -a our
nueve nine
nuevo, -a new; **de —** again, anew
nuevamente again, anew
nulo, -a null, void, worthless
el **número** number
numeroso, -a numerous, large
nunca never, not ever

Ñ

la **Ñuca** nickname

O

o or; **o . . . o** either . . . or
obedecer to obey
obediente obedient
el **objeto** object
obligar a + *inf.* to obligate to, force to + *inf.*
obligado, -a obligated
la **obra** work
la **obrada** piece of land, land measure (varying between 39 and 54 ares)
obrar to act, operate
el **obrero** worker
obscurecerse to grow dark
la **obscuridad** darkness
obscuro, -a dark, sinister, gloomy
obsequiar to present, give
el **obsequio** present
observar to observe
la **obsesión** obsession
obsesivo, -a obsessive

el **obstáculo** obstacle
no obstante however, nevertheless, in spite of
obstinado, -a obstinate
obstinarse en to persist
obtener to get
la **ocasión** occasion, opportunity, chance; **dar — a** to give ground for; **en ocasiones** occasionally, at times
ocasionar to cause
el **océano** ocean
octubre October
ocultar to hide; **—se** to hide; **ocultársele a uno** to be hidden from one, (for one) to be unaware of
oculto, -a hidden, concealed
ocupar to occupy
la **ocurrencia** bright idea
ocurrir to happen; **ocurrírsele a uno** + *inf.* to occur to one to + *inf.*
ocho eight
ofender to offend
el **oficial** clerk
la **oficina** office
el **oficio** trade, craft, occupation
ofrecer to offer, show
ofuscar to obfuscate, dazzle, confuse
el **oído** ear
oír to hear, listen (to); **— decir** to hear said, tell
el **ojillo** little eye
el **ojo** eye; **¡ojo!** be careful!; **no pegar un (el) —** (*coll.*) to not sleep a wink all night; **costar un — de la cara** to cost a mint; **no quitar los ojos de** not to take one's eyes off; *see* **blanco**
oler (ue) to smell; **— a** to smell of, smell like
olímpico, -a Olympian; haughty
olisquear (*coll.*) to smell, scent, sniff
el **olivar** olive grove
el **olor** smell; **— de santidad** odor of sanctity
olvidar to forget; **—se de** to forget
la **olla** pot, kettle
once eleven
la **onda** wave; **— de velocidad** the stream of fast moving air
la **opacidad** gloominess
opaco, -a sad, gloomy
la **operación** operation
la **opinión** opinion
oponer to put up, offer
la **oportunidad** opportunity
oportuno, -a opportune
la **oposición** opposition; competitive examination for a position
oprimir to squeeze
el **oprobio** opprobium
optimista optimistic
opuesto, -a opposite
el **orador** speaker
oratorio, -a oratorical
el **orden** order
ordenar to order, arrange
ordeñar to milk
ordinario: de — ordinarily
el **Ordinario** bishop
la **oreja** ear
la **organización** organization
organizar to organize, develop
el **orgullo** pride
orgulloso, -a proud
el **origen** origin
la **orilla** edge, bank, shore
el **oro** gold
orondo, -a big-bellied
la **ortiga** (*bot.*) nettle
os you, to you

la **osadía** boldness, daring
osadamente boldly, daringly
osar to dare
la **oscilación** oscillation
oscilar to oscillate
oscurecerse to grow dark
la **oscuridad** darkness
oscuro, -a dark
ostensible visible, manifest
la **ostentación** showing off, ostentation
ostentar to display
otear to survey
el **otero** hillock
el **otoño** autumn, fall
otro, -a other, another, other one, another one; **otros** other; **— tanto** as much, the same thing
oxidado, -a rusty

P

la **paciencia** patience
paciente patient
Paco Frank
padecer to suffer
el **padre** father; **padres** parents, fathers
pagar to pay, pay for
la **página** page
el **país** country
el **pajar** hay loft
pajarero, -a with birds
el **pajarero** bird fancier
el **pájaro** bird
el **pajarraco** ugly big bird
la **palabra** word; **palabras feas** dirty words; **cambiar la —** to talk to; **dirigir la —** to direct one's words
la **palabrota** vulgarity, oath, swear word
el **palacio** palace
el **paladeo** tasting
la **palangana** washbowl
paliar to soften
pálido, -a pale
la **palma** palm (of hand)
la **palmada** slap
la **palmadita** pat
palmario, -a clear, evident
palmearse: — el polvo to dust off
el **palmetazo** slap
palmitas: hacer — to clap one's hands
el **palo** pole, stick; **de tal — tal astilla** a chip off the old block
palpar to feel
la **palpitación** palpitation
palpitante throbbing, burning
palpitar to palpitate, throb
la **pamplina** nonsense
pamplinero, -a simple, silly
el **pan** bread; **comérselo con su —** to take the consequences, be one's own affair
la **pana** velveteen, corduroy
el **panadero** baker
Pancho Frank
la **pandilla** gang, band
el **pánico** panic
el **pantalón** trousers, trouser leg
la **pantalla** screen
el **pantéon** pantheon
la **pantera** panther
la **pantorrilla** calf (of leg)
la **panza** paunch, belly, curved surface
el **paño** cloth
el **pañuelo** handkerchief
el **Papa** Pope
el **papel** paper, role
el **papirotazo** stupid, silly action
papista papist

el **paquete** package, bag
el **par** pair, couple; **pares o nones** odd or even (guessing game)
para to, for, by (a certain time), toward; **—** + *inf.* in order to; **— que** in order that, so that
la **parada** stop
el **paragolpes** bumper
el **paraguas** umbrella
el **paralelismo** parallelism
paralizado, -a paralyzed
parangonar to compare
pararse to stop
la **parcela** plot, piece of ground
parcelar to parcel, divide into lots
pardo, -a brown, drab
parecer to appear, seem; **al —** apparently; **cambiar de —** to change one's mind; **—se** to resemble each other
parecido, -a like, similar
la **pared** wall
la **pareja** couple, pair
el **paréntesis** parenthesis
parir to give birth to
el **párpado** eyelid
el **párrafo** passage
el **párroco** parson, parish priest
la **parroquia** parochial church
parroquial parochial
la **parsimonia** parsimony
la **parte** part, share; **en cualquier —** anywhere; **formar —** to be a part; **la mayor —** most, the majority; (**a, en, por**) **todas partes** everywhere; **por ninguna —** nowhere; **por otra —** on the other hand, moreover; **por su —** for or on his part, as far as he was concerned; **en otra —** elsewhere
participar to participate
particular particular, peculiar; **no tener nada de —** not to be anything special, strange; **¿Qué tiene la cosa de —?** What's strange about it?
la **partida** departure, game; **echar una —** to play a game
partidario, -a in favor of
partido: no saber qué — tomar not to know what to do, not to know how to make up one's mind
partir to break, split, split open, leave; **— de** to start from, come out; **—se** to become divided or split, split; **a — de** from, beginning with; **a — de aquí** from here on, from then on
el **parto** birth, delivery
pasado, -a past; **pasados unos meses** after some months
pasajero, -a passing, fleeting
el **pasamano** handrail
pasar to pass, undergo, suffer, spend (time), go through, go over, happen, come in, go in; **— por** to pass as, pass for, pass over; **—lo** to get along; **— de** to go beyond; **—se** to pass, go, spend (time); **—sele a uno** (for one) to miss; **no —lo mal** not to have a bad time; **— a ser** to become; **¿qué te pasa?** what's the matter with you?
Pascualón big Pascual
pasear to take around, promenade
el **paseo** walk, stroll

el **pasillo** corridor
pasmado, -a ninny
pasmar to stun, astound, dumbfound
el **paso** step, pace, passing; **— a nivel** grade crossing; **dejar —** to let go through; **marcar el —** to mark time
pastar to graze
el **pasto** pasturage, feed
la **pastora** shepherdess
pastoso, -a pasty
la **pata** leg; **patas arriba** (*coll.*) upside down
la **patata** potato
patatazos: a — throwing potatoes
paternal fatherly
patético, -a pathetic
la **patilla** sideburns
patosamente clumsily
el **patrocinio** sponsorship, backing
la **Patrona** patron saint
paulatinamente slowly, gradually
la **pausa** pause
pausado, -a slow, calm
el **pavo real** peacock
el **pavimento** pavement, floor
el **pavor** fear, terror
la **paz** peace
la **peana** pedestal
la **peca** freckle
el **pecado** sin
pecador, -a sinful
el **pecador**, la **pecadora** sinner
pecaminoso, -a sinful
pecar to sin
el **pececillo, pececito** little fish
pecoso, -a freckly
el **pecho** chest, breast; **— de tabla** flat-chested; **a — descubierto** unarmed; **tomar a pechos** to take to heart
la **pechuga** breast (of fowl), (*coll.*) breast, bosom
pedagógico, -a pedagogical
pedir to ask, ask for, beg
el **pedrusco** boulder
pegajoso, -a sticky
pegar to beat, hit, transmit, communicate (a disease); **me las pegó . . .** I got them from . . .; **— un tiro** to shoot; **no — un (el) ojo** not to sleep a wink all night
peinar to comb; **—se** to comb one's hair
el **pelaje** fur
el **peldaño** step (of stairs)
la **pelea** fight
pelear to fight; **—se** to fight
peliagudo, -a arduous
la **película** film
el **peligro** danger
peligroso, -a dangerous
el **pelo** hair; **jugar hasta los pelos** to gamble one's last cent; **no tener pelos en la lengua** (*coll.*) to be outspoken, not to mince words; **no vérsele el —** not to see hide nor hair
pelotearse to pelt each other, play catch
peludo, -a hairy, furry
el **pellejo** skin
la **pena** sorrow, grief; **— de muerte** death penalty; **a duras penas** with great difficulty; **tener — (por)** to be sorry (to); **valer la — +** *inf.* to be worthwhile + *inf.*
el **penacho** crest, plume, panache

pender de to hang on, be fixed on
pendiente hanging; **— abajo** downhill; **— de** hanging on
la **pendiente** slope
pendulear: hacer— to swing
el **péndulo** pendulum
la **penetración** penetration
penetrante penetrating, piercing
penetrar to penetrate
penoso, -a sad, sad-looking, arduous, difficult
pensado *past. part. of* **pensar; bien —** thinking it over carefully
el **pensamiento** thought
pensar (ie) to think, think of, think over; **— en** to think of; **— mejor** think over
pensativo, -a pensive, thoughtful
la **peña** rock
el **peón** pawn (in chess); **Peón** nickname of *Don Moisés*
peor worse, worst
Pepe Joe
pequeño, -a little, small, young; **los pequeños** young boys
el **pequeñuelo** baby, tot
la **pera** pear; **como una perita en dulce** as sweet as could be
el **percance** mischance, misfortune
percatarse de to take notice of
percibir to perceive
perder (ie) to waste, lose, ruin; **—se** to be ruined, lost, lose oneself, disappear
la **perdición** perdition, ruination
la **perdida** loose woman
perdido, -a stray, wild
el **perdido** scoundrel
el **perdigón** shot, pellet
la **perdigonada** shot with bird shot; **le metió la —** hit him with bird shot
la **perdiz** partridge
el **perdón** pardon, forgiveness
perdonar to forgive
perdurar to last
la **perennidad** continuousness
perezoso, -a lazy
perfecto, -a perfect
el **perfil** profile, side view
el **perfume** perfume
el **periódico** newspaper
la **peripecia** peripeteia (sudden change of circumstances)
el **perito** expert
la **perla** pearl; **de perlas** "swell', "dandy"
permanecer to stay, remain
permitirse to take the liberty
pero but
la **perola** pot
la **perorata** harangue
la **perplejidad** perplexity
la **perrería** (*coll.*) dirty trick
el **perro**, la **perra** dog; **perra chica** (*coll.*) copper coin (five céntimos)
perruno, -a canine; **a estilo —** dog-paddle
perseguir (ie) to pursue
persignarse to cross oneself, make the sign of the cross
persistir to persist
la **persona** person; **tu —** you yourself
el **personaje** character, person
el **personal** personnel, staff, force
la **personalidad** personality, character
la **perspectiva** perspective; **en la —** at a distance

persuadir to persuade
persuasivo, -a persuasive
pertenecer to belong
pertinente pertinent
perturbar to interfere with
la **perversidad** perversity
perverso, -a perverse
la **pesadilla** nightmare
pesado, -a heavy
pesadote very heavy
la **pesadumbre** sorrow, grief
el **pésame: dar el —** to present one's condolences, extend one's sympathy
pesar to weigh; **— lo suyo** to be rather heavy; **pese a** in spite of
el **pesar** worry, sorrow, regret; **a — de** in spite of; **a — de que** although; **a su —** against one's will
pescar to fish
el **pescuezo** neck
pese *see* **pesar**
la **peseta** peseta (Spanish monetary unit); **una — de sal** one peseta worth of salt
pésimo, -a very bad, abominable, miserable
el **peso** weight, burden; **quitar —** to lighten the load; **caerse de su —** to be evident, self-evident
la **pestaña** eyelash
pestañear to wink, blink; **sin —** without batting an eye
el **pétalo** petal
pétreo, -a stony
petulante frivolous, pretentious
el **pezón** nipple, teat
piadoso, -a pious, devout, merciful
picante biting, stinging
picar to break, chip; **— en cadena** (*aer.*) "peel-off", dive
el **pico** peak; **Pico Rando** Rando Peak
el **picor** itch, itching
picotear to peck
el **pie** foot; **a sus pies** at, under his feet; **a los pies** at the foot; **dar —** to give an opportunity for; **ponerse de, en —** to rise, stand up
el **piececito** little foot
la **piedad** piety
la **piedra** stone; **— de toque** touchstone; **no quedar — sobre —** not to leave a stone standing
la **piel** skin
pienso: ni por — by no means, don't think of it
la **pierna** leg
la **pieza** prey, game, animal or bird bagged in hunting
el **pincel** brush
pinchar to jab
pindonguear (*coll.*) to gad about (said of a woman)
el **pingajo** (*coll.*) rag
el **pino** pine
pintar to paint; **no — nada** (*coll.*) to have no place, have no business; **ni pintado** not under any circumstances
pintiparado, -a just right
la **pintura** painting; **no poder ver ni en —** not to be able to stand the sight of
las **pinzas** pincers (tool, claws of crab, etc.)
pique: a — de in danger of
piropear to flatter, compliment, flirt with
el **piropo** compliment, flirtatious remark

la **pisada** footstep; **una mala —** a misstep
pisar to tread, step (on)
el **piso** floor; **— alto** upper, top floor; **— bajo** ground floor
pitañoso, -a bleary-eyed
pitar to blow a whistle, whistle
el **pitido** whistle, whistling
el **pitillo** cigarette
la **pizarra** slate
placer to please
el **placer** pleasure
plácido, -a placid
planchado -a: sombrero — well-blocked hat
planchar to iron
planear to plan
el **plano** plane
la **planta** plant, sole (of foot); **— baja** ground floor
plantado, -a *past part. of* **plantar**; **quedarse —** to stand still
plantar to plant; **—se** (*coll.*) to arrive
el **plante** collective complaining and demanding
la **plañidera** weeper, professional mourner
plasmar to form
plástico, -a plastic
el **plato** dish
la **plaza** square
plegar (ie) to fold, fold over
la **plegaria** prayer
el **pleito** litigation, dispute
la **plenitud** plenitude, plentifulness
pleno, -a: en — right in the [middle of]
plenamente fully
el **pliegue** fold, convolution
plomizo, -a leaden, lead-colored
el **plomo** lead
la **pluma** feather
el **plumaje** plumage
poblar (ue) to plant (i.e., with trees), populate; **—se** to become full, covered or crowded
pobre poor
poco, -a little, small; **—** + *adj.* not very + *adj.;* **un —** a little, somewhat; **un — de** + *noun* a little; **a — de** + *inf.* shortly after + *gerund;* **no —** not a little; **— a —, poquito a —** little by little; **pocos** (very) few
poder (ue) to be able, can, may, might, could, could have, to be possible (for one); **puede**, **puede que** maybe, perhaps; **— más** to be stronger; **—le a uno** "to beat"; **no podía menos** it could not help doing
el **poder** power
poderoso, -a powerful
poético, -a poetic
el **polo** pole
el **polvillo** fine dust
el **polvo** dust; **palmearse el —** to dust off
la **pólvora** powder, gunpowder
la **polla de agua** (*orn.*) corn crake
el **pollo** chicken; **pollos** little birds, nestlings
la **pomada** ointment
la **pompa de jabón** soap bubble
poner to put, place, apply, set up; **—se** to become, get, turn, put on; **— a** + *inf.* to begin to + *inf.;* **— en guardia** to become wary

pontificar to pontificate, make a pronouncement with pretensions of great authority
poquitín little bit
poquito, -a little
por on account of, because (of), through, over, as, for, on, along, by, according to, for the sake of, in, at, around; **—** + *inf.* in order to + *inf.*; **estar —** to be in favor of; **— si** in case; **— no** if it were a question of not . . .; **— mucho** however much, no matter how much
la **porcelana** porcelain
el **porche** porch, portico
el **pormenor** detail
porque because
por qué why
el **portador** bearer
portar to carry; **—se** to behave
el **portazo** bang or slam (of door)
portentoso, -a portentous, extraordinary
la **portezuela** door (of carriage, automobile)
el **portón** large door or gate
el **porvenir** future
pos: en — (de) following
las **posaderas** buttocks, seat of the pants
posarse to alight, perch, settle, stop
poseer to have, possess
la **posesión** possession
la **posibilidad** possibility
posible possible
la **posición** position
positivo, -a positive
la **postergación** delay, postponement
postizo, -a artificial
postre: a la — at last, finally
postrer, postrero, -a last
la **postura** posture, position, attitude
potente powerful
la **potestad** power
el **potingue** concoction
la **poza** pool
el **pozo** well
práctico, -a practical
la **práctica** practice; **llevar a la —** to put into practice
la **pradera** meadowland, prairie
el **prado** meadow, pasture
precavido, -a cautious
preceder to precede
el **precio** price
precioso, -a precious
el **precipicio** precipice
la **precipitación** precipitation
precipitadamente precipitously
precipitarse to throw oneself headlong, rush
precisar (de) to need, state precisely, specify; *see* **puesto**
preciso, -a precise, necessary
precisamente precisely, just at the time of
la **precocidad** precocity, precociousness
la **predilección** predilection
predilecto, -a favorite, preferred
la **preferencia** preference; **poner sus preferencias en** to prefer
preferible preferable
preferir (ie) to prefer; **—** + *inf.* to prefer to + *inf.*
pregonar to proclaim, announce publicly

la **pregunta** question; **hacer una —** to ask a question
preguntar to ask
prejuzgar to prejudge, decide beforehand
preliminar preliminary
prematuro, -a premature
el **premio** prize
premioso, -a slow
la **prenda** garment
la **preocupación** worry
preocupar to preoccupy, worry; **—se de** to worry (about)
preparar to prepare; **—se** to get ready
el **preparativo** preparative, preparation
la **prepotencia** predominating power
el **presagio** omen
el **presbiterio** presbytery
prescindir de to dispense with, leave out
la **presencia** presence
presente present; **los presentes** those present
presentarse to appear
el **presentimiento** presentiment
presentir (ie) to have a presentiment of, surmise
preservar to preserve, protect
la **presidenta** president (woman)
presidir to preside
la **presión** pressure; **hacer —** to exert pressure
la **prestancia** superiority
prestar atención to pay attention
presumido, -a conceited, vain
presumir to presume
presunto, -a presumptive, expected
pretender to pretend to, try to, try for
el **pretil** stone or brick railing
prevenido forewarned
previo, -a previous
previsible forseeable
previsto, -a expected
prieto, -a dark
la **primacía** primacy, "leading role"
la **primavera** spring, springtime
primer, primero, -a first
pirmitivo, -a primitive
el **principio** beginning; **al —** in the beginning, at first
prisa: de — quickly, hurriedly
probable probable, likely
probar to try
el **problema** problem
proceder to be proper
el **procedimiento** procedure
la **procesión** procession
el **proceso** process
proclamar to proclaim
procurar to strive for, yield, produce; — + *inf.* to try, strive to + *inf.*
la **prodigalidad** prodigality
el **prodigio** prodigy
prodigiosamente wonderfully
pródigo, -a lavish, prodigal
producir to yield, bear, cause, bring about, produce; **—se** to happen, take place
la **proeza** feat, stunt, prowess
proferir (ie) to utter
la **profesión** profession
profesional professional
el **profesor** professor, teacher
el **profeta** prophet
la **profundidad** depth
profundo, -a deep

progresar to progress
el **progreso** progress
prohibir to prohibit, forbid
el **prójimo** fellow man, neighbor
la **prole** offspring
el **prolegómeno** prolegomenon, preliminary
prolijo, -a prolix, too long, tedious
prolongado, -a prolonged, long
prolongar to prolong, extend
prometer to promise
la **prominencia** elevation, prominence
la **promiscuidad** promiscuity
pronto soon; **de —** suddenly; **por de —** in the first place; **tan — (como)** as soon as
pronunciar to pronounce, utter, make a pronouncement
la **propiedad** property
propiamente properly
la **propina** tip
propinar to give
propio, -a same, himself, herself, own, peculiar, characteristic; **lo —** one's own
proponer to propose; **—se** to make up one's mind; **—se** + *inf.* to propose to + *inf.*
la **proporción** proportion
el **propósito** purpose; **a — de** apropos of; **formar el —** to determine
prorrumpir to burst out
proseguir (i) to continue
la **prostituta** prostitute
la **protección** protection
protector, -a protective
protestante Protestant
el **provecho** advantage, benefit, profit, gain
el **proveedor** supplier
provenir to come, originate
provocar to provoke, cause
la **proximidad** proximity; **las proximidades** vicinity
próximo, -a near, close, near-by, next, recent
la **proyección** showing, show
proyectar to project, show
el **proyectil** projectile
el **proyecto** project
el **proyector** projector
la **prudencia** prudence
prudente prudent
la **prueba** trial, test; **poner a —** to put to the proof, put to the test
la **púa** thorn
público, -a public
el **puchero**: **hacer (cuatro) pucheros** (*coll.*) to pout (a bit), to screw up one's face (in crying or weeping)
el **pudor** modesty
pudoroso, -a modest, shy
pudrirse to rot
pueblerino, -a small-townish, lacking refinement
el **pueblo** town, village
el **puente** bridge
pueril childish
la **puerta** door
pues then, well, for, since, because
puesto, -a *past. part. of* **poner**; **una moza bien puesta** a very shapely girl; **puestos a precisar** to be exact; **— que** since, inasmuch as
el **puesto** post, barracks
pujante vigorous
la **pujanza** might, vigor
el **púlpito** pulpit

el **pulso** steadiness, steady hand, pulse; **tomar el —** to feel or take the pulse, (*fig.*) to look into, scrutinize
la **punta** tip, end, point (sharp end), corner
puntillas: de — on tiptoe; **ponerse —** to stand on tiptoe
puntilloso, -a punctilious
el **punto** point; **— de vista** point of view; **— menos que** almost, slightly less than; **— de la escopeta** gun sight; **en —** sharp, exactly, on time
la **puntuación** points, scoring, mark, grade
la **punzada** shooting pain
punzante sharp, piercing
el **punzón** sharp-pointed instrument
el **puño** fist, cuff; **meter en un —** (*coll.*) to dominate, have in the palm of one's hand
la **pupila** (*anat.*) pupil
el **purgatorio** purgatory
la **puridad: en —** clearly
puritano, -a prude, puritanical
puro, -a pure, sheer

Q

que that, than, as far as, who, as, which, when, *omitted sometimes in transl.*, let (e.g., **— entre** let him enter); **preferible . . . —** preferable to; **el, la —** that, the one who, the fact that, what, which; **los, las —** those who, those which, which, the ones which; **lo —** what, that; **como el — más** just as much as the next one
¡qué! what!, what a!, how!; **¡— va!** of course not; **¡— sé yo!** how do I know
¿qué? what? which? how?
quebrantar to break
quebrar (ie) to break
quedar to remain, be left, be; **le queda a uno algo** one has something left; **eso quédalo de mi cuenta** leave it up to me; **—se** to remain, stay, get, become, be left; **—se con** to keep, take; **—se tan a gusto** to be complacent, self-satisfied; **—se en el sobreparto** not to survive childbirth; **— por encima de** to come out on top of
quedo, -a quiet, low
el **quehacer** work, chore
quejumbroso, -a whining, whiny
quemar to burn, fire
querer (ie) to wish, want, desire; love; try; **no —** (*pret.*) to refuse; **sin —** unwillingly; **— decir** to mean
la **quesería** cheese factory
el **quesero** cheesemaker
el **queso** cheese
quien someone who, who, whom, he who, the one who
¿quién? who?, whom?, **¿de —?** whose?; **— . . . —** one . . . another
¡Quién! — + -ra *subjunctive* I wish I . . .
quieto, -a still, motionless
la **quietud** quiet, stillness, calm
quince fifteen

quincena two weeks, fortnight
quinientos, -as five hundred
Quino nickname
la **quinta** draft, induction
el **quiquiriquí** cock-a-doodle-doo
quitar to take away, remove, take off, prevent; **ello no quita para que** that does not prevent; **—se** to take off
quizá perhaps

R

la **rabia** anger, rage
rabioso, -a mad
el **racimo** bunch
la **racha** gust
radiante radiant
radicalmente radically
Rafaela proper name
el **rail** rail
la **raíz** root
la **rama** branch
Ramón Raymond
el **rango** rank
rapaz thievish, rapacious
el **rapaz** young boy, lad
rápido, -a rapid, fast
el **rápido** express train; **— ascendente** "up" express train; **rápidos** rapids (in a river)
el **rapto** rapture
raquítico, -a rachitic
la **rareza** peculiarity
raro, -a odd, strange, rare
rasar graze
rascarse to scratch
rasgar to tear, rip, stretch; **—se** to become torn
el **rasgo** trait
el **rasguño** scratch
el **ráspano** cranberry
el **rastro** trace, vestige
el **rato** time, while, short while, moment; **a ratos** at times; **al poco —** after a little while
raudales: a — copiously
raudo, -a rapid, swift
la **raya** boundary line, limit; **mantener a —** to keep within bounds
rayano, -a bordering
el **rayo** ray, beam
la **raza** race; **los pura —** pure bred
la **razón** reason, mind; **asistirle a uno la —** to be (in the) right; **dar la —** to agree with; **llevar (la) —** to be (in the) right; **tener —** to be right
razonable reasonable
el **razonamiento** reasoning
razonar to reason
la **reacción** reaction
reacio, -a resistant
real real
el **real** real (Spanish coin)
la **realidad** reality; **en —** actually
realizar to carry out, accomplish
reanudar to renew, resume
reaparecer to reappear
reavivarse to revive
rebasar to go beyond
rebautizar to rebaptize, (*coll.*) to give a new name to
rebelarse to revolt, rebel
la **rebelión** rebellion
el **rebote** rebound
el **rebozo** disguise; **sin —** openly, frankly

rebrillar to shine brightly
recalcitrante recalcitrant
las **recapacitaciones** thinking over things
recargar to reload
recelar to fear, distrust; — **de** to fear, be afraid of
el **recelo** fear, distrust
el **receptor de radio** radio
recetar prescribe
recibir to receive, welcome, go to meet
recién recently, just, newly
el **recinto** enclosure
recio, -a sturdy, strong
recobrar to recover
el **recodo** bend
recoger to pick up, collect, gather together
el **recogimiento** withdrawal
recoleto, -a cozy
recomendable commendable; **muy poco** — not very commendable
la **recomendación del alma** praying for the dying
la **recompensa** reward
recompuesto, -a very carefully arranged
reconciliarse to become reconciled, make a slight extra confession
recóndito, -a recondite, hidden, mysterious
reconocer to admit, acknowledge
reconstruir to reconstruct
la **reconvención** expostulation, remonstrance
reconvenir to expostulate, remonstrate
recordar (ue) to remember, remind, recall
recorrer to cross, go over, go through, penetrate
recortar to cut out; **recortado (sobre)** outlined (on, against)
el **recorte** scrap
recostarse (ue) to recline, lean, lean back
el **recoveco** subterfuge, trick
recrearse to recreate, amuse oneself
rectilíneo, -a rectilinear
la **rectoría** rectory
recubierto, -a *past part. of* **recubrir**
recubrir to re-cover, cover
el **recuerdo** memory, remembrance
los **recursos** resources, means
recusar to refuse, reject
rechistar: sin — without a peep
rechoncho, -a (*coll.*) chubby
el **Redentor** Redeemer
redondearse to make round, become round, open wide
redondo, -a round
reducido, -a small
reducirse to confine oneself
redundar en to redound to
el **reemplazo** military draft
la **referencia** reference; **de referencias** by hearsay
referirse (ie) to refer
refilón: de — askance
refinar to refine
reflexionar to reflect, reflect on, reflect upon, think over
reformar remodel
refractario, -a refractory, set against
refrescarse to refresh, cool off
el **refresco** refreshment, refreshments
refugiarse to take refuge
regalar to give, present

regañar to quarrel, scold
regañón, -a (*coll.*) grumbling, scolding
regar to water, sprinkle
regatear to haggle over
el **regazo** lap
regentear to manage
el **régimen** system
la **región** section
el **registro** registry
la **regla** (*arith.*) rule, ruler
el **regletazo** blow, hit with a ruler
el **regodeo** (*coll.*) delight
regresar to return; **— sobre sus pasos** to retrace his steps
el **regreso** return; **de —** back, once back; **de — (de)** on the way back (from)
regularmente regularly, with regularity
rehacerse to recover
rehuir to flee from
reinar to reign, prevail
reintegrar to restore
reír (i) **(de)** to laugh (at); **— en corto** to give a short laugh; **—se (de)** to laugh (at)
reiteradamente repeatedly
reiterar to reiterate, repeat
reiterativo, -a reiterative
la **relación** relation; **las relaciones** engagement, courtship, relations
relacionar to relate
relatar to relate
relativo, -a relative; **lo —** what is relative
el **relato** story
el **relente** night dew, light drizzle; **dejar al —** expose to the damp night air
relevante standing out
religioso, -a religious
el **reloj** clock
reluciente shining
relucir to shine, glow; **salir a —** to come out, be put on display
el **rellano** landing
remachar to stress
la **remanga** minnow trap, bait trap
remangado, -a turned up
remangar to turn up (sleeves), tuck up (dress)
remansarse to form a backwater
el **remanso** peaceful backwater
rematadamente totally, absolutely
rematar to bound, end
remediar to help, remedy
el **remedio** remedy; **sin —** inevitable, inevitably; **no tener —** to be unavoidable, to be unable to help
rememorar to remember, recall
remendar to patch, mend
remilgo: hacer — to be fussy
la **reminiscencia** reminiscence
remirar to look at again, look over again
remiso, -a indolent, sluggish
el **remojón** soaking
remontarse to soar, rise, rise up
la **rémora** hindrance
el **remordimiento** remorse
remover to stir up
remozar to rejuvenate, renew
la **remuneración** remuneration
renacer to be reborn
el **renacimiento** rebirth, renaissance
el **rencor** rancor, grudge

el **rendajo** jay
rendido, -a overcome
la **rendija** crack
el **rendimiento** yield, output, performance
rendir (i) to yield, produce; **—se** to surrender
renegar (ie) **de** to deny, curse, disavow
renovar (ue) to renovate, renew; **—se** to renew
renquear to limp
renunciar a to give up
reojo: de — askance, out of the corner of one's eye
reparar en to notice, pay attention to
repeler to repel
repente: de — suddenly
repentino, -a sudden
el **repertorio** repertory
repetidamente repeatedly
repetir (i) to repeat; **—se** to repeat to oneself
repicar to peal, ring out
el **repique** peal, ringing
repiquetear to resound, peal
el **repiqueteo** gay ringing
replicar reply
reposado, -a solemn, grave, still
el **reposo** rest, repose, stillness
la **representación** agency
representar to represent, perform, play
la **reprimenda** reprimand
reprimir to repress, restrain
reprochar to reproach
reproducir to reproduce
repugnar to be repugnant
la **reputación** reputation
requebrar (ie) to flirt with
el **requesón** cottage cheese
el **requiebro** flattering remarks, flirtation
resbalar to slide
el **resbalón** slip
el **rescoldo** spark
reseco, -a thoroughly, well dried
resentirse (ie) to begin to feel the bad effects of, suffer
la **reserva** reserve
la **resignación** resignation
resignar to resign
la **resistencia** resistence
resistir to bear, stand (it)
resollar (ue) to breathe hard, pant
la **resonancia** resonance, echo
resonar (ue) to resound
el **resorte** spring; **resortes sorprendentes** gadgets for surprising
respectivo, -a respective
el **respecto: — a** with respect to, with regard to; **a este —** in this respect, in this regard
respetar to respect
el **respeto** respect
la **respiración** breathing
respirar to breathe, inhale
el **resplandor** gleam
responder to answer, correspond
el **responso** prayer for the dead
la **respuesta** answer
restallar to crack (like a whip)
restar to remain, be left, subtract
el **restaurante** restaurant
el **resto** rest, remainder; **restos** remains
el **restorán** restaurant
restregar (ie) to rub hard; **restregárselo por las narices** to rub it in
el **resultado** result

resultar to prove to be, turn out to be, be
resumir to sum up, make a resumé of; **en resumidas cuentas** in short
la **retahila** string, series, string of words
retemblar (**ie**) to shake, quiver
reticente reticent
el **retintín** (*coll.*) tone of reproach
retirar to retire, withdraw, brush aside; **—se** to withdraw
retorcer (**ue**) to twist; **—se** to twist, writhe
retornar to return, go back
retraído, **-a** solitary
retrasarse to delay, be late
retraso: traer — to be late
retumbar to resound, rumble
reunir to gather together; **—se** to gather together, meet
la **revelación** revelation
revelar to reveal
reverter (**ie**) to overflow
revestir (**i**) **de** to cover with
revivirse to come back to life
el **revoloteo** flutter, fluttering
revolverse (**ue**) to toss and turn
el **revuelo** disturbance
revuelto, **-a** *past part. of* **revolver** disordered, topsy-turvy
rezar to say a prayer, mass
rezongar to grumble, growl
la **ribera** bank, shore
Ricardo Richard
rico, **-a** rich
la **rienda** rein
la **rigidez** rigidity
rígido, **-a** rigid
el **rigor** rigorousness
el **rincón** corner
el **riñón** kidney; **doblado por los riñones** bending over
el **río** river
la **risa** laughter, laugh
el **risco** cliff
la **risita** little laugh
risueño, **-a** smiling
Rita proper name
rítmico, **-a** rhythmic, rhythmical
el **ritmo** rhythm
robar to steal (from)
el **robo** theft
la **roca** rock
el **roce** contact, rubbing
el **rocío** dew
rodar (**ue**) to roll
rodear to surround
la **rodilla** knee; **de rodillas** kneeling
rojizo, **-a** reddish
rojo, **-a** red
rollizo, **-a** plump, stocky, sturdy
la **romería** pilgrimage, festive gathering at a shrine on saint's day
romper to break; **— a** + *inf.* to suddenly start to + *inf.*, to burst out + *pres. part.*
rondar to go around
ronronear to purr
la **ropa** clothing, clothes; **— interior** underwear
Roque proper name
Roquito diminutive of **Roque**
rostritorcido, **-a** crooked faced
el **rostro** face
rotundo, **-a** rotund, full, sonorous, complete
la **rotundidad** roundness, rotundity

rozar to touch
rubicundo, -a rubicund, reddish
rubio, -a blond
el **rubor** blush
ruborizarse to flush, blush
rudo, -a rude, crude
la **rueda** wheel
Rufina proper name
el **ruido** noise; **meter —** make a noise
ruidosamente noisily, loudly
el **ruiseñor** nightingale
el **rumbo** course, direction
rumiar to ruminate, meditate
el **rumor** rumor, murmur, buzz
la **ruptura** rupture, break

S

el **sábado** Saturday
la **sábana** sheet
saber to know, find out, taste; **—** + *inf.* to know how; **— de fundamento** to have good grounds for knowing; **si puede —se** if one may ask; **— latín** (*coll.*) to be very shrewd
el **saber** knowledge, learning
sabio, -a wise
el **sabor** taste, flavor
sacar to get, obtain, take out, get out; **— con bien** to pull out intact; **— en limpio** to conclude clearly, find out
el **sacerdote** priest
saciarse to have one's fill of, satiate, be satisfied
la **saciedad** completeness
el **saco** sack, bag
el **sacramento** sacrament
el **sacrificio** sacrifice; **santo —** mass
el **sacristán** sexton
la **sacristía** sacristy
sacudir to shake
la **sagacidad** sagacity
sagrado, -a sacred
el **sainete** one-act comedy
la **sal** salt
la **sala** hall, living room
salado, -a salty
el **salario** salary
la **salida** departure, way-out
salir (de) to go out, come out, come up, leave, go away, turn out; **— a** + *inf.* to go or come out to + *inf.*
el **salón** hall
salpicar to sprinkle, splash
la **salsa** *see* **meter**
saltar to jump, jump over, burst (forth)
el **salto** jump; **dar saltos** to jump
la **salud** health
saludable healthy
saludar to greet
Salvador proper name
salvaje wild, savage
salvar to except, make an exception of, save
la **Salve** Hail Mary; **— popular** a Hail Mary by the town's people
salvo save, except for
san *see* **santo**
la **sanción** punishment
el **Sanctus** Sanctus (the last part of the Preface of the Mass beginning "Sanctus, Sanctus, Sanctus")
sangrar to bleed
la **sangre** blood; **no iba a llegar la — al río** [they] were not going to come to blows
sano, -a healthy

santiguarse to make the sign of the cross, cross oneself
santo, -a saint, saintly, holy; **no es — de mi devoción** I'm not very keen on him; **nombre de —** Christian name
el **sapo** toad
Sara Sarah
el **sargento** sergeant
la **sarta** string, series
la **satisfacción** satisfaction
satisfacer to satisfy
satisfecho, -a satisfied
la **saya** skirt
se (*reflexive obj. pr.*) himself, herself, itself, yourself, themselves, yourselves; to himself, herself, etc.; one, to oneself; each other, to each other, one another
se (*ind. obj. pr.*) from him, to him, her, them, you, it
sé *imperative of* **ser** be; *first person sing. pres. ind. of* **saber**
secar to dry
seccionar to cut off
seco, -a sharp, harsh, curt, barren, dry, dried up, lean, lank; **en —** suddenly
el **secretario** secretary; **— de ayuntamiento** town clerk
secreto, -a secret
secundar to second
la **sed** thirst; **matar la —** to quench the thirst
la **seda** silk
segado, -a reaped, mowed
segar (ie) to mow
el **seglar** layman
seguidamente next, immediately after
seguido, -a (de) followed (by); **en seguida** at once, immediately
seguir (i) to continue, follow, to still be
según as, depending (on circumstances), according to (what), that depends
segundo, -a second
el **segundo** second
seguro, -a sure, certain; **de —** surely, truly
seis six
la **selección** selection
selecto, -a select, choice
la **semana** week
semejante similar, such
semejar to be like
la **sencillez** simplicity
sencillo, -a simple
el **sendero** path, footpath
sendos, -as one each, one to each
la **sensación** sensation, feeling
sensato, -a sensible
la **sensibilidad** sensitivity
sensible deplorable, lamentable
la **sensualidad** sensuality
sentar (ie) to seat, suit, agree with; **— mal** not to agree with; **—se** to sit, sit down
la **sentencia** opinion
el **sentido** sense, senses, meaning
el **sentimentalismo** sentimentalism, sentimentality
el **sentimiento** feeling
sentir (ie) to feel, regret, be sorry, perceive; **—se** to feel
la **seña** sign
la **señal** sign, mark
señalar to point at, determine, designate, indicate
el **Señor** the Lord; **el señor cura** father, his reverence; **el — juez** his honor, the judge

la **señora** madam, lady, missus
la **señorita** young lady, miss
la **señoritilla** (*scornful*) young lady
el **señorito** young gentleman
la **separación** separation
separar to separate; **—se** to separate
séptimo, -a seventh
ser to be; **— de** to belong to; **¿es que?** *omitted in transl.*
el **ser** being
serenar to calm
la **serenidad** serenity, calm
sereno, -a serene
la **serie** series
la **seriedad** seriousness, reliability
serio, -a serious
el **sermón** sermon
servir (i) to serve; **— de** to serve as; **— para, de** to be good for; **— de nada** to be good for nothing, to be of no use
sesenta sixty
la **sesión** session, meeting
sestear to take a siesta
setenta seventy
el **sexo** sex
si if, whether; *used for emphasis* (*do not translate*); **por —** just in case
sí indeed, yes; **— que** indeed, *or used for emphasis and not translated*
sí (*pr.*) himself, herself, itself, yourself, yourselves, themselves
la **sidra** cider
siempre always, ever; **— que** whenever; **de —** usual
la **sien** (*anat.*) temple
la **siesta** afternoon nap
siete seven
el **sigilo** reserve
el **siglo** century; **por los siglos de los siglos** world without end, forever and ever (*used as an exclamation*)
significar to mean
siguiente following
silbar to whistle, hiss (an actor, a play, etc.)
el **silbido** whistle
el **silencio** silence; **se hizo (otro) —** there was (another) silence
silencioso, -a silent
la **silueta** silhouette
silvestre wild; **día de San Silvestre** Saint Sylvester's day (December 31)
la **silla** chair
el **simbolismo** symbolism
la **similitud** similitude
la **simpatía** liking
simpático, -a pleasant, likeable, congenial
la **simpleza** simpleness, foolishness
la **simplicidad** simplicity, ease
simplificar to simplify
simultáneamente simultaneously
sin without; **— que** + *subjunctive* without + *gerund*
la **sinceridad** sincerity
sincero, -a sincere
el **Sindiós** nickname (the Godless, the Atheist)
siniestro, -a sinister
sino but, except; **— que** but also
el **síntoma** symptom
sintomático, -a symptomatic
sintonizar to tune in, get in tune
sinuoso, -a sinuous, winding
el **sinvergüenza** (*coll.*) scoun-

drel, rascal, shameless person
siquiera at least, even; **ni tan —, ni —** not even
el **siseo** hissing
el **sistema** system
el **sitio** place
la **situación** situation, state
situar to place
el **sobaco** armpit
sobar to pet, feel
soberbio, -a magnificent, superb, haughty
sobra: **saber de —** to know too well
sobrado, -a excessive, abundant, more than enough
sobrar to have, be more than (enough), be superfluous; **me sobraba . . .** I had . . . to spare
sobre about, over, upon, on, above
el **sobre** envelope
sobrecoger to scare; **—se** to be scared
sobreentenderse (ie) to be understood
el **sobreparto** confinement after childbirth; **quedarse en el —** not to survive childbirth
sobrepasar to be above; **—se** to go too far
la **sobrepelliz** (*ecc.*) surplice
sobresaliente outstanding, distinguished (in an examination)
sobresaltar to frighten, startle; **—se** to be startled
sobrevenir to happen, take place
sobrevolar (ue) to fly over
el **sobrino** nephew
sobrio, -a sober, moderate
socavar to undermine
socorrer to help, aid
sofocante suffocating
sofocar to stifle, muffle
sojuzgar to subjugate, subdue
el **sol** sun; **al caer el —** at sunset; **al —** in the sun
solamente only, solely
soleado, -a sunny
solemne solemn
soler (ue) to be accustomed to
solícito, -a solicitous
la **solidaridad** solidarity
la **solidez** solidity, strength
sólido, -a solid
solitario, -a solitary
soliviantar to rouse, stir up
solo, -a only, alone, single, mere, lonely; **a solas** alone
sólo only; **tan —** nothing more, just
el **solomillo** sirloin
soltar (ue) to let out, let go; **— al aire** to let out (into the air)
la **solución** solution
sollozar to sob
el **sollozo** sob
la **sombra** shadow
sombrear to shade
el **sombrero** hat
sombrío, -a somber, gloomy
someter to force to yield, subdue, subject
el **son**: **sin ton ni —** without rhyme or reason
sonado, -a talked-about, noted, famous
sonámbulo, -a sleepwalker
sonar (ue) to sound; **—se** to blow (one's nose); **— a** to sound like
la **sonoridad** sonority
sonreír (i) to smile
sonriente smiling

la **sonrisa** smile
soñar (ue) to dream
soñoliento, -a sleepy, drowsy
la **sopa** soup
el **sopapo** (*coll.*) slap, blow
sopesar to weigh, consider
soportar to suffer, endure, support
sorber to suck; **— una moquita** sniffle
sórdido, -a sordid
la **sordina** mute
sordo, -a deaf, muffled, dull, silent
sorprendente surprising, unusual
sorprender to surprise, catch
la **sorpresa** surprise
sortear to dodge, evade
la **sospecha** suspicion
sospechar to suspect
sostener hold up, sustain, maintain; **— una mirada** to stare back
la **sotana** soutane, cassock
su, sus his, her, their, its, your
suave smooth, gentle
suavizar to soften; **—se** to become gentle
subestimar underestimate
subido, -a *past. part. of* **subir**; **— a** on top of
subir to rise, go up, climb, bring up, carry up; **— a** to get on, in; **—se a** to climb; **subido, -a a** on top of
súbito, -a sudden
el **suboficial** sergeant major; noncommissioned officer
subrepticio, -a surreptitious
suceder to happen, succeed, follow
sucesivo: en lo — from then on, in the future
el **suceso** event
sucio, -a dirty
la **sucursal** branch, branch office
sudar to sweat
sudor sweat
la **suegra** mother-in-law
el **sueldo** pay, salary
el **suelo** floor, ground
suelto, -a loose, free
el **sueño** dream, sleep; **entrarle a uno el —** to get sleepy
la **suerte** luck, fate
la **suficiencia** self confidence
suficiente sufficient, enough
el **sufrimiento** suffering
sufrir to suffer; **— un accidente** to have an accident
la **sugerencia** suggestion
sugerir (ie) to suggest
sugestionado, -a hypnotized
sugestivo, -a suggestive, stimulating
el, la **suicida** suicide (person)
suicidarse to commit suicide
la **sujección** subjection
sujetar to hold
sulfurar to anger, annoy; **—se** to get angry
sumar to amount to, add
sumergir to submerge
la **sumisión** submission
sumiso, -a submissive
suntuoso, -a sumptuous
superar to surpass, excel
la **superficie** surface
superfluo, -a superfluous
superior upper; **— a** superior to, greater than; **estudios superiores** advanced studies
la **superioridad** superiority
supersticioso, -a superstitious

superviviente surviving
suplicante pleading
el **suplicio** torture, punishment
suponer to suppose, imply
la **supremacía** supremacy
supuesto: por — of course, naturally
el **sur** South
surgir to appear, rise, come up, out
susceptible susceptible
la **suscripción** subscription
suspender to suspend, call off
suspicaz suspicious, distrustful
suspirar to sigh
el **suspiro** sigh
sustituir to substitute, replace
el **sustituto** substitute
el **susto** scare, fright
susurrar to whisper
el **susurro** whisper
sutil subtle
suyo, -a his, of his, her, your, their, *etc.;* **cada uno en lo —** everybody minding his own business; **seguir con lo —** to continue with one's same theme

T

la **taberna** tavern
la **tabla** board
el **tablero** top, table top
taciturno, -a taciturn
tachonar to stud
taimado, -a sly, crafty
tal such, such a
el **talento** talent
la **talla** stature, carving
el **taller** shop, workshop
el **tamaño** size
tambalearse to stagger, sway
también also
el **tambor** drum
el **tamboril** small drum
tamborilear to drum
tampoco neither, not either; **ni —** not even
tan so; **— . . . como** as . . . as; **— siquiera** at least; **— sólo** only
tantear to feel, feel around
tanto, -a so much, so long; (*pl.*) (so) many; **otro —** as much, the same thing; **otros tantos** as many, as many more; **en —** while; **por —, por lo —** therefore
tañer to sound, ring
el **tañido** ring, sound; **los tañidos** ringing
la **tapia** wall
tardar en + *inf.* to take time to, be long in, to take . . . + *inf.;* **tardarás cinco años en** it will be five years before you
tarde late, too late
la **tarde** afternoon; **al caer la —** at nightfall; **por la —** in the afternoon
la **tarea** task, job, work
tartamudear to stutter, stammer
el **tartamudo** stutterer, stammerer
la **tartana** tartana (two-wheeled round-top carriage)
la **tasca** dive, joint
tazar to fray
te you, to you
el **teatro** theater
el **techo** ceiling, roof
el **tejado** roof

la **telaraña** spider web
la **telefonista** telephone operator
el **teléfono** telephone; **Teléfonos** the telephone company office, switchboard
el **tema** theme, subject
temblar to shake, tremble
tembloroso, -a shaking, tremulous
tembloteante trembling
el **temblotear** flickering, trembling
temer to fear
temerario, -a hasty, rash
el **temor** fear
el **temperamento** temperament, disposition
la **temperatura** temperature
el **templo** temple, church
la **temporada** season, while, spell, period of time; **grandes temporadas** long periods of time
el **temporal** storm, tempest
temprano, -a early
la **tendencia** tendency
tender (ie) to stretch out
la **tendera** storekeeper, shopkeeper
el **tendón** tendon
tenebroso, -a dark, gloomy
tener to have; **— que** + *inf.* to have to; **— años** *see* **años**; **¡tenga!** take it!; **— por costumbre** to be accustomed; **ahí la tenían** there she was
tensar to tense, tighten
la **tensión** tension
tentar (ie) to touch, examine, tempt
tenue faint, subdued, tenuous
la **teoría** theory
tercer, tercero, -a third
terco, -a stubborn
terminar to finish, end up; **—se** to finish; **— por** + *inf.* to end by + *gerund*
las **ternezas** sweet things
terne: tan — satisfied
la **ternura** tenderness
el **terreno** ground
terso, -a smooth
la **tertulia** party, social gathering
la **tesis** thesis
tesón: con — tenaciously
tesonudo, -a tenacious
el **testigo** witness
tétrico, -a gloomy, sullen
el **texto** text
ti you, yourself
tibio, -a tepid, lukewarm
el **tiempo** time, weather; **a —** at the right time; **al poco —** within a short while, a short while later; **al (mismo) —** at the same time; **buenos tiempos** good old days; **en unos tiempos** in the days; **los tiempos que corrían** in times like those; **mucho —** a long time; **le faltó —** couldn't wait
la **tienda** store, shop
tiento: con — cautiously
la **tierra** earth, ground; **— firme** earth, ground
tieso, -a stiff, tight, taut, tense; **mantenérselas tiesas** to hold one's ground with, stand up to
el **timbre** bell, electric bell
tímido, -a timid
las **tinieblas** darkness
el **tintineo** clink, clinking, jingle, jingling
la **tiña** ringworm, mange
Tiñoso mangy; (*nickname*)

el **tío** uncle
tipográfico, -a typographical; **escribir con caracteres tipográficos** to print
el, la **tiple** soprano
el **tirachinas** slingshot
el **tirano** tyrant
tirar to throw, throw away, cast off, shoot; **— de** to draw (sword, knife, etc.)
el **tiro** throw, shot; **a tiros** shooting
tísico, -a tubercular; **tísica perdida** hopelessly ill with tuberculosis
la **tísis** tuberculosis
el **títere: hacer títeres** to perform with puppets, accrobatics or pantomime; **no dejar — con cabeza** (*coll.*) to spare no one
el **titubeo** hesitation
el **título** title
la **toalla** towel
el **tobogán** toboggan
tocar to touch, play; **los extremos se tocan** the extremes meet
todavía still, yet
todo, -a all, whole, every, anything; **— lo de** everything about; **con —** still, however; **del —** wholly, entirely; **todas las noches, tardes** every night, afternoon; **todos** all, everybody
tomar to take, take on; **toma** there, here it is; **— a orgullo** to take as a motive for pride; **—la con** to pick at or on
Tomás Thomas
el **tomillo** thyme
el **tomo** volume
ton: sin — ni son without rhyme or reason
la **tonalidad** tonality, color scheme
el **tono** tone
la **tontería** foolishness, nonsense
tonto, -a foolish, stupid; **a tontas y a locas** haphazardly
el **tonto, la tonta** fool; **el — de agua** water fool (a local name for a water snake)
topar(se) con to run into, encounter
el **topo** mole
la **topografía** topography
el **toque** ringing
el **tórax** thorax, chest
torcer (ue) to twist; *see* **brazo**
el **tordo** (*orn.*) thrush
el **torero** bullfighter
la **tormenta** storm, tempest
la **torna** *see* **papel**
tornar a + *inf. verb* = again, *e.g.*, **tornó a abrir la puerta** opened the door again
tornarse to turn, become
torno: en — (a) around
el **toro** bull
torpe slow, clumsy, dull
la **torpeza** stupidity, slowness, awkwardness
el **torrente** torrent
el **tórtolo**, la **tórtola** turtledove; (*coll.*) turtledove (affectionate person)
la **tortura** torture
torturante painful
torvo, -a fierce, grim
toser to cough
tostado, -a tan, sunburned, toasted
total total, in a word; **— nada** a mere trifle
la **tozudez** stubbornness
tozudo, -a stubborn

trabajar to work
el **trabajo** work
traer to bring; **— de cabeza** to drive crazy
tragar to swallow
el **trago** swig; **echarse un — al coleto** (*coll.*) to have or take a drink
la **traición: a —** treacherously
el **traje** dress, suit
la **trampa** trap
tranquilizar to calm; **—se** to calm down
tranquilo, -a tranquil, calm, in peace
tranquilamente calmly
el **trance** critical moment
la **transacción** transaction
transcurrir to pass, elapse
transformar to transform; **—se (en)** to change, become
la **transición** transition
transigir con endure
el **tránsito** transition
transitorio, -a transitory, temporary
translúcido, -a translucent
transportar to transport
el **tranvía** trolley car; **— provincial** local train
traqueteante rattling
tras after, behind; **— de** behind
la **trascendencia** transcendence, consequence
trascendental transcendental
trascender to come to be known, leak out
la **trasera** back (of house, door, etc.)
el **trasero** buttocks, rump, back, rear
traslado: dar — to notify
traspuesto, -a dozing
la **trastada** (*coll.*) dirty trick, prank
la **trastienda** backroom (behind a store)
el **trasto** piece of junk
el **trastorno** disturbance
tratar to treat; **— de** + *inf.* to try to + *inf.*; **— de tú** be on close or intimate terms with; **—se de** to be a question of, to be
través: a — de through, across
la **travesura** prank, mischief
el **trayecto** passage, course; **en el —** en route
trazar to trace
trazos: a — with strokes
trece thirteen
el **trecho** stretch, while
treinta thirty
tremendo, -a terrific, overwhelming, tremendous
el **trémolo** (*mus.*) tremolo
trémulo, -a tremulous, quivering
el **tren** train; **— mercancías** freight train
la **trenza** braid
trepar to climb
trepidar to shake, vibrate
tres three
trescientos, -as three hundred
la **treta** trick, scheme
la **tribulación** tribulation
el **tricornio** three-cornered hat
la **trifulca** (*coll.*) row, squabble
Trino nickname for **Trinidad**
el **trío** trio
triste sad
la **tristeza** sadness; **dar —** to make sad
triturar to tear to pieces
triunfador, -a triumphant

triunfar to triumph
trompicones: a — stumbling along
tronar (**ue**) to thunder; **por mucho que tronase** however much time would pass
el **tronco** trunk, log
tropezarse (**ie**) **con** run into, come upon, meet
el **trozo** piece
la **trucha** trout
truhán, -a cheat, crooked, tricky
truncar to cut off abruptly
tu, tus your
tú you; **tratar de —** to address with **tú**, be on close or intimate terms with
el **tubo** tube
el **tufo** (*coll.*) foul odor
la **tumba** tomb
tumbado, -a lying down, stretched out
tumbar to knock down, (*coll.*) knock out, lie down; **—se** (*coll.*) to lie down
tumbo: dar — to shake violently; **de — en —** stumbling along
la **tumbona** lounge chair
el **tunante** rascal
el **túnel** tunnel
tupido, -a thick, heavy
la **turbación** confusion
tuyo, -a your, yours

U

u or
ubicar to locate
la **ubre** udder
¡uf! whew!
último, -a last; **por —** at last, finally
últimamente finally, lately, recently
ultraterreno, -a supernatural
un, una a, an, one
unánime unanimous
la **unanimidad** unanimity
la **unción** unction, rapt absortion; **Santa Unción** Extreme Unction
único, -a only
la **unidad** unit
uniformar to clothe in uniform
uniformemente uniformly
la **uniformidad** uniformity
unirse (**a**) to join
unísono: al — in unison
la **universidad** university
uno, -a one; (*pl.*) some, a few; **— a —** one by one alone; **— a otro, unos a otros** each other, one another
la **uña** nail, claw
urgente urgent
urgir to be urgent
usar (**de**) to use, make use of, wear
el **uso** use
usted you
los **útiles** tools, equipment
utilitario, -a utilitarian
utilizar to use

V

la **vaca** cow
la **vacación** vacation; **las vacaciones** vacation
la **vacilación** hesitation
vacilante hesitant, uncertain
vacilar to hesitate
vacío, -a empty
el **vacío** empty space, hollow

vacuo, -a empty
vago, -a vague, lazy
el **vago** good-for-nothing bum
la **vaharada** exhalation
el **vaho** breath, exhalation
valer to be good (for), be worth; **— para** to be useful (good) for; **— por** to be equal to, be as good as; **no — de nada** to be of no avail; **—se por sí mismo** to look after oneself
el **valiente** brave fellow
el **valor** value, worth, courage
el **valle** valley
vamos let's, let's go!, well!, come on!; **— a ver** let's see
vanagloriarse to boast
la **vanidad** vanity
vano, -a useless; **en —** in vain
el **vapor** steam, vapor
vapulear to whip, flog
la **vara** rod
la **varga** steep part of a slope
variado, -a varied, full of variety
variar to vary
vario, -a varied; **varios** various, several
el **varón** male; **hijo —** male child
el **vaso** glass, tumbler
vasto, -a vast
la **vecindad** closeness
vecino, -a neighboring, near
el **vecino** neighbor
la **veda** closed season; **abrirse la —** to end the closed season
vegetal vegetal
la **vehemencia** vehemence
vehemente vehement
veinte twenty
veintiocho twenty-eight
veintitrés twenty-three
veintiún, -a twenty-one
la **vejez** old age
la **vela** candle; **en —** awake
velado, -a veiled, hidden
veladuras: sin — plainly
velar por to watch over; **—se** to fade away
el **velo** veil
la **velocidad** speed
veloz swift
el **vello** down (hair)
vencer to conquer, vanquish; **darse por vencido** to give in, surrender
vender to sell
venir to come, be; **— bien** to become, fit, suit; **no —le mal a uno** to serve one right; **¿de dónde te viene?** from where you get . . .?; **—se abajo** to collapse
la **ventaja** advantage
la **ventana** window
la **ventanilla** window (of railway, car, etc.)
el **ventanuco** little window
ventoso, -a windy
ver to see; **(vamos) a —** let's see; **no poder —** not to be able to bear, to despise; **no tener nada que —** to have nothing to do with; **—se** to find oneself, be
el **ver** opinion; **a su —** in his opinion
veraneante summer resident
veraniego, -a (pertaining to) summer
el **verano** summer
veras: de — really
verbal verbal
la **verdad** truth, really; **¿—?** isn't that so?; **¿— que . . .?** is it true that?; **de —**

really; **en —** truly, really; **ser —** to be true; **a decir —** to tell the truth
verdadero, -a true, real
verde green; **poner —** (*coll.*) to abuse, rake over the coals
verdear to look green, turn green
el **verderón** greenfinch
el **verdor** greenness, verdure
la **vergüenza** shame, sense of shame, sense of dignity; **darle — a uno** to make one ashamed; **tener —** to be ashamed
verosímil likely, probable
verter (ie) to pour, empty, shed
verticalmente vertically
la **vertiente** slope
el **vértigo** vertigo, dizziness
el **vestido** dress
vestir (i) to dress; **— de luto** to dress in mourning; **—se** to dress
la **vez** time; **a la —** at the same time; **tal —** perhaps; **a su —** in turn; **alguna —** sometimes, once; **cada —** every time; **cada — más** more and more; **de una —** once and for all; **en — de** instead of; **de — en cuando** once in a while; **otra —** again; **rara —** seldom, rarely; **tal —** perhaps; **una —** once; **una y otra —** again and again; **a veces** at times, sometimes; **muchas veces** often; **pocas veces** rarely; **repetidas veces** repeatedly
la **vía (férrea) (del tren)** railway, road bed, tracks
viable feasible
el **viaducto** viaduct
el **viaje** trip; **de —** on a trip, traveling
la **víbora** viper
la **vibración** throbbing, vibration
vibrante vibrant
vibrar to vibrate
el **vicio** vice, defect
vicioso, -a immoral
la **víctima** victim
victorioso, -a victorious
la **vida** life
vidriado, -a glazed
viejo, -a old
la **vieja** old woman
el **viejo** old man
el **vientecillo** little wind
el **viento** wind; **de ciento en —** once in a blue moon
el **vientre** belly, womb
vigilar to watch over
vigoroso, -a vigorous
el **villorrio** small country town
el **vinagre** vinegar
vincular to link
el **vínculo** link
el **vino** wine; **— tinto** red table wine
la **violencia** violence
violentarse to force oneself
violento, -a violent
la **virgen** Virgin, virgin; **el día de la —** celebration in honor of the Virgin Mary (date set by local tradition)
la **virilidad** virility
la **virtud** virtue
el **virtuoso** virtuoso
las **vísceras** viscera
la **visibilidad** visibility
visiblemente evidently
la **visita** visit
visitar to visit
la **víspera** eve, day before

la **vista** sight, vision, eyes, view; **a la —** apparently; **perder de —** to lose sight of
visto, -a *past part. of* **ver; bien —** looked on with approval; **por lo —** evidently
vital living, vital, full of life
la **vitalidad** vitality
vitalizar to vitalize
la **vitamina** vitamine
el **vítor** cheer
la **vitrina** shopwindow
la **viuda** widow
viudo, -a widowed
el **viudo** widower
vívido, -a vivid
la **vivienda** dwelling, house
vivir to live; **— con** to live off; **¡viva!** long live!
vivo, -a acute, keen, deep, alive, living, vivid, intense, lively; **carne viva** raw flesh
vivamente in a lively fashion
Vizcaya Biscay (province of Northern Spain)
el **vocablo** word, term
el **vocabulario** vocabulary
la **vocación** vocation
vocear to cry, shout, proclaim
volar (ue) to fly
volcar to dump
volteretas: dar — to turn somersaults and hand-springs
el **volumen** volume, bulk
la **voluntad** will, willingness, good will, will-power
voluptuoso, -a voluptuous
volver (ue) to turn, return, come back, go back; **— a** + *inf.* = *verb* + again; **— en sí** to come to, regain consciousness; **—se** to turn, return, come back, become
vos you (i.e., in prayers and other limited uses)
vosotros, -as you
la **voz** voice; **en alta —** aloud; **a media —** in a low voice; **en — baja** in a low voice
el **vuelo** flight
la **vuelta** turn, return, (cuff) trimming; **a la — de** at the end, after; **dar —** to reverse, turn around; **dar vueltas (nerviosas)** to turn around, over (nervously), keep going over the same subject; **dar media —** to turn around; **dar media — a** to turn half way
vuelto, -a *past part. of* **volver**
vuestro, -a your, yours
vulgar common, commonplace
vulnerar injure, penetrate

Y

y and
ya already, now, then, once, later, of course; **— . . . no (no . . . —)** no longer; **— que** since, inasmuch as
yanqui Yankee, American
la **yema del dedo** finger tip
yermo, -a barren, deserted
yerto, -a stiff, rigid
yo I, me

Z

zafarse de to dodge, free oneself
zafio, -a uncouth
el **zaguán** vestibule
zanjar to settle
el **zapatero** shoemaker

el **zapato** shoe
zarandear to shake
el **zarzal** bramble patch
la **zarzamora** blackberry, brambleberry bush
¡zas! bang!
el **zascandil** (*coll.*) meddler, schemer
la **zona** zone, area
el **zueco** wooden shoe
zumbar to buzz, hum